MINISTERIO DE TRABAJO
Y SEGURIDAD SOCIAL

Centro de Publicaciones

RET. 86-1.155-13

Los pequeños Estados en los mercados mundiales

COLECCION ECONOMIA DEL TRABAJO

La Colección Economía del Trabajo está dirigida por un Consejo Asesor formado por Alvaro Espina Montero, Lluis Fina Sanglas, Antonio García de Blas, José Ramón Lorente Hurtado, Alberto Meixide Vecino, Carmen de Miguel Castaño, Francisco Mochón Morcillo, José Ignacio Pérez Infante, Carlos Prieto Rodríguez, Santos Ruesga Benito, Felipe Sáez Fernández, Ignacio Santillana del Barrio y Luis Toharia Cortés.

Título original: «Swall States in World Markets. Industrial Policy in Europe»

Publicado por vez primera en 1985 por
Cornell University Press
124 Roberts Place
Ithaca, New York 14850

© 1985, Cornell University Press

© 1987, Ministerio de Trabajo y Seguridad Social. España

Traducción: Elvira Cortés

Revisión: Juan José Castillo

La edición de esta obra en español ha sido autorizada por Cornell University Press

Edita y distribuye:
Centro de Publicaciones
Ministerio de Trabajo y Seguridad Social
Huertas, 73. 28014 Madrid

NIPO: 201-86-081-2
ISBN: 84-7434-400-X
Depósito legal: M. 12.355-1987

Fotocomposición e impresión: Closas-Orcoyen, S. L.
Polígono Igarsa. Paracuellos de Jarama (Madrid)

Los pequeños Estados en los mercados mundiales

Política industrial en Europa

Peter J. Katzenstein

MINISTERIO DE TRABAJO Y SEGURIDAD SOCIAL

A Mary

INDICE GENERAL

CUADROS

PREFACIO

Las pequeñas democracias de la Europa occidental plantean un interesante problema a las ciencias sociales. Los científicos políticos regresan de sus viajes destacando la estabilidad que han descubierto esos Estados a través de sus acuerdos corporatistas. Incluso la opinión típica de los economistas es que estos mismos países constituyen modelos de flexibilidad económica y competencia de mercado. A lo largo de los últimos cinco años he estado intentando desarrollar un argumento que resolviera este enigma. El argumento que avanzo es provisional. Se aplica principalmente a los pequeños Estados corporatistas de Europa, que, debido a sus economías abiertas, han sido vulnerables a los cambios de la economía mundial durante el siglo XX. En mi opinión la estabilidad política y la flexibilidad económica no son contradictorias, sino que están mutuamente supeditadas.

Los grandes países industriales están empezando a experimentar una apertura y vulnerabilidad económicas cada vez mayores, condiciones que son nuevas para ellos pero familiares para sus pequeños vecinos a lo largo de la historia moderna. En los pequeños Estados europeos la apertura y vulnerabilidad económicas han posibilitado los acuerdos corporatistas que son menos comunes entre los países grandes. Los Estados pequeños proporcionan así una especie de modelo a través del cual podemos valorar los desarrollos de los grandes.

Este es uno de los dos volúmenes que investigan la economía política de las grandes democracias europeas. *Los pequeños Estados en los mercados munciales* desarrolla el argumento en términos generales para Escandinavia, Países Bajos y Europa central. *Corporatismo y cambio* lo aplica a Austria y Suiza en particular. Estos dos volúmenes muestran cómo la apertura económica y el corporatismo democrático conforman la Política y las políticas del ajuste industrial en los pequeños Estados europeos.

Los pequeños Estados en los mercados mundiales argumenta que las crisis de ajuste de los años 30 y 40 —Depresión, fascismo y segunda guerra mundial— reorganizaron fundamentalmente las políticas de los pequeños Estados europeos. El corporatismo democrático que surgió entonces se ha fortalecido desde los años 50 debido a las presiones de una economía internacional liberal. El resultado ha sido un ajuste económico flexible y unas políticas estables. La historia nos explica por qué el potencial para alcanzar un compromiso político entre el mundo de los negocios y los trabajadores durante los años 30 y 40 fue mayor en los pequeños países que en los grandes. Las medidas en materias de agricultura y religión anteriores a la revolución industrial explican por qué, en contraste con los grandes países, los pequeños Estados experimentaron una disgregada política de derechas y una política reformista de izquierda en los siglos XIX y XX. En los dos últimos siglos, además, los pequeños Estados europeos han adoptado una estrategia de especialización en las exportaciones que ha tendido a reducir las diferencias entre los diversos sectores de cada sociedad. Y con la adopción del sufragio universal estos Estados optaron por sistemas de representación proporcional antes que por reglas mayoritarias, mostrando así una disposición decididamente positiva al reparto del poder entre actores políticos dispares.

Aunque los pequeños Estados europeos se asemejan unos a otros en cuanto a sus acuerdos corporatistas y en cuanto a la sustancia de sus estrategias de ajuste industrial, muestran, por el contrario, marcadas diferencias en la forma de sus políticas y en el estilo de sus medidas. Hoy existen dos variedades de corporatismo, uno «liberal» y otro «social». El *tempo* de la industrialización, su experiencia en tiempos de guerra y la demarcación de divisiones en la sociedad ayudan a explicar esas diferencias entre los pequeños Estados europeos. En algunos de estos Estados el ajuste tiene lugar en una esfera global y se organiza privadamente; en otros, el ajuste es nacional y público. Los pequeños Estados europeos eligen así diferentes caminos de combinar la flexibilidad económica y la estabilidad política para hacer compatibles las exigencias de la política internacional con las exigencias de las políticas nacionales.

Mi argumento mantiene la idea de que es en Austria y Suiza, de entre los Estados europeos pequeños, donde es mayor la diferencia entre estas dos variantes del corporatismo. Escribí *Corporatismo y cambio* esperando que los extranjeros pudieran pintar buenos retratos de familia, ya que esbozando los rasgos característicos de Austria y Suiza se obtiene la imagen de dos primos lejanos, con diferencias predecibles y similitudes imprevisibles. Los socialdemócratas austríacos aludían con orgullo a la extensión de su *welfare state* durante los años 70, mientras que los hombres de negocios suizos alababan su economía liberal de mercado. Sin embargo, en ambos países la búsqueda del consenso es una pasión nacional. He intentado resistir a la tentación de contrastar supuestos rasgos característisticos, por ejemplo, la laboriosidad suiza con la indolencia austríaca, y construir un argumento alrededor de tales presunciones. Mas bien, la descripción sistemática que he elegido permite hacerse una idea de las motivaciones y estructuras políticas que conforman la búsqueda del consenso de marcos diferentes y determinantes. Tal idea es central para entender cómo los pequeños Estados europeos salen adelante en la economía internacional. Es, además, un modesto avance hacia una interpretación de la sustancia y estilo de las políticas centroeuropeas.

Los pequeños Estados en los mercados mundiales establece el argumento en términos generales. Comparando a los pequeños con los grandes Estados industriales resalta cómo las estructuras históricamente conformadas hacen posible una estrategia particular de ajuste industrial. Puesto que este argumento cae en el riesgo de una excesiva generalización, *Corporatismo y cambio* añade un análisis detallado en Austria y Suiza. Para una mejor comprensión de las políticas austríaca y suiza, he seguido la historia reciente de cuatro industrias con problemas: los relojes en Suiza, el acero en Austria y el textil en ambas. Estos sectores difieren en una serie de dimensiones, incluyendo la del origen del cambio, el proceso de diferenciación interna, el actor económico típico, la organización política de la industria y sus vínculos políticos con otros sectores. Contemplados como cuatro marcos diferentes de la política industrial, esta historia reciente varía en el sentido de que ayuda a identificar algunos modelos de Política y de políticas.

Estos dos libros muestran cómo la estructura y el proceso interactúan en la política. Yo he elegido reflexionar sobre las implicaciones de esta interacción con diferentes grados de abstracción, realizando estas incursiones en algunas de las convenciones establecidas en la ciencia política. La especialización por áreas consigue la claridad intelectual y permite examinar con gran profundidad una realidad política compleja. Los amplios estudios comparativos tratan, en general, de imponer un orden intelectual contemplando la realidad desde puntos de vista elegidos, a menudo deliberadamente, para contradecir los supuestos esenciales de una cultura racional. Puesto que ambos métodos sirven a sus propósitos, los cánones de la investigación en ciencias sociales han expresado en los últimos años la esperanza de que a largo plazo ambos métodos sean combinados. Al final de mi propio esfuerzo estoy sinceramente convencido de ello.

He intentado aprender cómo vincular lo específico con lo general. La familiaridad con el detalle es necesaria para dibujar las conexiones entre las diferentes partes de la vida política austríaca y suiza, para discernir cómo estas partes conforman una estructura distintiva y para entender cómo esa estructura se regenera a sí misma en la política diaria. La afinidad en los subtítulos de los dos libros intenta así comunicar mis intereses en la vinculación de los niveles macro y micro del análisis. Las políticas industriales de los pequeños Estados europeos provienen de distintas limitaciones y oportunidades. Las políticas industriales en Austria y Suiza vuelven a confirmar, en base a la experiencia diaria, la lógica que da forma a las opciones particulares. Así, ambos libros señalan que en la vinculación estrecha entre las políticas y la Política, los pequeños Estados europeos han hecho compatible la flexibilidad económica con la estabilidad política.

En la elaboración de este proyecto me he servido de los métodos ya probados de la ciencia política. Las comparaciones entre pequeños y grandes Estados, entre Austria y Suiza, y entre diferentes sectores han sido esenciales para desarrollar mi argumento. Debido a que yo quería comprender las limitaciones y oportunidades ofrecidas por las estructuras corporatistas de los pequeños Estados europeos, he dedicado gran cantidad de tiempo a trazar el proceso político en Austria y Suiza. He leído intensamente, he visitado Austria y Suiza repetidas veces y he entrevistado a más de ochenta políticos, hombres de negocios, sindicalistas, periodistas y académicos durante un período de cinco años. He utilizado las entrevistas no tanto como una fuente de datos, sino como una forma de aprender de los demás, cuestionándome mis propias ideas e intentando elaborar otras nuevas. Pero cuando no podía encontrar una muestra significativa de la evidencia en el material escrito, las entrevistas me ayudaron a llenar el vacío. Los archivos de recortes de periódicos en Austria, Suiza y Alemania Occidental me han sido de gran utilidad al ofrecerme la historia posbélica de diferentes sectores. La utilización de los periódicos no está exenta de riesgos. Schopenhauer dijo una vez que los periódicos no son otra cosa que la historia de segunda mano —siempre hablan de un tiempo erróneo—. Pero los periódicos ofrecen una información suficientemente buena para lanzar a los investigadores al momento de tener que comprobar el significado político de la vida económica.

Este proyecto se ha beneficiado enormemente de la ayuda de un gran número de colegas y amigos. Durante un período de cinco años han estado hablando, escuchando y haciendo comentarios sobre los diversos borradores. A menudo les he explotado abiertamente, he utilizado sus ideas y agotado su paciencia. Incluso cuando discrepábamos, sus reacciones hacia mi trabajo han agudizado mis ideas. Su presencia intelectual ha dado sentido a los inevitables trabajos pesados del saber. Mi mayor deuda intelectual va dirigida hacia aquellos que realmente se sentaron y leyeron uno o dos borradores del manuscrito que abarcaba los dos volúmenes ahora poblicados por separado: Francis Castles, William Diebold, Gösta Esping-Andersen, Peter Gourevitch, Jeffrey Hart, Thomas Ilgen, Mary Katzenstein, Robert Keohane, Stephen Krasner, David Laitin, Peter Lange, Gerhard Lehmbruch, Arend Lijphart, Bernd Marin, T. J. Pempel, Richard Rosecrance, Charles Sabel, Martin Shefter, Margret Sieber, Sidney Tarrow y John Zysman. He recibido también útiles comentarios de colegas que leyeron artículos que desarrollaban el argumento general de los dos libros: Ronald Brickman, David Cameron, Miriam Golden, Peter Hall, Steven Jackson, Jeanne Laux, Martin Lipset, Charles Lipson, Theodore Lowi, Henrik Madsen, Peter McClelland, Sandra Peterson, Ronald Rogowski, Michael Shalev, Gabriel Sheffer, Charles Tilly y Harold Wilensky; de un grupo de eruditos a quienes conocí en una serie de coloquios convocados por John Ruggie: Barry Buzan, Helge Hveem, Gerd Junne y Alberto Martinelli, y de mis colegas del *Center for Advanced Study:* Alfred Kahn, Natalie Ramsøoy y William Wilson.

Este proyecto ha sido financiado por los miembros del *German Marshall Fund* de los Estados Unidos (Concesión número RF 77020-87). Un primer borrador de ambos volúmenes fue preparado mientras pasaba un año en el *Center for Advanced Study in the Behavioral Sciences*, en Stanford, California, en 1981-1982. Estoy agradecido por el apoyo económico que me proporcionó la *National Science Foundation Grant* (número BNS 76-22943).

A lo largo de los últimos cinco años, un grupo de estudiantes de Cornell me ha ayudado en mi investigación. Me gustaría expresar mi agradecimiento, en particular, a Mark Hansen, Gretchen Ritter y Rhonda Wassermann. Dorothy Hong, Bruce Levine y Diane Sousa también me han ayudado.

En el *Center for Advanced Study,* Deanna Dejan, Barbara Homestead y Anna Tower mecanografiaron un primer borrador del manuscrito del cual surgieron finalmente estos dos libros. El personal del Departamento de Gobierno de la Universidad de Cornell, más allá de todas las expectativas razonables, continuaron conmentando ciertos aspectos conmigo mientra se volvían a mecanografiar algunas versiones posteriores.

Walter Lippincott mostró desde el principio su interés en este proyecto. En sus últimas etapas sugirió un formato de publicación que he encontrado conveniente: dos libros separados, dos subtítulos similares y un prefacio. John Ackerman leyó los borradores de la introducción y la conclusión para ambos volúmenes y me dio útiles consejos editoriales. Pero mi deuda más grande de gratitud va para Roger Haydon. En la edición de estos dos volúmenes, sin queja alguna, aprendió más de lo que nunca quiso saber sobre los países pequeños. Tuvo un excelente juicio sobre cómo debería organizarse el material de un gran manuscrito en dos libros. Su tenacidad me empujó a clarificar mi pensamiento; su lápiz ordenó mi prosa; su diplomacia consintió en el acabado demasiado liso de mi texto, y su humor hizo divertida la mayor parte del trabajo duro.

Una parte del material de este libro apareció previamente en dos volúmenes editados. Partes de los capítulos 2 y 3 se han publicado en «Political Compensation for Economic Openness: Incomes Policy and Public

Spending im Austria and Other Small European States», en Kurt Steiner, ed., *Tradition and Innovation in Contemporary Austria,* páginas 99-108, copyright 1982, SPOSS Inc., y están reproducidos con la debida autorización; parte del capítulo 3 apareció en «The Small European States in the International Economy: Economic Dependence and Corporatist Politics», en John G. Ruggie, ed., *The Antinomies of Independence: National Welfare and the International Division of Labor* (Nueva York, Columbia University Press, 1983), páginas 91-130, y se ha utilizado con autorización.

En mi hogar he recibido todo el apoyo que, razonablemente, podía esperar. Sospecho que Tai y Suzanne disfrutaron con este proyecto. Cuando viajaba a Europa su consumo de *pizza* aumentaba y cuando regresaba esperaban con ansia los *dirndls* austríacos o los chocolates suizos. He dedicado el segundo de estos libros a Mary, quien es parte de un dinámico duo intergeneracional que ha transformado mi vida.

Peter J. Katzenstein

Itaca, Nueva York.

Capítulo 1

INTRODUCCION

Al igual que muchos otros países industriales, los Estados Unidos están experimentando cambios estructurales trascendentales en su economía. Como otros muchos, está respondiendo con el remedio que mejor ha funcionado en el pasado: las políticas liberales y la consecuente competencia de mercado. A mediados de los años 80, sin embargo, los americanos continúan divididos en sus valoraciones, tanto del carácter de la crisis como de la adecuación de los remedios.

Los signos de la crisis se han hecho inconfundibles. A principios de los 80 una lista de libros cada vez mayor empleaba el lenguaje estadístico para demostrar que la inflación desenfrenada y el alto desempleo —tanto por separado como en combinación— habían llevado a la economía americana del crecimiento al estancamiento. Una impresionante lista de medidas estadísticas, sobre todo productividad, formación de capital y el balance internacional del comercio entre ellos, indicaba que la economía de los Estados Unidos estaba quedando por detrás de las de una serie de otros Estados industriales. Dado que incluso la importancia de los productos americanos en los mercados mundiales continuaba su gradual declive, éstos cayeron bruscamente en ciertos mercados nacionales clave. Al mismo tiempo, la fuerza de la recuperación económica en 1983-84, el dramático descenso de la tasa de inflación y la disminución del desempleo, los cuales, comparados con los de algunos países europeos únicamente pueden denominarse de impresionantes, están todos ligados a la inherente fuerza económica de Estados Unidos. Sus mercados continúan siendo grandes y dinámicos, y en los años 70 Estados Unidos aceptaba, mientras Europa los rechazaba, grandes cantidades de trabajadores inmigrantes. La economía americana, no obstante, generó 20 millones de nuevos empleos a lo largo de la década; Europa no creó ninguno. En algunas industrias de alta tecnología, además, el dominio americano sobre Europa se ha ido incrementando.

Debido a que los datos aportan valoraciones de la economía americana tanto optimistas como pesimistas, los analistas discrepan en la prescripción de políticas adecuadas. Están de acuerdo, sin embargo, en que a la actividad económica americana le falta competitividad internacional. En junio de 1980 *Business Week* tituló una de sus publicaciones especiales «The Reindustrialization of America» [1]. Barry Bluestone y Bennett Harrison, en su estudio en profundidad del cierre de plantas, proponían el mismo título con un pequeño pero importante cambio: *The Deindustrialization of America*. Cualquiera que fuera el diagnóstico y cualquiera que fuera el remedio, nadie sabía si la economía mundial, y con ella la economía americana, había comenzado a mediados de los 70 un largo período de estancamiento o una transición previa a una renovada vitalidad económica.

A lo largo de 1982, cinco Estados europeos aventajaron a los Estados Unidos en el Producto Interior Bruto per cápita (PIB), entre ellos Suiza, Suecia, Noruega y Dinamarca [2]. La familia media noruega o danesa disfruta hoy en día de un nivel de vida superior al de sus correspondientes americanos. Estos son conscientes de ello y este hecho molesta a los americanos, acostumbrados, por una generación de prosperidad y dominio internacional, a pensar en ellos mismos como los número uno. Su preocupación sugiere que la experiencia de los pequeños Estados europeos en cuanto a política industrial merecen una mayor atención de la que ha recibido en el discurso público americano.

I. El nuevo contexto global

Durante los últimos veinticinco años, la economía americana se ha lanzado a la competición internacional en un grado único en este siglo [3]. Más de una quinta parte de la producción industrial americana se exporta actualmente. El 40 por 100 de las tierras cultivadas produce para mercados extranjeros, lo cual sucede también en uno de cada seis trabajos en la industria manufaturera. Las exportaciones y las inversiones en el extranjero suman casi una tercera parte de los beneficios de las corporacio-

---

[1] «The Reindustrialization of America», *Business Week,* número especial, 30 junio 1980; Barry Bluestone y Bennet Harrison, *The Deindustrialization of America: Plant Closings, Community Abandonment, and the Dismantling of Basic Industry* (Nueva York, Basic, 1982).

[2] Estas cifras están calculadas en dólares USA constantes al tipo de cambio y nivel de precios de 1975. Véase Organización para la Cooperación y el Desarrollo Económico (OFCFDFE), *National Accounts: Main Aggregates,* vol. 1, 1953-1982 (París, 1984), pág. 86.

[3] Véase, por ejemplo, C. Fred Bergsten, «The United States and the World Economy», en J. Michael Finger y Thomas D. Willett, eds., «The Internationalization of the American Economy», *Annals of the American Academy of Political and Social Science,* 460 (marzo 1982), pág. 5.

nes estadounidenses, y para la mayoría de las mayores y más prósperas empresas americanas esa proporción supera el 50 por 100. Las importaciones satisfacen más de la mitad de la demanda de los Estados Unidos para 24 de las 42 materias primas más importantes en la industria y el coste de las importaciones de petróleo se incrementó desde 3 a 80 billones de dólares en el curso de los años 70. El debilitamiento del dólar en 1977-78 contribuyó a lanzar a Estados Unidos hacia la inflación de dos dígitos. Entre 1978-1980 el 60 por 100 del modesto incremento en el Producto Nacional Bruto (PNB) podría haberse debido a una marcada mejora en la balanza comercial de los Estados Unidos: las exportaciones americanas crecieron dos veces más que el comercio mundial en cada uno de esos años. De forma similar, la profunda recesión de 1981-83 se vio acentuada por la depreciación del dólar en los mercados internacionales. En resumen, los factores internacionales influyen ahora en la economía interna americana de una forma sin precedentes.

La creciente dependencia de la economía americana con respecto a los mercados internacionales ha estado asociada desde mediados de los 70 con el éxito de la ofensiva de la exportación japonesa en el mercado americano. Los logros japoneses han convencido a un creciente número de americanos de que la competitividad de una nación depende de algo más que de su disposición de recursos naturales y del funcionamiento del mercado. Pero el debate nacional americano sobre política industrial revela la fuerza de una ideología liberal. Nosotros imaginamos las alternativas políticas que nos enfrentan como oponentes radicales: mercado o planificación. Las inclinaciones de nuestra ideología se ven reforzadas por una verdadera obsesión nacional con Japón, un país que los hombres de negocios norteamericanos en particular ven como un antídoto estatista a la alabanza ideológica americana de la competencia de mercado.

Nuestro debate político opone normalmente a los defensores de la actuación gubernamental contra los defensores de la competencia de mercado. Fundamentalmente, el debate se refiere a la implicación del Estado en la economía. ¿Es el Estado inteligente o torpe? ¿Sería generoso o ahorrador? Los éxitos y fracasos de Japón se convierten a menudo en puntos importantes de referencia en la discusión de las prioridades y opciones americanas. Un grupo influyente, cuyos miembros han llegado a conocerse como «Atari Democrats», defiende una sofisticada interpretación de lo que Chalmers Johnson ha denominado el «Estado de desarrollo» japonés [4]. Esta concepción sugiere la competencia y no la colisión como el concepto organizador de la política industrial. La actuación gubernamental está conformada por los avances del mercado a largo plazo. Ayuda a las empresas individuales, a segmentos de la industria o a sectores

---

[4] Chalmers Johnson, *Miti and the Japanese Miracle: The Growth of Industrial Policy, 1925-1975* (Stanford: Stanford University Press, 1982).

industriales generales a prepararse para la competencia internacional. (Esta interpretación de Japón recurre tanto a la noción de Japón incorporado que modela las ideas de muchos hombres de negocios como a las de aquellos economistas liberales que fomentan la competición intensa en el mercado interno japonés.)

Esta idea del «Estado inteligente» de la política industrial está, sin embargo, abierta a la crítica [5]. El Estado desarrollista japonés ha fracasado en áreas tan diferentes como son los textiles y los vuelos comerciales. El sistema americano de gobierno tiene, además, limitaciones institucionales que inhiben la implantación de una estrategia de Estado-inteligente. Tal criticismo sirve como un útil correctivo a la mezcla de imágenes artísticas y atléticas utilizadas por aquellos que enfatizan la flexibilidad y el dinamismo de la política industrial japonesa. Al mismo tiempo, sin embargo, esos criticismos se arriesgan a dejar el debate, por rebeldía, en manos de aquellos que basan su causa contra la política industrial en la mítica noción de la libre competencia de mercado.

Un segundo grupo de argumentos se refiere a la cuestión de si el Estado sería generoso o ahorrador. Funcionarios de AFL-CIO, recogiendo la experiencia de algunos Estados europeos, y Robert Kutner [6], entre otros escritores, conceden un puesto de honor al capital humano y al impacto de la política industrial sobre los mercados de trabajo y el bienestar social. La estrategia de un «Estado generoso» ve el bienestar y la eficacia como complementarios más que como objetivos en conflicto. Una fuerza de trabajo bien organizada cuyos representantes están implicados en la determinación de las opciones económicas fundamentales es, piensan, un ingrediente esencial en el mantenimiento de una posición competitiva en los mercados internacionales. Las críticas a este argumento apuntan a una falta de competitividad que, según argumentan, deriva directamente de los excesos del Estado del bienestar tanto en Europa como en los Estados Unidos [7]. La grasa social debe ser eliminada para impedir

---

[5] Por ejemplo, Philip H. Trezise y Yukio Suzuki, «Politics, Government, and Economic Growth in Japan», en Hugh Patrick y Henry Rosovsky, eds., *Asia's New Giant: How the Japanese Economy Works* (Washington, D. C., Brookings, 1976), págs. 753-811; Trezise, «Industrial Policy in Japan», en Margaret E. Dewar, ed., *Industry Vitalization: Toward a National Industrial Policy* (Nueva York, Pergamon, 1982), págs. 177-95, y George C. Eads, «Industrial Strategies for High Technology», artículo no publicado, Universidad de Maryland, febrero 1983. Véase también Manhattan Institute for Policy Research, «Industrial Policy, Part 2: Is a New Deal the Answer?», *Manhattan Report on Economic Policy,* 3, pág. 2. (1983)

[6] Robert Kuttner, *The Economic Illusion: False Choices between Prosperity and Social Justice* (Boston: Houghton Mifflin, 1984). Véanse también Howard D. Samuel y Brian Turner, «An Industrial Policy for the United States?», *Transatlantic Perspectives,* 5 (julio 1981), págs. 14-17.

[7] Por ejemplo, Melvyn B. Krauss, *The New Protectionism: The Welfare State and International Trade* (Nueva York, New York University Press, 1978), Bruce R. Scott, «Can In-

la atrofia del músculo económico. Enfatizando los beneficios a largo plazo de la eficacia y la competición, estos críticos aceptan que la transición desde un Estado no competitivo que se empobrece a una economía de mercado competitiva que se enriquece acarreará costes inevitables. Son principalmente los económicamente débiles y los económicamente pobres quienes tendrán que pagar la factura. Quizá la más dura de todas las lecciones en toda la educación de David Stockman fue el hecho de que la administración Reagan tuviera más éxito en cortar las fuertes quejas de los clientes débiles que en reducir las débiles demandas de los clientes fuertes [8].

Una voz importante en el debate, Robert Reich, ha afirmado que hoy nos hallamos enfrentados ante la elección «de eludir el nuevo contexto global o de comprometernos con él —entre proteger la economía americana del mercado internacional mientras se generan beneficios ficticios o adaptarla para entrar en la competición internacional—» [9]. ¿Pero cuáles son los ingredientes para el éxito de la adaptación? El debate sobre la política industrial es de poca ayuda para analizar esos ingredientes, porque está organizado alrededor de polaridades mal ubicadas de acción estatal: inteligente vs. torpe, generoso vs. ahorrador. Los americanos están empezando a percibir la amenaza exterior, no sólo en los términos del comunismo revolucionario, sino también en los del capitalismo competitivo. Es, por lo tanto, poco aconsejable agrupar, como hace Reich, a Europa y a Japón o a toda Europa. En la alabanza o crítica del capitalismo extranjero, la generalización hace hincapié en que América es mucho más que una excepción. El análisis comparativo es un antídoto útil para esta forma sutil de etnocentrismo.

Hoy en día podemos distinguir tres formas políticas dominantes de capitalismo contemporáneo: el liberalismo de los Estados Unidos y Gran Bretaña; el estatismo de Japón y Francia, y el corporatismo de los pequeños Estados europeos y, en menor medida, de Alemania occidental. El rápido despegue tecnológico que se ha producido entre América liberal y el Japón estatista, *cowboys* y samurais, ha desatado de tal forma la imaginación del público americano que ha excluido la posibilidad de consideraciones serias de otras opciones políticas dentro del capitalismo contemporáneo.

Este libro analiza la estrategia de adaptación industrial de los Estados europeos pequeños y corporatistas: Suecia, Noruega, Dinamarca, Holanda, Bélgica, Austria y Suiza. Los compara unos con otros, así como con

dustry Survive the Welfare State?», *Harvard Business Review,* septiembre-octubre 1982, págs. 70-84.
   [8] Véase William Greider, «The Education of David Stockman», *Atlantic Monthly,* diciembre 1981, págs. 27-54.
   [9] Robert Reich, *The Next American Frontier* (Nueva York, Times, 1983), pág. 232.

los grandes países industrializados: Estados Unidos, Gran Bretaña, Alemania, Francia y Japón [10]. Yo me centro en este grupo particular de pequeños Estados excluyendo, a Irlanda, Finlandia y algunos de los países mediterráneos por razones prácticas e históricas. Este grupo de siete Estados está cercano a la cúspide de la pirámide internacional del éxito, a pesar de que nos faltan buenos estudios comparativos de cómo gestionan sus relaciones con la economía internacional. El grupo es lo suficientemente grande para permitir algunas inferencias plausibles sobre los efectos de los límites y oportunidades estructurales, aunque no tan amplias como para desafiar dominio intelectual. Además, al haberse industrializado estos siete pequeños Estados antes de que lo hicieran otros pequeños Estados de la periferia europea, están relacionados con la economía internacional de una manera distintiva. Finalmente, en estos siete Estados se produjo una nueva y decisiva alineación de sus economías domésticas en los mercados mundiales no mucho después del cambio de siglo, una generación o dos antes que en la periferia europea.

Aunque utilizo las cifras en este libro cuando son relevantes, difiero conscientemente de las investigaciones con inclinación estadística que intentan conseguir nuestro entendimiento correlacionando pequeñas magnitudes con una amplia serie de consecuencias económicas, sociales y políticas. En el método de análisis concedo un lugar de honor a las comparaciones formadas históricamente antes que a las investigaciones estadísticas. Si admitimos las especificidades de los contextos nacionales, la evolución histórica de estos siete pequeños Estados justifica nuestra particular atención.

La experiencia de los pequeños Estados europeos en la economía internacional ilustra una paradoja tradicional en las relaciones concerniente al grado de debilidad. Esta experiencia se muestra muy útil en el estudio de los grandes y avanzados Estados industriales, incluyendo a Estados Unidos, por tres razones diferentes. En primer lugar, los grandes Estados están reduciéndose. Esta proposición es claramente cierta en términos de territorio: en el curso de la última generación los grandes países

---

[10] Existe muy poco en inglés sobre las economías políticas de los pequeños Estados europeos. Un estudio al estilo de un libro de texto es, Earl H. Fry y Gregory A. Raymond, eds., *The Other Western Europe: A Political Analysis of the Smaller Democracies* (Santa Barbara, ABC-Clio, 1980). Un estudio reciente y útil sobre la teoría de los Estados pequeños es Otmar Höll, ed., *Small States in Europe and Dependence* (Viena, Braumüller, 1983); véase también Michael Handel, *Weak States in the International System* (Londres, Cass, 1981). La experiencia de los países escandinavos es tratada en profundidad en Gösta Esping-Andersen, *The Social Democratic Road to Power* (Princeton: Princeton University Press, de próxima publicación). Sobre los Países Bajos véanse Arend Lijphart, *The Politics of Accomodation: Pluralism and Democracy in the Netherlands* (Berkeley, Universidad de California, Institute of International Studies, 1981), y un número especial de *Acta Política*, 19 (enero 1984). Yo he escrito con detalle sobre Austria y Suiza en *Corporatism and Change: Austria, Switzerland, and the Politics of Industry* (Ithaca, Cornell University Press, 1984).

industriales completaron la retirada de sus imperios tradicionales y no parece que vayan a surgir nuevos imperios formales en un futuro predecible. En segundo lugar, la disminución de los grandes Estados se refleja en la creciente apertura' de sus economías y en su debilitado control sobre el sistema internacional. A lo largo de los años 70, por ejemplo, las economías de los grandes Estados industriales se abrieron con mayor rapidez que las de los pequeños Estados europeos [11]. Los grandes Estados están renunciando gradualmente a sus prerrogativas tradicionales de imponer soluciones políticas sobre otros y se están adaptando, como los pequeños Estados, a los cambios impuestos desde fuera. Para América y los grandes Estados la «aceptación de reglas», más que la «elaboración de reglas», es cada vez más importante [12]. Finalmente, la producción de bienes para una situación provechosa en los mercados internacionales ha sido durante mucho tiempo una realidad económica para los pequeños Estados europeos —una realidad que los grandes Estados industriales, al no estar acostumbrados a ser oprimidos, han conocido sólo de forma retórica—. Pero para los grandes Estados industriales la retórica se está convirtiendo rápidamente en realidad. Ellos también tienen que aprender a zapatear antes que a pisotear.

II. Tres respuestas políticas al cambio económico

Los años 70 y 80 han sido años de rápido cambio en la economía internacional. Una forma de sugerir la rapidez con la que se ha producido este cambio es señalar los grandes temas que han afectado a la economía internacional desde principios de los años 70: inflación global, explosión de los precios de la energía, recesión prolongada, incrementos en las rivalidades y proteccionismos comerciales, mercados internacionales volátiles, rápidas alzas de los tipos de interés y de las deudas y reajuste estructural. Alternativamente se puede observar simplemente la conducta de los economistas que están en el negocio de la confección de predicciones. En los años 50 y 60 sus modelos originaron resultados impresionantemente acertados. Hoy una predicción económica implica, a menudo, algo menos que la aproximación a las conjeturas de cada uno sobre las tendencias futuras —a menudo, sin embargo, este método no funciona—. Entre los especialistas en energía, por ejemplo, algunos economistas predijeron con cierto grado de exactitud la superabundancia que acom-

---

[11] Margret Sieber, *Dimensionen Kleinstaatlicher Auslandabhängigkeit,* Universidad de Zurich, Kleine Studien zur Politischen Wissenschaft, núms. 206-7 (1981), págs. 155 y 165.
[12] Stephen D. Krasner, «United States Commercial and Monetary Policy: Unravelling the Paradox of External Strenght and Internal Weakness», en Peter J. Katzenstein, ed., *Between Power and Plenty: Foreign Economic Policies of Advanced Industrial States* (Madison, University of Wisconsin Press, 1978), pág. 52.

pañó a una gran guerra en el golfo en 1982, y todavía estaban menos dispuestos a aventurar un cálculo sobre su probable duración.

Las fuentes de estos cambios en la economía internacional son diversas. Incluyen las nuevas alineaciones políticas en el sistema de Estados internacional, así como los grandes cambios en las condiciones de sustitución y estructuras de producción de muchos países. En ningún momento desde el final de la segunda guerra mundial han obtenido una atención tan insistente en todo el mundo industrializado las cuestiones de la competitividad económica y la seguridad económica.

Ninguna de las grandes escuelas del pensamiento económico competentes ha ofrecido un diagnóstico plausible sobre la aceleración del cambio, abandonándose así un camino viable de afrontarlo. Incluso los problemas, cada vez más profundos, del mundo industrial avanzado han impulsado cambios sustanciales en las políticas de algunos Estados industriales. Ejemplos que ilustren este punto son fáciles de encontrar. Con la esperanza de superar la estagflación (estancamiento con inflación) a través del fortalecimiento de las instituciones de mercado, Gran Bretaña, bajo la primera ministra Thatcher, y los Estados Unidos, bajo el presidente Reagan, realizaron profundas rupturas con el pasado, siguiendo políticas deflacionarias y derogaciones. En un marcado contraste, en el primer año de la administración del presidente Mitterrand, Francia buscaba una mayor intervención gubernamental y una política de crecimiento inflacionaria como la solución más prometedora para los problemas económicos —enfoque que Mitterrand se vio más tarde obligado a abandonar—. Por otra parte, de formas inimaginables hace una década y sin una política que merezca este nombre, el norte de Italia está presenciando el surgimiento de una economía descentralizada embrionaria pero altamente competitiva, que desafía a la por tanto tiempo supuesta superioridad de la producción industrial masiva. Como sugieren estas políticas, las élites nacionales están intentando hacer frente al cambio estructural de la economía mundial de formas diversas.

En interés de un análisis sistemático, necesitamos categorías bajo las que agrupar las diversas políticas. Este libro se apoya en un esquema triple que corresponde a las formas políticas dominantes del capitalismo contemporáneo [13]. Los países liberales, como los Estados Unidos, confían en las políticas macroeconómicas y en las soluciones de mercado. Carentes de los medios para intervenir de forma selectiva en la economía, Es-

---

. [13] Mi reflexión sobre este punto ha estado influida, en particular, por Charles E. Lindblom, *Politics and Markets: The World's Political-Economic Systems* (Nueva York, Basic, 1977); Robert B. Kvavik, *Interest Groups in Norwegian Politics* (Oslo, Universitetsforlaget, 1976), págs. 19-22, y Wolfgang Streeck y Philippe C. Schmitter, «Community Market, State and Associations? The Prospective Contribution of Interest Governance to Social Order», *European University Institute Working Papers*, núm. 94 (marzo 1984).

tados Unidos, en las situaciones extraordinarias en las que el enfoque de mercado tradicional parece fallar, tienden a exportar los costes del cambio a otros países a través de la adopción de una serie de medidas limitadoras, *ad hoc* proteccionistas. Tales medidas suponen, a menudo, un «respiro» temporal para los productores, presionados fuertemente por la competencia internacional. A la inversa, los países estatistas, como Japón, están dotados de los medios y las instituciones para adueñarse de los costes del cambio a través de políticas que buscan la transformación estructural de sus economías. Debido a que ellos intentan afrontar los cambios estructurales en la economía de frente, su estrategia requiere, a menudo, políticas proteccionistas sistemáticas, al menos en el corto y medio plazo. Exportar o apropiarse de los costes del cambio económico en momentos de adversidad son opciones políticas para aquellos grandes Estados industriales cuyo poder es suficiente para ejercer un control efectivo, bien sobre sectores de su entorno internacional o bien sobre sectores de sus propias sociedades.

Este libro contiene un tipo diferente de respuesta. Es un respuesta que no entra fácilmente entre las categorías de análisis (competición o intervención, mercado o Estado) sugeridas por la experiencia de los grandes Estados industriales. Los pequeños Estados europeos carecen del poder que exigen las estrategias con las que normalmente los Estados Unidos y Japón hacen frente a los cambios económicos adversos. Para los pequeños Estados europeos el cambio económico es un hecho de vida. Ellos no lo han elegido, les viene impuesto. Estos Estados, por su pequeño tamaño, son muy dependientes de los mercados mundiales, y el proteccionismo no es, por lo tanto, una opción viable para ellos. De forma similar, su apertura económica y las políticas internas no les permiten el lujo de planificaciones a largo plazo para una transformación sectorial. En cambio, las élites de los pequeños Estados europeos, mientras dejan que los mercados internacionales fuercen los ajustes económicos, eligen una variedad de políticas económicas y sociales que impiden que los costes del cambio originen erupciones políticas. Viven con el cambio por medio de la compensación. En esto los pequeños Estados europeos han cultivado una estrategia que responde y reafirma sus estructuras internas. Su estrategia difiere profundamente de los principios liberales y estatistas que conforman las opciones y las estructuras políticas de los grandes Estados industriales.

Exportación, asimilación o convivencia con los costes del cambio son un buen resumen taquigráfico para las diferentes políticas exteriores que distinguen a los diferentes Estados industriales [14]. En el análisis de esas

---

[14] Algunos de los mejores estudios recientes sobre política industrial incluyen: John Zysman, *Governments, Markets, and Growth: Financial Systems and the Politics of Industrial Change* (Ithaca, Cornell University Press, 1983); Ira C. Magaziner y Robert Reich, *Min-*

alternativas no incluyo el elemento de la intención consciente que normalmente los estudiosos asumen como una parte esencial del concepto de estrategia. Hablando con hombres de negocios, líderes sindicales y, especialmente, con funcionarios del gobierno de Estados Unidos, Europa y Japón sobre los problemas de la adaptación industrial me he encontrado con diferentes niveles de reflexión sobre estos problemas. La mayoría de la gente a la que entrevisté estaba interesada en la discusión de las decisiones individuales; algunos pensaban en conjuntos de decisiones como formando una «política», y sólo unos pocos agrupaban los conjuntos de políticas como una «estrategia industrial». Mi conclusión tentativa, basada en este *collage* de impresiones individuales, es que el nivel de abstracción aumenta a medida que uno viaja desde Estados Unidos a Europa y de Europa a Japón.

De la serie de experiencias políticas que este libro intenta ilustrar he creído útil describir las estrategias de adaptación industrial de los pequeños Estados europeos bajo dos grandes apartados. ¿Qué intentan conseguir estos Estados (liberalización internacional y compensación interna)? ¿Dónde y cómo lo consiguen (adaptación nacional y compensación pública vs. adaptación internacional y compensación privada)? En los términos del *smorgasbord* semántico, desde el que opta y elige el debate actual sobre la política industrial estadounidense, el uso de estas categorías implica una amplia definición de este término. La política industrial se ocupa de la estructura de la economía, es decir, de las formas de producción en los diferentes sectores. Incluye adaptación-promoción y adaptación-medidas de retraso que operan directa o indirectamente a los niveles macro y micro. Su propósito es influir en la competitividad industrial y conseguir así objetivos tales como el empleo, inversión, crecimiento o una mejora de la balanza de pagos. Enfrentados al cambio económico, el gobierno y las empresas de los Estados Unidos prefieren la adaptación en los mercados globales a la confianza en la actuación gubernamental. El libre comercio y la inversión exterior por parte de la empresas antes que una política industrial coordinada por el gobierno es la opción que ellos apoyan. Esta orientación del mercado queda expresada en la prefe-

---

ding *America's Business: The Decline and Rise of the American Economy* (Nueva York, Harcourt Brace Jovanovich, 1982); un número especial de *Journal of Public Policy,* 3 (febrero 1983), sobre las políticas industriales de los países de la OCDE editado por Wyn Grant y David McKay; William Diebold, *Industrial Policy as an International Issue* (Nueva York, McGraw-Hill, 1980); F. Gerard Adams y Lawrence Klein, eds., *Industrial Policies for Growth and Competitiveness: An Economic Perspective* (Lexington, Mass.: Lexington, 1983); Susan B. Strange y Roger Tooze, eds., *The International Politics of Surplus Capacity: Competition for Market Shares in the World Recession* (Londres, Allen & Unwin, 1981); Grant, *The Political Economy of Industrial Policy* (Londres, Butterworths, 1982), y Johnson, *MITI and the Japanese Miracle*. Sobre América específicamente ver Reich, *Next American Frontier,* y Zysman y Laura Tyson, eds., *American Industry in International Competition: Government Policies and Corporate Strategies* (Ithaca, Cornell University Press, 1983).

rencia americana por unos menores aranceles durante la etapa postbélica. Por supuesto, existen excepciones en el enfoque liberal americano. Desde 1945, por ejemplo, el gobierno federal ha fomentado las industrias de alta tecnología, incluyendo la electrónica y la aeroespacial, mediante grandes gastos militares. No sólo la preparación a largo plazo para la guerra, sino también la adversidad económica, han obligado al gobierno a actuar. Cuando se ha visto enfrentado al desempleo de larga duración o con las bancarrotas masivas, el gobierno de los Estados Unidos ha tendido a favorecer las políticas defensivas, intentando reducir las magnitudes del cambio económico adverso mediante el proteccionismo.

Para la industria textil americana, debido a su fuerza política en el Congreso, la protección se dio de forma temprana, a mediados de los años 50, durante el declinar de la liberalización de la economía postbélica internacional. Los políticos americanos forzaron en Japón un control «voluntario» sobre sus exportaciones al mercado americano. La trascendental liberalización del comercio internacional negociada bajo los auspicios de la Ronda de Negociaciones de Kennedy en los años 60 quedó en un compromiso político entre el presidente Kennedy y el grupo de presión del textil en el Congreso de los Estados Unidos. El convenio nacional llevó a una internacionalización de la práctica proteccionista americana en el *Long Term Arrangement on Cotton Textiles,* el cual, en su forma modificada, cubría eventualmente casi todo el comercio internacional del textil. Entre 1969 y 1974 la industria americana del acero se benefició también de los controles voluntarios sobre la exportación negociados con Japón. Desde la crisis del petróleo de 1973 una serie creciente de industrias, incluyendo la del calzado, la electrónica de consumo, el acero y los automóviles, se han beneficiado de la adopción de políticas proteccionistas por parte del gobierno federal. La protección para el calzado fue adoptada sólo temporalmente; el acero experimentó lo que parece el cambio más estable en la política comercial americana. En la electrónica de consumo la protección fue ampliamente ineficaz en la revitalización de la industria; en el automóvil se pudo realizar el ajuste con facilidad. Pero a todos los niveles el gobierno elige la protección cuando, a falta de instrumentos de política alternativos, se vio obligado por fuertes coacciones de mejorar las crisis sectoriales. Sin duda, en política industrial, definida en términos generales, las innovaciones distintivas de Estados Unidos son las medidas de restricción voluntaria de las exportaciones, acuerdos de ordenación del *marketing* e intervenciones administrativas como el *Trigger Price Mechanism,* que ha protegido la industria del acero desde 1977. Esto contrasta con las innovaciones en las políticas que se producen en todas partes; por ejemplo, en las políticas sectoriales o de rentas, tal como las practican, respectivamente, Japón o los pequeños Estados europeos.

Japón fomenta el afrontar el cambio económico con un proceso de adaptación interno en el cual el gobierno ayuda a las empresas de diversas formas a explotar los avances del mercado a gran escala, tanto en el país como en el exterior. Esencialmente, el Estado ayuda a la industria a prepararse para la competición internacional. Debido a que las inversiones en el extranjero realizadas por corporaciones japonesas han sido generalmente escasas a lo largo de los años 60, la política industrial del gobierno (incluyendo la protección) ofrecía el modo preferente de adaptación al cambio económico. En contraste con la estrategia de adaptación defensiva de Estados Unidos, la política japonesa está ajustada para anticipar cambios estructurales en los mercados; se intenta ayudar a las empresas a ser competitivas en segmentos o líneas de productos concretos de la industria. Se consigue así una ventaja considerable, no sólo como resultado de las fuerzas de mercado, sino también porque la acción política afecta a la competitividad.

Algunas industrias japonesas, entre ellas el acero y los ordenadores, muestran este modelo de política. El surgimiento de la industria japonesa del acero como la más eficaz productora del mundo descansa en una serie de políticas innovadoras, incluyendo la dirección administrativa, los cárteles de recesión y racionalización y la socialización de acuerdos mediante acuerdos financieros diversos. Protegida con estas medidas y favorecida por el clima internacional, Japón ha triunfado en la creación de una industria que en dos décadas ha superado la protección y ayuda que recibía en los primeros días. La industria japonesa de ordenadores se ha convertido igualmente en un objetivo importante entre las atenciones del gobierno en los años 60 y 70. Las medidas ayudaron a estrechar considerablemente o a cerrar la brecha entre esto y la dirección de las empresas americanas en importantes sectores de la industria. A finales de los 70 la industria se ha hecho muy independiente de la necesidad de protección. En estos y algunos otros casos la innovadora política industrial japonesa se centró en los avances del mercado a largo plazo, confiando en la protección mientras se establecía la competencia internacional y rechazando esa protección, a menudo bajo intensas presiones exteriores, cuando se hubo logrado la competitividad internacional.

La completa indiferencia de los Estados Unidos y las ambiciosas iniciativas de Japón ofrecen un notable contraste con las medidas flexibles con la política industrial seguida por los pequeños Estados europeos. Por supuesto, en todos los Estados industriales, sean grandes o pequeños, puede encontrarse un número significativo de medidas que buscan modificar las condiciones del mercado a través de elementos tales como subsidios, políticas fiscales, desarrollo regional, concentración y nacionalización. Los países que se adhieren a una postura básicamente liberal en la política económica, como los Estados Unidos, adoptan a menudo esas políticas con la esperanza de reducir el impacto político del cambio económico, cuando no el propio cambio. Los pequeños Estados europeos pueden a veces intentar hacer lo primero, pero no tener ilusiones de que se consiga lo segundo. La apertura de sus economías ha dado lugar a una conciencia completamente desarrollada de la inevitabilidad del cambio económico adverso mediante una transformación oportuna de las estructuras industriales. En contraposición, los pequeños Estados europeos, incluso aquellos como Austria y Noruega que presentan una economía con un gran sector público y una izquierda fuerte, carecen aparentemente de la capacidad política para emplear la larga serie de instrumentos políticos en una política de gran alcance en la transformación estructural.

En cambio, Austria y Noruega, al igual que todos los pequeños Estados europeos, prefieren una política reactiva y flexible de ajuste industrial. Desde finales de los años 50 han procedido en pequeños pasos, apoyándose fuertemente en los instrumentos de política indirectos, como la imposición fiscal, antes que en una sobreestimación de los esfuerzos políticos para transformar las estructuras de sus economías. Los años 70 vieron los principios de la convergencia entre grandes y pequeños: las políticas de la mayoría de los grandes países industriales se hicieron más específicas, avanzando desde la tradicional indiferencia hacia un nuevo interés en la política industrial o desde el énfasis en sectores y empresas hacia una mayor atención sobre los productos y los procesos de producción. Al mismo tiempo, las políticas de algunos pequeños Estados europeos se hacían menos específicas. Al menos algunos países valoraron por primera vez la posibilidad de que las intervenciones políticas a largo plazo pudieran ser necesarias. En general, sin embargo, la indiferencia política o las políticas de transformación estructural típicas de los Estados Unidos y Japón difieren todavía notablemente de los objetivos reactivos, flexibles y de crecimiento del ajuste industrial en los pequeños Estados europeos.

Caracterizar la estrategia del ajuste industrial que representa a los pequeños Estados europeos es una cosa. Reflexionar sobre los criterios con los que se juzga su éxito o fracaso es otra. Economistas de diferentes opiniones vieron que cada vez eran más difíciles de explicar las variaciones en la actividad económica de los pequeños Estados industriales en los años 70. ¿Por qué, por ejemplo, tenían Austria y Suiza un bajo nivel de inflación en los años 70 y, sin embargo, Austria experimentó un gran crecimiento económico mientras que en Suiza el crecimiento fue débil? ¿Porqué en Bélgica el desempleo es mucho mayor que en Suecia a pesar de tener tasas de crecimiento aproximadamente iguales? Los economistas no tienen respuestas sencillas para estas cuestiones. Pero si la simple explicación es difícil para los economistas, todavía es más difícil para los científicos políticos. Las alternativas políticas producen efectos sobre los resultados económicos sin que éstos estén determinados. Un análisis político como el que se ofrece en este libro utiliza variables que cambian de forma relativamente lenta y difícilmente podrá dar cuenta de la actividad económica en rápido cambio de los pequeños Estados europeos entre 1960 y 1980. Además, un análisis que hace hincapié en las similitudes y diferencias en las estructuras y procesos políticos en diferentes sociedades está fuertemente presionado a ofrecer una explicación sistemática y breve de la actividad económica. La actividad económica, pues, no es un criterio mediante el cual podamos medir directamente los éxitos y fracasos de los pequeños Estados europeos.

¿Podemos utilizar un criterio político para calibrar el éxito o fracaso? A través de sus medidas, los líderes políticos de los pequeños Estados europeos han mantenido la legitimidad de los acuerdos políticos en el gobierno de sus sociedades. Ni en Suiza ni en Austria el amplio desencanto popular ha desafiado a las principales instituciones políticas. Los partidos políticos se mantienen fuertemente ligados a la participación de las masas, y los cambios electorales en ambos países han sido muy pequeños. En Escandinavia continúan funcionando grupos que representan los intereses de los negocios y de los trabajadores con el consenso, por lo general, de las innumerables pequeñas empresas y de los sindicatos de masas. En los Países Bajos, las agencias gubernamentales y las cortes administran y actúan judicialmente sin protestas públicas de gran alcance. Los movimientos de base y los grupos de iniciativas ciudadanas, que han crecido en cuanto a importancia política en otros países europeos, se han incorporado también a sus regímenes políticos. En definitiva, mediante el criterio de la actividad política, los pequeños Estados europeos parecen historias de éxito ejemplares.

El problema que ofrece este segundo criterio para calibrar el éxito o fracaso es el inverso del primero. No es fácil desagregar la medida en diferentes dimensiones, ni tampoco rechazarla. La legitimidad es un amplio concepto; cubre una amplia serie de experiencias políticas a lo largo de las últimas décadas. Una pérdida amplia de legitimidad sólo se da muy raramente —incluso Gran Bretaña e Italia podrían interpretarse mediante este estándar como historias de éxito político—. A pesar de la tosca y engañosa terminología de los nuevos medios, Gran Bretaña ha rechazado el «tirarse por la ventana» e Italia no se ha sometido al «caos político». Considerando la magnitud de los problemas económicos y políticos a que estas dos sociedades se enfrentaron en los años 70, debería otorgárseles in mayor éxito que, por ejemplo, a los pequeños Estados europeos o Alemania y Japón. Sin duda, desde esta situación privilegiada sería difícil encontrar algún dato parcial o total del fracaso político de la desintegración social que no pudiera dar crédito al argumento de que casi todos los Estados industriales, incluidas las pequeñas naciones europeas, han triunfado políticamente.

El sentido común aprueba nuestra medida del éxito o fracaso en el ajuste al cambio económico mediante criterios económicos o políticos. Pero ambos procedimientos ocasionan problemas para el análisis y he elegido, por tanto, un tercer criterio. Este mide la extensión a la que las coaliciones sociales, las instituciones políticas y las medidas públicas facilitan o impiden los cambios en los factores de producción que incrementan la eficacia económica con la debida consideración de las exigencias de la legitimidad política [15]. Los pequeños Estados europeos, igual que Estados Unidos y otros Estados industriales muy avanzados, han tenido que enfrentarse al problema de adaptar las líneas de producción de sus economías a los rápidos cambios en la tecnología y la competencia internacional. Este libro sostiene que los países han triunfado, con mucho, en esta tarea y lo han conseguido tomando en cuenta tanto las exigencias económicas como políticas del rápido cambio. Los economistas entienden el problema del ajuste en términos de los incentivos económicos que conforman las medidas con referencia a la lógica del mercado; lo que importa es la eliminación de las distorsiones en la competencia. Los científicos políticos ven el problema en términos de cálculos de poder que modelan los resultados del mercado; de central importancia es la imposición de las preferencias estatales en los mercados al nivel del sector industrial o de una parte del sector. La estrategia triunfante de ajuste practicada por los pequeños Estados europeos tiende un puente entre las diferentes exigencias de la competitividad internacional y las preferencias políticas. Estos Estados se adaptan al cambio económico a través de un balance cuidadosamente calibrado entre la flexibilidad económica y la estabilidad política.

La compensación por los costes del cambio puede ser simplemente otra vía de fracasar en el ajuste. La posibilidad queda ilustrada por la creciente lista de industrias y empresas enfermas que viven de las subvenciones estatales alrededor del mundo industrial. Pero esta forma de compensación no es característica de la mayoría de los pequeños Estados europeos. Por ejemplo, Suiza y Holanda, en nombre de la eficacia, han confiado en primer lugar en el ajuste de un mercado dirigido. Pero su confianza se ve atemperada por la conciencia de que la actitud política de compensación es esencial para mantener el consenso sobre cómo realizar el ajuste. Austria y Noruega, en nombre de la equidad, se inclinan a confiar en los esfuerzos políticos para frenar el ritmo de crecimiento económico. Pero esta inclinación se mantiene a raya debido a que son conscientes de que el Estado carece de los recursos económicos para compensar los cambios adversos del mercado durante largos períodos. Característico de ambas políticas es el estrecho vínculo entre las exigencias políticas y económicas de un ajuste flexible. Una compensación demasiado escasa ante los cambios económicos adversos puede ser perjudicial para

---

[15] Estoy en deuda con Robert Keohane, Charles Sabel, David Vogel y John Zysman por haberme animado a reflexionar de forma más sistemática sobre la cuestión del éxito y el fracaso.

el consenso político sobre cómo hacer frente al cambio; compensar demasiado puede dañar la eficacia. Al valorar el éxito o fracaso del ajuste necesitamos tomar en consideración estos costes y beneficios económicos y políticos.

La medida del éxito o fracaso mediante este tercer criterio —el fomento o el retraso de los factores cambiantes de producción— está referida indirectamente a las medidas lógicas, pero problemáticas, que mencioné anteriormente: éxito o fracaso en términos de rentabilidad económica o legitimidad política. La flexibilidad en los factores de producción cambiantes refuerza presumiblemente la rentabilidad económica. La compensación por estos cambios a través de los canales políticos y no al margen de ellos reafirmaría la legitimidad política. Un examen preciso de estos vínculos sobrepasaría el ámbito de este libro; espero que su establecimiento en términos aceptables sea suficiente para aquellos lectores que se preguntan si en sus éxitos o fracasos los pequeños Estados europeos han sido inteligentes o torpes o si han tenido suerte o no.

El corporatismo democrático

Las similitudes en lo que denominaré sus acuerdos corporatistas sitúan a los pequeños Estados europeos en un terreno aparte de los grandes Estados industriales. Incluso se pueden encontrar diferentes variantes de acuerdos corporatistas, liberal y social, entre los pequeños países europeos. Dos marcos de comparación, entre grandes y pequeños, y entre los pequeños, nos pueden ofrecer un mapa de las relaciones entre los componentes de las estructuras corporatistas con las que afrontan estos países el cambio económico. Pero un mapa traza simplemente los contornos del terreno que encontrará el viajero, no los explica. Las normativas corporatistas que distinguen a los pequeños Estados industriales, como trataré más adelante, tienen sus orígenes en los cambios profundos de los años 30 y 40. En estas dos décadas, empresarios y sindicatos, así como los partidos políticos conservadores y progresistas, se convencieron de que debían imponer límites estrictos a los enfrentamientos internos, a los cuales consideraban como un lujo en un mundo hostil y peligroso. Desde mediados de los años 50 las exigencias de la competencia internacional han ayudado a mantener esa convicción.

El corporatismo es un concepto ambiguo y evocador [16]. En términos generales, tiene tres significados diferentes. Primero se refiere a las dis-

---

[16] Los principales estudios sobre corporatismo incluyen: Philippe C. Smitter y Gerhard Lehmbruch, eds., *Trends toward Corporatist Intermediation* (Beverly Hills: Sage, 1979); Suzanne D. Berger, ed., *Organizing Interest in Western Europe* (Cambridge, Cambridge University Press, 1981), Lehmbruch y Schmitter, eds., *Patterns of Corporatist Policy-Making* (Beverly Hills, Sage, 1982), y Francis G. Castles, ed., *The Impact of Parties* (Beverly Hills,

posiciones políticas de algunos Estados europeos en los años 30 que tenían una estrecha afinidad con el autoritarismo político y el fascismo. La Italia de Mussolini, el Portugal de Salazar y la Austria de Dollfuss eran todos profundamente antidemocráticos por su represión de los sindicatos y de los partidos izquierdistas y antiliberales por sus objetivos de una relativa autarquía económica. Las interpretaciones contemporáneas de las tendencias corporatistas en el sur de Europa y Latinoamérica tienen con frecuencia esa variante autoritaria como su punto de referencia.

En segundo lugar, el concepto de corporatismo se refiere a la organización política y económica del capitalismo moderno, tal como se ha expresado en la discusión contemporánea sobre el «capitalismo corporativo» o «capitalismo de Estado». Contemplar a Japón como una gran empresa de negocios (Japan Inc.) o conocer a. los Estados Unidos por Wall Street subraya la dominación de las grandes corporaciones en la vida económica y la integración de los negocios en la toma de decisiones de los gobiernos y las burocracias estatales. Esta segunda variante difiere de la primera en dos sentidos. Favorece la relativa exclusión política (antes que la represión) de los sindicatos y partidos de izquierda de los centros de poder. Subraya también el objetivo liberal de la interdependencia internacional a través del comercio y la inversión.

Finalmente, existe el corporatismo democrático del período postbélico. Su esencia puede captarse atendiendo a las cambiantes interpretaciones de las políticas alemanas. Con el «capitalismo organizado» del siglo XX Alemania ha hecho posibles aquellas interpretaciones históricas que corresponden a cada uno de los dos primeros sentidos del corporatismo [17]. Pero tales interpretaciones no captan los principales acontecimientos políticos que se han producido en Alemania Occidental desde 1945. La economía política de Alemania Occidental está basada en la integración política de las empresas y los sindicatos, así como de los partidos políticos conservadores y progresistas. La República Federal apoya los principios de la competencia de mercado y del comercio internacional. La experiencia postbélica del país ilustra, además, por qué el corporatismo democrático no necesitaba ser considerado necesariamente como anatema por parte de los socialdemócratas, quienes asocian el corporatismo en general con la represión o la exclusión de los trabajadores. Alemania Occidental se adhiere más estrechamente que cualquier otro gran Estado industrial, a la lógica por la que se organiza la vida política en los pequeños Estados europeos. Objeto de este libro será analizar la manera en cómo este corporatismo democrático afronta el cambio económico.

Sage, 1982). Véanse también Ulrich von Alemann y Rolf G. Heinze, «Neo-Korporatismus: Zur neuen Diskussion eines alten Begriffs», *Zeitschrift für Parlamentsfragen*, 10 (diciembre, 1979), págs. 469-87.

[17] Véase Heinrich August Winkler, ed., *Organisierter Kapitalismus* (Göttingen, Vandenhoeck & Ruprecht, 1974).

El interés de los estudiosos en el corportismo democrático ha salido a la luz en dos ocasiones durante el período postbélico [18]. A lo largo de los años 50 y a principios de los 60 el crecimiento económico boyante incitó a los científicos políticos a centrar su atención en la cuestión política de la reconstrucción de unas políticas democráticas moderadas en Europa, liberando a los sindicatos de los partidos comunistas de la izquierda y a la Iglesia católica de la derecha. A mediados de los 70 se observó un resurgir del interés en el corporativismo, esta vez impulsado por la aminoración del crecimiento económico y la perspectiva de una prolongada crisis económica en los 80. Estudios recientes sobre los Estados industriales avanzados han acuñado diversos términos para un fenómeno sobre cuya existencia concuerdan la mayoría de los observadores: la regulación cooperativa y voluntaria de los conflictos en las cuestiones económicas y sociales a través de unas relaciones políticas altamente estructuradas e interpenetradas entre las empresas, los sindicatos y el Estado y reforzadas por los partidos políticos. Sin embargo, como ha observado Peter Lange, el corporatismo ha sido visto en diferentes formas. Algunos estudiosos lo entienden como una transformación (bien sea en progreso y ya completada) de participación de grupos de interés (del pluralismo al corporatismo); otros lo ven como una transformación del modo de producción económico (del capitalismo al corporatismo) o de la forma de Estado (del parlamentario al corporatista) [19]. Estas diferencias en las orientaciones teóricas y políticas han llevado a diferentes caracterizaciones e interpretaciones del corporatismo.

El corporatismo democrático se distingue por tres características: una ideología del interés social expresado a nivel nacional; un sistema de grupos de interés relativamente centralizado y concentrado, y una coordinación voluntaria e informal de los objetivos en conflicto mediante continuas negociaciones políticas entre los grupos de interés, burocracias estatales y partidos políticos. Estos rasgos se aplican a las políticas con escasas tensiones.

La primera característica, una ideología del interés social en cuestiones de política económica y social, impregna la política diaria en las sociedades corporatistas. Esta ideología mitiga el conflicto de clases entre las empresas y los sindicatos, integra las diferentes concepciones de los grupos de interés con vaguedad, pero mantiene con firmeza las nociones de interés público. Incluso para el visitante casual la autodramatización

---

[18] Estoy en deuda con Gabriel Almond por una larga conversación sobre esta idea. Véase también su artículo «Corporatism, Pluralism, and Professional Memory», *World Politics* 35 (enero 1983), págs. 245-60.

[19] Peter Lange, «The Conjunctural Conditions for Consensual Wage Regulation: An Initial Examination of Some Hypotheses» (artículo preparado para su presentación al Encuentro Anual de la American Political Science Association, Nueva York, septiembre 1981), pág. 2.

de la pequeñez es evidente, ritualmente invocada en cualquier entrevista o discusión que se mantenga con palabras como: «usted debe entender que éste es un país muy pequeño». Las referencias a la cohesión ideológica que emana de la pequeñez transmiten la errónea impresión de que en las sociedades corporatistas todos los conflictos políticos importantes han sido resueltos. Las élites políticas en estos sistemas, en su visión del mundo y en su conducta diaria, expresan satisfacción con el *statu quo,* eso es cierto. Consideran la redistribución menos importante que el compartir de forma equitativa las ganancias y las pérdidas. Incluso la prominencia de la noción de interés público en su ideología del interés social no significa que los atributos individuales estén inusualmente sesgados por una valoración del compromiso. Las predisposiciones, actitudes o creencias individuales no son las raíces de la cohesión social. Al contrario, la «cultura del compromiso» que invade el corporatismo democrático refleja las disposiciones políticas que funcionan para conectar a los grupos de interés, concebidos con estrechas miras, con interpretaciones parciales del bien colectivo.

Segundo, el corporatismo democrático se distingue por unos grupos de interés relativamente centralizados y concentrados. La centralización es una medida del grado de control jerárquico. Los grupos de interés en los sistemas corporatistas se han denominado acertadamente «asociaciones de élite», porque el poder se ejerce desde la cima sobre una base relativamente dócil. La concentración es una medida del grado de inclusión. Las asociaciones de élite en los países corporatistas poseen una amplia base y organizan a una gran proporción de productores y trabajadores. Los altos grados de centralización y concentración dan una apariencia disciplinada errónea de la vida política. La política es de gran importancia, pero es importante dentro de los grupos de interés, determinando qué asuntos entran en la agenda pública y enmarcando los parámetros de las opciones políticas. Las luchas políticas lucharon y decidieron en el seno de los grupos de interés evitar el desbordamiento de los programas públicos con la inclusión en la lucha política de diferentes segmentos de los empresarios y los trabajadores.

La importancia de las instituciones centralizadas o centradas descansa en su protección de un estilo particular de negociación democrática, el tercer rasgo definitorio del corporatismo democrático. La negociación es voluntaria, informal y continua. Consigue una coordinación de los objetivos en conflicto entre los actores políticos. Las preferencias políticas en los diferentes sectores de medidas se negocian unas frente a otras. La victoria o derrota en torno a un asunto dado no conduce a una espiral ascendente de conflicto, porque una secuencia continua de negociaciones hacen a todos los actores conscientes de que una victoria hoy puede convertirse mañana fácilmente en una derrota. La previsibilidad del proceso aumenta la flexibilidad de los actores.

El corporatismo democrático se vincula a los partidos políticos y a la política electoral en cada una de sus tres características, pero intenta no ser dominado por ellos. La competencia electoral entre los partidos políticos limita el grado en el que una ideología del interés social puede llegar a ser una amenaza para la política democrática. Además, la estrecha relación entre los partidos políticos y los grupos de interés contribuyen a la centralización de las estructuras nacionales, especialmente en la izquierda. Finalmente, los partidos políticos y la percepción de las derrotas o triunfos electorales influyen en el grado en que los grupos coordinan los objetivos divergentes. El corporatismo democrático, como ha argumentado Stein Rokkan, funciona en dos estadios: el estadio democrático y el estadio corporatista [20]. Los líderes políticos de los partidos, los grupos de interés, las agencias gubernamentales, la legislatura y el consejo de ministros operan siempre en ambos niveles. La acumulación de roles por parte de la misma élite política —distintiva de los pequeños Estados europeos— consolida un tejido complejo de relaciones políticas entre los dos estadios. Durante las últimas cuatro décadas este tejido ha sido lo suficientemente fuerte como para hacer las disposiciones políticas de los pequeños Estados europeos simultáneamente corporatistas y democráticos.

En suma, la política corporatista tiene tres características distintivas. Todos los Estados comportan algunas de estas características, pero ninguno las presenta todas en su totalidad; en este sentido, el corporatismo democrático puede encontrarse en todas partes y en ninguna dentro de los países industrializados. Pero los diferentes países presentan un corporatismo democrático con diferentes grados. Nosotros podemos distinguir, pues, entre sistemas fuertes y débiles de corporatismo democrático en los Estados industriales avanzados. Los pequeños Estados europeos, con sus economías abiertas y vulnerables, ejemplifican un corporatismo democrático al que sólo se acerca Alemania Occidental de entre los grandes Estados industriales.

Una taxonomía mediante la que podamos distinguir el corporatismo fuerte de los pequeños Estados industriales del corporatismo débil de los grandes Estados industriales no es lo mismo que explicar por qué las estructuras corporatistas fuertes llegan a producirse y por qué se mantienen. La explicación que propone este libro es, en una palabra, histórica. El corporatismo demócraíco de los pequeños Estados industriales nació en los años 30 y 40, entre la Gran Depresión, el fascismo y la segunda guerra mundial. De diversas formas las estructuras internas y las estrategias políticas que surgieron en estas dos décadas establecieron las líneas maestras para la generación de líderes que se encargaron hasta los años

---

[20] Stein Rokkan, «Norway: Numerical Democracy and Corporate Pluralism», en Robert A. Dahl, ed., *Political Oppositions in Western Democracies* (New Haven, Yale University Press, 1966), págs. 70-115.

60 de la reconstrucción y expansión económica. La apertura y la dependencia económicas establecieron una apremiante necesidad de consenso que a través de complejas y delicadas medidas políticas ha transformado el conflicto entre las principales fuerzas sociales en los pequeños Estados europeos. Las treguas entre la comunidad de empresarios y el movimiento laboral quedaron expresados en el «Acuerdo Básico» de 1935 de Noruega; el «Acuerdo de Paz» de 1937 de Suiza, el «Saltsjöbaden» de 1938 en Suecia, en Holanda el capítulo quinto, capítulo corporatista de la nueva constitución de 1938, y el «Pacto de Solidaridad Social» de 1945 en Bélgica. Estas treguas se han convertido desde entonces en una paz duradera. Las memorias austríacas de la guerra civil de 1934 y la reorganización posbélica en Dinamarca han favorecido un desarrollo similar.

Reflexionando sobre la importancia de los acontecimientos internacionales para una política interna consensuada, Arend Lijphart concluyó que «en todas las democracias consensuadas el cártel de las élites se inició o se fortaleció fuertemente durante períodos de crisis internacional, especialmente la primera y la segunda guerras mundiales» [21]. En todos los casos la amenaza externa imprimió en las élites la necesidad de una unidad y cooperación internas. Johan Olsen afirma de forma similar que durante las guerras, depresiones u otras crisis nacionales, así como durante las crisis en sectores específicos de la sociedad, la participación organizacional integrada «por parte de asociaciones de élite se hace cada vez más frecuente» [22]. Las manifestaciones políticas de lo que él llama «participación organizacional integrada» pueden encontrarse en las prácticas e instituciones políticas corporatistas. En los pequeños Estados europeos, además, las metáforas políticas refuerzan la memoria histórica de los años 30 y 40. Recuerdan que todos los miembros de la sociedad están en el mismo barco, que las olas son altas y que todos deben remar. Las disputas internas son un lujo que las personas prudentes no pueden tolerar en tales circunstancias adversas.

Pero ¿por qué la crisis de los años 30 y 40 estableció en los pequeños estados europeos regímenes que tropezaban con las exigencias de la competitividad internacional, así como con los objetivos de prosperidad y legitimidad? No todas las crisis serias fueron afrontadas con éxito. Cuando se enfrentaron a cambios trascendentales, por ejemplo, Gran Bretaña en los años 60 o Polonia en los 70, fracasaron en la tarea de rehacer sus es-

---

[21] Arend Lijphart, «Consociational Democracy», *World Politics*, 21 (octubre 1968), pág. 217. Véase también Val R. Lorwin, «Segmented Pluralism: Ideological Cleavages and Political Cohesion in the Smaller European Democracies», en Kenneth D. McRae, ed., *Consociational Democracy: Political Accommodation in Segmented Societies* (Toronto, McClelland & Stewart, 1974), págs. 42-44.

[22] Johan P. Olsen, «Integrated Organizational Participation in Government», en Paul C. Nystrom y William H. Starbuck, eds., *Handbook of Organizational Design*, vol. 2 (Oxford: Oxford University Press, 1981), pág. 502.

trategias políticas o de reformar sus estructuras internas. En los pequeños Estados europeos, sin embargo, una tradición de políticas acomoda-
ticias que databan del siglo XIX facilitó la reorientación política que tuvo
lugar en los años 30 y 40.

Algunos de los pequeños Estados europeos —Bélgica, Holanda y Suiza—, sociedades políticamente divididas en los diferentes sectores étni-
cos, lingüísticos y religiosos, hallaron modelos corporatistas compatibles
con la integración política que había surgido con las generaciones anteriores [23]. «Sistema de alianzas» y «acuerdos amistosos» son términos que
los observadores han utilizado para captar las estructuras y prácticas políticas distintivas de estos pequeños Estados europeos, donde los grupos
se mantienen unidos mediante acuerdos pragmáticos que consiguen unos
pocos líderes políticos [24]. Aunque debido a razones históricas diversas,
creo que la democracia proporcional austríaca consigue resultados similares. El conflicto entre las principales divisiones sociales garantiza una
tranquilidad política y, también es importante, refuerza el control político dentro de cada campo. Cuanto mayor es la segmentación de esas sociedades continentales tanto mayor pronunciada, en general, es la unión
entre las élites y las medidas consensuadas que difuminan el conflicto [25].
En los países escandinavos, por otro lado, lo que importaba era un campesinado independiente y la profunda división entre la ciudad y el campo. Las alianzas políticas entre los sectores urbanos y rurales fueron el
resultado en sociedades menos afectadas por la segmentación social.
Como escribe Arend Lijphart, «el estilo unitario en la toma de decisiones se ha hecho muy penetrante... probablemente más que en cualquier
otra parte del mundo occidental» [26], al menos con respecto a la política
económica y social.

El «compromiso histórico» que negociaron las empresas y los sindicatos en la crisis que atravesaron durante los años 30 y 40 amplió las estre-

---

[23] El caso austríaco queda tratado en la explicación que se ofrece más adelante en el
capítulo 4.

[24] Véanse McRae, *Consociational Democracy;* Martin O. Heisler, ed., *Politics in Europe: Structures and Processes in Some Postindustrial Democracies* (Nueva York, MacKay,
1974), y Arend Lijphart, *Democracy in Plural Societies: A Comparative Exploration* (New
Haven, Yale University Press, 1977). Véanse también Jeffrey.Obler, Jürg Steiner y Guido
Diericx, *Decision-Making in Smaller Democracies: The Consociational «Burden»* (Beverly-
Hills: Sage, 1977); Dahl, *Political Oppositions in Western Democracies;* Gerhard Lehmbruch, *Proporzdemokratie: Politisches System und Politische Kultur in der Schweiz und in
Österreich* (Tübingen, Mohr, 1967); Eric A. Nordlinger, *Conflict Regulation in Divided So-
cieties* (Cambridge, Mass., Harvard University Center for International Affairs, 1972); Brian
Barry, «Political Accommodation and Consociational Democracy», *British Journal of Political Science,* 5 (octubre 1975), págs. 490-500, y Hans Daalder, «The Consociational Democracy Theme», *World Politics,* 26 (julio 1974), págs. 604-22.

[25] Cf. Jürg Steiner, «Major und Proporz», *Politische Vierteljahresschrift,* 11 (marzo
1970), págs. 142-44.

[26] Liphart, *Democracy in Plural Societies,* pág. 111.

chas concepciones del interés de clase para incluir una profunda conciencia de la fragilidad de los pequeños Estados europeos en un mundo hostil. La creciente economía internacional liberal de los años de la postguerra ofreció una confirmación cotidiana de esa conciencia. La competencia internacional se intensificó, acentuando los enormes beneficios o limitando los conflictos internos en torno a las cuestiones económicas. Por ejemplo, las huelgas en los pequeños Estados europeos son tan costosas para todos —empresas, sindicatos, gobierno y consumidores— que se producen muy raramente. Las negociaciones políticas sobre precios y salarios (lo que se denomina habitualmente una «política de rentas») son, por otro lado, predominantes. En resumen, debido a que los pequeños Estados europeos poseen unas economías muy abiertas, los actores políticos raramente pierden esa conciencia de estar expuestos a una economía internacional que escapa a su control.

Este argumento, que vincula la experiencia histórica de los años 30 y 40 con la creación del corporatismo democrático y atribuye su mantenimiento y adaptación a los efectos de una economía internacional liberal desde mediados de los 50, extrae una demostrada evidencia de la postguerra en Alemania y Japón. La experiencia de la Depresión, del fascismo, la derrota en la guerra y la ocupación rehízo la vida política en Alemania y la modificó en Japón. Los estudios comparativos del corporatismo, aunque no son fáciles de encontrar para Japón, concuerdan en que ambos Estados se aproximan más estrechamente que ninguna otra gran nación industrial al tipo de corporatismo democrático distintivo de los pequeños Estados europeos [27]. Alemania Occidental presenta una ideología del interés social y de las asociaciones de élite. Sin embargo, no alcanza el corporatismo fuerte, debido a que los partidos políticos juegan un mayor papel en el tratamiento de los objetivos en conflicto en los diferentes sectores de la política. Japón tiene tanto asociaciones de élite en los negocios como una fuerte ideología del interés social a nivel de empresa. Pero debido a la fuerza del Estado japonés y a la exclusión de los sindicatos laborales a nivel nacional, Japón gestiona objetivos divergentes por vías completamente ajenas a la lógica del corporatismo democrático [28]. La

---

[27] Andrew Shonfield, *In Defence of the Mixed Economy* (Oxford, Oxford University Press, 1984); Gerhard Lehmbruch, «European Neo-Corporatism: An Export Article?», Woodrow Wilson Center, *Colloqium Paper* (Washington, D.C., 26 abril 1982), pág. 33; J. E. Keman y D. Braun, «Social Democracy, Corporatism and the Capitalist State» (documento presentado al Seminario del ECPR «Modern Theories of State and Society», Lancaster, England, 29 marzo-4 abril 1981), pág. 25, y Manfred G. Schmidt, «Economic Crisis, Politics, and Rates of Unemployment in Capitalist Democracies in the Seventies» (documento para el seminario del ECPR «Unemployment and Selective Labour Market Policies in Advanced Industrial Societies», Lancaster, Inglaterra, 29 marzo-4 abril 1981), pág. 10.

[28] Véanse T. J. Pempel y Keiichi Tsunekawa, «Corporatism Without Labor? The Japanese Anomaly», en Schmitter and Lehmbruch, *Trends Toward Corporatist Intermediation*, págs. 231-70, Peter J. Katzenstein, «State Strength through Market Competition: Japan's Industrial Strategy», documento no publicado, Cornell University, marzo 1980.

comparación con Suiza es instructiva. Al igual que Japón y a diferencia de Austria, Suecia o Noruega, Suiza posee un sistema de negociación colectiva relativamente descentralizado que descansa en una ideología compartida a nivel de la empresa. Sin embargo, en profundo contraste con sus colegas de Japón, los sindicatos suizos son actores importantes en el proceso político nacional, la izquierda está incluida en el gabinete, a nivel nacional existe una ideología del interés social y la burocracia del Estado no es demoninante.

En la economía internacional la desigualdad se vuelve contra los Estados pequeños y dependientes. Sin embargo, y de alguna manera, los pequeños Estados europeos desafían estas desigualdades. Ya en 1931 Richard Behrendt se dio cuenta de que los pequeños Estados europeos eran una molesta excepción en casi todas las interpretaciones de las economías políticas de los grandes países [29]. En los años 60, Harry Eckstein observó que «los pequeños países europeos están siendo observados de una manera extraña por los científicos políticos americanos, los cuales parecen saber más sobre Uganda o Costa de Marfil que sobre Dinamarca u Holanda. La política comparativa ha tenido, después de todo, algo así como una fijación de gran poder, particularmente con respecto a Europa» [30]. Veinte años después la valoración de Eckstein de nuestra familiaridad con la escena política africana puede ser optimista, pero su evaluación de nuestra ignorancia en lo que respecta a los pequeños Estados europeos sigue siendo válida. Al saber tan poco sobre los pequeños Estados europeos, su éxito en el mundo postbélico o bien produce desconcierto o bien se atribuye a dos fectores: «uno es que aquéllos exportaron a todos sus economistas a América y Gran Bretaña... el otro es que siempre es más fácil mantener en orden una casa pequeña» [31].

Los estudiosos de la política internacional han mostrado también un escaso interés por entender la coincidencia de las estrategias económicas que favorecen la flexibilidad con estructuras políticas consiguen un orden bastante considerable. Como señalaba un entrevistador, «un rasgo común a los estudios sobre los problemas económicos de los pequeños Estados [en los años 70]... es que se centran en las condiciones externas... Los pequeños Estados, sin embargo, han reaccionado de diferentes formas ante condiciones externas similares y una razón de ello podría ser la estructura interna de esos mismos Estados, factor que se olvida por completo en los estudios» [32]. Los pequeños Estados europeos nos mues-

---

[29] Richard Behrendt, *Die Schweiz und der Imperialismus: Die Volkswirtschaft des hochkapitalistischen Kleinstaates im Zeitalter des politischen und ökonomischen Nationalismus* (Zurich, Rascher, 1932), págs. 12-15.

[30] Harry Eckstein, *Division and Cohesion in Democracy: A Study of Norway* (Princeton, Princeton University Press, 1966), pág. 3.

[31] Sarah Hogg, «A Small House in Order», *Economist,* 15 marzo 1980, estudio, pág. 3.

[32] Niels Amstrup, «The Perennial Problem of Small States: A Survey of Research Ef-

tran cómo períodos de grandes crisis pueden afectar profundamente el modo en que se organiza la política interna; períodos de relativa normalidad pueden, además, reforzar este modelo de organización. Pero los factores internacionales afectan a las estrategias y a los resultados políticos sólo de forma indirecta: éstos se encauzan a través de las estructuras internas conformadas por diferentes historias y encarnando diferentes posibilidades políticas. Debido a su gran vulnerabilidad y apertura, los pequeños Estados europeos han recibido un mayor impacto de los factores internacionales sobre sus estructuras internas que los grandes Estados industriales. Pero como señalo en este libro, los factores internacionales no tienen estrategias políticas y estructuras internas determinadas. Más bien al contrario, mientras los acontecimientos externos inducen hacia la convergencia, los acontecimientos internos llevan a los países a respuestas diferentes. El resultado es la creación, dentro de los pequeños Estados industriales, de dos variantes distintas de corporatismo democrático.

En el próximo capítulo detallo cómo los pequeños Estados europeos se diferencian de los grandes países industriales en su respuesta política al cambio económico y cómo difieren entre ellos. El capítulo 3 explica estas similitudes y diferencias en términos de las estructuras internas de los pequeños Estados europeos. Su apertura económica y la estructura de sus sistemas de partidos conducen a los acuerdos políticos corporatistas que distinguen a los pequeños países de los grandes. Pero los pequeños Estados europeos difieren en cuanto a la forma de su corporatismo, liberal o social. El capítulo 4 ofrece un análisis histórico de las dos condiciones que permitieron la emergencia del corporatismo democrático y las condiciones que fueron tomadas en consideración a la hora de adoptar una forma liberal o social. El capítulo 5 delinea algunas de las implicaciones más importantes de estos análisis.

El corporatismo nació del caos político y de la competencia económica, pero la versión autoritaria de los años 30 no fue la única respuesta política económica a un período de crisis. En segundo lugar, la forma democrática del corporatismo surgió también como reacción a los acontecimientos antiliberales de los años 30 y 40. Fomentado por el fuerte impacto de unos Estados Unidos liberales en la economía internacional postbélica, el corporatismo democrático es un modo de organización política que difiere de los modelos liberal y estatista típicos de Estados Unidos y Japón. Adapta la lógica del mercado compensándola y tolera el poder del Estado limitándolo. El corporatismo democrático merece ser estudiado por su respuesta al cambio económico. Expuesto a los mercados interna-

---

forts», *Cooperation and Conflict*, 3 1976, pág. 176. Andrew Shonfield era claramente consciente de la importancia de la fuerza corporatista en la evolución del capitalismo moderno. Véanse *The Use of Public Power* (Oxford, Oxford University Press, 1982), e *In Defence of the Mixed Economy*. Ambos trabajos están incompletos y han sido publicados.

cionales que ellos no pueden controlar, los pequeños Estados europeos se han adaptado a una situación que los americanos están empezando ahora a experimentar como crisis. El tema de este libro es, pues, cómo los pequeños Estados europeos convierten la necesidad económica en una virtud política.

CAPÍTULO 2

EL AJUSTE FLEXIBLE EN LOS PEQUEÑOS ESTADOS EUROPEOS

Los pequeños Estados europeos difieren de los grandes en la forma en como responden al cambio económico. Evitando por igual las políticas de protección y las de transformación estructural, combinan la liberalización internacional con la compensación interna. El resultado son políticas flexibles de ajuste que en cuestiones de política industrial evitan tanto la indiferencia de algunos grandes Estados como las ambiciones de otros. Sin embargo, a pesar de sus similitudes, los pequeños Estados europeos difieren unos de otros en el tipo específico de política industrial que adoptan. La política industrial es relativamente pasiva en algunos pequeños Estados y relativamente activa en otros.

Este capítulo describe la respuesta de los pequeños Estados europeos ante el cambio económico. Las tres primeras secciones comparan la estrategia de liberalización internacional, de compensación interna y de ajuste industrial flexible con las de los grandes Estados. Estas secciones establecen que los pequeños Estados europeos siguen indudablemente una estrategia distintiva. La sección final, por el contrario, enfatiza la diferencia entre los pequeños Estados europeos examinando dos extremos de la estrategia económica: la política industrial relativamente pasiva de Suiza y el enfoque más activo de Austria.

I. La liberalización internacional

Las élites políticas y económicas en los pequeños Estados europeos mencionan tres razones principales de por qué el libre comercio es una política a la que ellos no ven alternativa. Primero, la protección eleva el precio de los bienes intermedios y no permite determinar la competitividad de las exportaciones en los mercados mundiales. Segundo, la adopción de políticas proteccionistas sienta un mal precedente para las políticas internas. Aquello que se concede como una excepción puede convertirse en la norma política. Finalmente, el miedo a una represalia económica por parte de los Estados más grandes y menos vulnerables inhibe los instintos proteccionistas.

El afianzamiento de una economía liberal internacional ha sido un objetivo primordial para los pequeños Estados europeos. Al ser la posición de los pequeños Estados intrínsecamente débil, este grupo de Estados tiene un fuerte interés en la reducción de los aranceles, en prevenir la formación de bloques económicos y en fortalecer el principio del multilateralismo [1]. Cuando en 1954 el Reino Unido intentó, sin éxito, ya que se volvió atrás, enmendar el Acuerdo General sobre Tarifas y Comercio (GATT) añadiendo un nuevo artículo que permitía los vínculos comerciales preferentes entre los países metropolitanos y sus colonias —dado que tales vínculos contribuían sustancialmente al beneficio exclusivo de los territorios dependientes—, los pequeños Estados europeos se hallaban entre los más fuertes oponentes a la propuesta [2]. Los pequeños Estados europeos, debido a diversas razones, también se mostraron altamente críticos con la Comunidad Europea del Carbón y el Acero (CECA).

Los pequeños Estados europeos no han escapado a la formación de sus propias disposiciones comerciales regionales: Benelux, la Unión Nórdica y, a finales de los 50, la Asociación Europea de Libre Comercio (EFTA). Pero estas normativas estaban siempre construidas de manera que no se impidiera el comercio con el resto del mundo. Además, cuando los países del Benelux ingresaron en la Comunidad Económica Europea (CEE), Holanda y Bélgica se opusieron con fuerza a todos los avances políticos que pudieran haber conducido a la formación de un bloque comercial en Europa occidental; en cambio presionaron fuertemente por la entrada de Gran Bretaña y la ampliación de la Comunidad [3]. Para ellos, como para los otros pequeños Estados europeos, las razones para favorecer el comercio global eran evidentes. La economía abierta de Holanda, por ejemplo, depende de forma crítica del acceso a las materias primas, a los productos semielaborados y los bienes de capital. En Suecia y Dinamarca la competencia en la importación se contempla como un con-

---

[1] Cf. George A. Duncan, «The Small States and International Economic Equilibrium», *Economia Internationale*, 3 (noviembre 1950), pág. 939.
[2] Gardner C. Patterson, *Discrimination in International Trade: The Policy Issues, 1945-1965* (Princeton, Princeton University Press, 1966), págs. 332-33.
[3] Andrew Shonfield, «International Economic Relations of the Western World: An Overall View», en Shonfield, ed., *International Economic Relations of the Western World, 1959-1971*, vol. 1: *Politics and Trade* (Londres, Oxford University Press, 1976), pág. 97.

trol útil sobre la inflación interna y sobre las tendencias monopolistas en los pequeños mercados interiores. En Noruega, el desarrollo industrial desde 1945 ha estado basado en la convicción del gobierno que Alice Bourneuf expresa como sigue: «la solución no es desarrollar tales sectores y protegerlos de competidores extranjeros más eficaces» [4].

En 1958 estos Estados percibieron con agrado el advenimiento de la libre convertibilidad. En 1962 habían abolido todas las restricciones destinadas a fortalecer sus balanzas de pagos. Mientras Canadá (1962), el Reino Unido (1964 y 1968), Francia (1968) y Estados Unidos (1971) apelaban a las disposiciones de seguridad de la balanza de pagos del GATT, Dinamarca se hallaba sola entre los siete pequeños Estados europeos exigiendo una sobretasa temporal a las importaciones (1971) por razones de su balanza de pagos [5]. El cuadro es similar cuando se contemplan otras medidas de restricciones comerciales. A finales de los años 50, por ejemplo, los cupos de producción industrial eran menos comunes entre los pequeños Estados europeos que entre los grandes países [6]. A principios de los 70 los Estados miembros del GATT recurrieron a provisiones que prometían un alivio ante las importaciones perjudiciales en sesenta y una ocasiones: Estados Unidos, Francia, Alemania, Italia y la CEE lo hicieron veinticuatro veces. Austria, por otro lado, fue el único de los pequeños Estados europeos que utilizó esta cláusula de excepción en cuatro ocasiones [7].

El uso de las restricciones cuantitativas a la importación de productos no agrícolas ilustra también el compromiso con el principio del libre comercio. A finales de los 60, los cinco grandes países industriales —Estados Unidos, Japón, Gran Bretaña, Alemania Occidental y Francia— impusieron un total de setenta y siete restricciones cuantitativas; los siete pequeños Estados europeos juntos impusieron sólo once [8]. Entre el 1 de

---

[4] Alice Bourneuf, *Norway, the Planned Revival* (Cambridge, Harvard University Press, 1958), pág. 205. Véanse también Günter Zenk, *Konzentrationspolitik in Schweden* (Tübingen, Mohr, 1971), págs. 9 y 106; Zenk, *Konzentrationspolitik in Dänemark, Norwegen, und Finnland* (Tübingen, Mohr, 1971), pág. 100, y Anthony Scaperlanda, *Prospects for Eliminating Non-Tariff Distortions* (Leyden, Sijthoff, 1973), pág. 110.

[5] Acuerdo General sobre Tarifas y Comercio (GATT), *Basic Instruments and Selected Documents*, suplemento 19 (marzo 1973), págs. 120-30; Congreso y Senado de EE. UU., Comité de Finanzas, Subcomité de Comercio Internacional, *The GATT Balance of Payments Safeguard Provision: Article XII*, Rama ejecutiva del GATT, Estudio núm. 7, junio 1973, págs. 116-18.

[6] Congreso EE. UU., Comité Económico Conjunto, *Trade Restraints in the Western Community: With Tariff Comparisons and Selected Statistical Tables Pertinent to Foreign Economic Policy*, 87th Cong. 1st sess. (Washington, D.C., 1961), págs. 11-12.

[7] Congreso y Senado de EE. UU., Comité de Finanzas, Subcomité de Comercio Internacional. *GATT Provisions on Relief from Injurious Imports*, Rama ejecutiva del GATT, Estudio núm. 8, junio 1973, págs. 128-29.

[8] Excluimos de este cómputo las restricciones sobre ciertos productos que han estado tradicionalmente justificados bajo los artículos XX y XXI del GATT. Véase Congreso y Se-

julio de 1969 y el 1 de julio de 1977 hubo un total de doscientos noventa y cuatro casos de antidumping pendientes en Estados Unidos, Gran Bretaña y la CEE, comparado con un total de sólo seis en Dinamarca, Noruega y Austria, los tres más proteccionistas de entre los siete pequeños Estados europeos [9].

Estos pequeños Estados han sido partidarios activos y entusiastas de los sucesivos avances en la reducción de aranceles, culminando en la Ronda de Negociaciones de Tokyo de 1979. En palabras de Andrew Shonfield, ellos «ejercieron una marcada influencia en el tono de las relaciones económicas internacionales de la postguerra» [10]. Aunque las dificultades metodológicas y estadísticas exigen precaución, la comparación de los niveles de aranceles nominales nos ofrece un indicador aproximado del grado de liberalismo o proteccionismo económico en diferentes países. En términos generales, durante los últimos treinta años los tipos arancelarios en los pequeños Estados europeos han sido sustancialmente menores que en los grandes países industriales avanzados. Dos estudios diferentes registraban sus niveles arancelarios por debajo de los pertenecientes a los grandes países en 1952, con márgenes de 15 y 45 por 100 [11]. A finales de los años 50 la situación era algo diferente [12]. Durante la Ronda de Kennedy, la importancia porcentual de las reducciones arancelarias realizadas por Suiza, Suecia y Austria sobrepasaban aquellos de Estados Unidos, la Comunidad Europea, Gran Bretaña y Japón [13]. Al término de la Ronda, el peso porcentual de los niveles arancelarios se estableció en 13,1 por 100 para los grandes países y 9,9 por 100 para los pequeños Estados europeos [14]. Cuando se hacen distinciones entre categorías de productos en diferentes etapas del proceso nos encontramos que en 1970 los porcentajes arancelarios de los pequeños Estados europeos están por encima de aquellos de los grandes países industriales en sólo

---

nado EE. UU., Comité de Finanzas, Subcomité de Comercio Internacional, *The Quantitative Restrictions in the Major Trading Countries,* Rama ejecutiva del GATT, Estudio núm. 6, junio 1973, apéndice.

[9] Calculado en el GATT, *Basic Instruments and Selected Documents,* 4, Suplementos 18 (abril 1972) y 24 (junio 1978). 237 de los 294 casos estaban aún pendientes en Estados Unidos.

[10] Shonfield, «International Economic Relations of the Western World», pág. 97.

[11] Österreichisches Institut für Wirschaftsforschung, *Monatsberichte,* 27 (febrero 1954), Suplemento 24, págs. 8-12.

[12] Niclaus G. Krul, *La politique conjoncturelle en Belgique, aux Pays-Bas et en Suisse, 1950-1960* (Ginebra, Droz, 1964), págs. 97-98. Los datos abarcan sólo a Suiza, Holanda, Bélgica, Alemania Occidental y Francia.

[13] Hans Mayrzedt, *Multilaterale Wirschafsdiplomatie zwischen Westlichen Industriestaaten als Instrument zur Stärkung der Multilateralen und Liberalen Handelspolitik* (Berna, Lang, 1979), pág. 376.

[14] Wilbur F. Monroe, *International Trade Policy in Transition* (Lexington, Heath, 1975), pág. 23. Desde que la Comunidad Económica Europea contó entre sus miembros a Holanda y Bélgica con su libre comercio, la diferencia entre los pequeños Estados europeos y los grandes Estados industriales probablemente se acrecentó.

seis de cada quince productos elaborados, en sólo cuatro de veintiocho productos semielaborados y en sólo tres de veintidós en materias primas [15]. Debido a los todavía bajos aranceles, los pequeños Estados europeos redujeron sus niveles porcentuales en las negociaciones de aranceles en la Ronda de Tokyo algo menos de lo que lo hicieron los grandes países, pero el beneficio en cuanto a bienestar estimado fue mayor [16]. En suma, tipos arancelarios más bajos reflejan una preferencia política por una economía internacional liberal.

Aunque los pequeños Estados pueden haber influido en el tono, ellos no determinaron la sustancia de las negociaciones arancelarias. La diplomacia comercial multilateral está centrada todavía en los grandes Estados, y los pequeños Estados encuentran desatendidas con frecuencia sus necesidades e intereses especiales. En la Ronda de Negociaciones de Kennedy, por ejemplo, las disparidades en los tipos de aranceles de los Estados Unidos y la CEE eran bastante grandes. Una solución posible, que por un momento pareció que iba a ganar el apoyo de los principales protagonistas, habría trasladado los costes del compromiso en gran medida sobre Suiza. El 10 por 100 de las exportaciones suizas se halla entre las categorías de importación selecta que la CEE excluyó parcialmente de los grandes recortes arancelarios con el fin de equilibrar los aranceles americanos sobre otros artículos. Junto con los países escandinavos, Suiza señaló que retrasaría las negociaciones mediante el rechazo a proponer una lista de excepciones si la plena reciprocidad no quedaba concedida. Esta decisión era táctica: los pequeños Estados europeos calcularon correctamente, como demostró un compromiso eventual, que su insuficiente fuerza política mejoraría si ellos mantenían en la duda a los grandes Estados en cuanto a su última contribución al paquete arancelario general. De más está decir que los suizos estaban bien preparados para afrontar la cuestión dispar de la Ronda de Tokyo. Se adoptó una «fórmula suiza» especial que establecía un compromiso viable entre la preferencia americana por reducciones lineales y la propuesta de la CEE de una armonización arancelaria [17].

Pero las cifras arancelarias nominales ofrecen sólo un cuadro incompleto del «nuevo proteccionismo». Diversas formas de restricciones co-

---

[15] Estas cifras están calculadas en base a las partes contratantes en el GATT, *Basic Documentation for Tariff Study*, 3 vols. (Ginebra, GATT, julio 1970).

[16] Congreso y Senado de EE. UU., Comité de Finanzas, Subcomité de Comercio Internacional, *An Economic Analysis of the Effects of the Tokyo Round of Multilateral Trade Negotiations in the United States and Other Major Industrialized Countries*, MTN, Estudio núm. 5 (Washington, D.C., 1979), págs. 44 y 64.

[17] E. H. Preeg, *Traders and Diplomats: An Analysis of the Kennedy Round of Negotiations under the GATT* (Washington, D.C., Brookings, 1970), págs. 65-67 y 125-126; John W. Evans, *The Kennedy Round in American Trade Policy: The Twilight of GATT?* (Cambridge, Harvard University Press, 1971), pág. 222, y William R. Cline, *Trade Negotiations in the Tokyo Round: A Quantitative Assessment* (Washington, D.C., Brookings, 1978), págs. 74, 121 y 142.

merciales invisibles, incluyendo los sistemas de apoyo a la exportación y
una serie de barreras, obstaculizan las importaciones y son a su vez más
difíciles de medir. Los datos disponibles sugieren que aquí igualmente los
pequeños Estados europeos son mucho más liberales en sus políticas comerciales que los grandes países industriales. Un estudio de Naciones Unidas afirmaba a finales de los 50 que los sistemas de garantía de créditos
a la exportación más plenamente desarrollados se podían encontrar en los
grandes países [18]. Veinte años después, en abril de 1978, la cobertura del
riesgo y las condiciones financieras para los créditos a medio plazo eran
de nuevo más ventajosas en los grandes países que en los pequeños Estados europeos [19]. Un análisis de los gastos para la promoción de la exportación en 1972 alcanzó resultados similares: Alemania Occidental,
Francia y Gran Bretaña gastaron un total de 102,1 millones de dólares
en la promoción del comercio, comparado con los 37,7 millones de dólares de seis de los siete pequeños Estados europeos [20]. En el mismo año,
los pequeños Estados tenían el 29,6 por 100 de la población y el 31,1 por
100 del total del comercio de exportación de los grandes Estados, pero
gastaban una cantidad desproporcionadamente baja, 18,5 por 100, en la
promoción de la exportación [21]. Los datos sobre cárteles de exportación
son, en el mejor de los casos, desiguales, pero los que nosotros tenemos
sugieren también que los grandes Estados favorecen los cárteles más de
lo que lo hacen los pequeños Estados, aunque la legislación sobre cárteles es generalmente menos restrictiva en los pequeños Estados europeos
que en los países grandes [22].

Los pequeños Estados europeos tienen menores tarifas no arancelarias que los países grandes. En su política de compras gubernamental,
por ejemplo —y en contraste con los grandes Estados industriales—, existen escasos datos sobre la discriminación de los gobiernos holandés o belga contra los productores extranjeros [23]. Aunque las ofertas selectivas

---

[18] «A Note on Recent Developments and Problems of Export-Credit Guarantees (with
Special Reference to Western Europe», *UN Economic Bulletin for Europe*, 12, 2, 1960,
pág. 53.

[19] *Die Schweiz im Zeichen des Harten Franken* (Zurich, Schweizerische Freditanstalt,
1978), págs. 12-13.

[20] *Botschaft des Bundesrates an Die Bundesversammlung uber Einen Beitrag an die
Schweizerische Zentrale für Handelsförderun* (Berna, 26 de febrero de 1975), pág. 11. Noruega está excluida de esa comparación.

[21] Las cifras de población se extraen de Peer Hull Kristensen y Jorn Levinsen, *The Small
Country Squeeze* (Roskilde, Dinamarca, Instituto de Economía, Política y Administración,
1978), pág. 71. He calculado las cifras de comercio exterior de Naciones Unidas, *Yearbook
of International Trade Statistics 1976*, vol. 1.

[22] Organización para la Cooperación y Desarrollo Económico (OCDE), *Exports Cartels: Report of the Committee of Experts on Restrictive Business Practices* (París, 1974),
págs. 8 y 24.

[23] Scaperlanda, *Prospects for Eliminating Non-Tariff Distortions*, y Cline, *Trade Nego-
tiationes in the Tokyo Round*, págs. 192-94.

que limitan el número de apoyos son la norma y aunque las exigencias para la realización pública de tentativas varía profundamente, los pequeños Estados europeos son aparentemente menos discriminatorios que los grandes países [24]. Comparado con un equivalente arancelario estimado del 42 por 100 impuesto por las políticas de compras americanas en 1958 y un 43 por 100 para Francia en 1965, incluso Noruega con su regla de preferencia de precio formal de más del 15 por 100 ofrece todo el aspecto de un país librecambista [25]. La liberalización multilateral de las políticas de compras del gobierno, resultado de los acuerdos de la Ronda de Tokyo, se estima que libera alrededor de seis veces al comercio internacional tanto de las prácticas discriminatorias de los grandes países como de aquellas de los pequeños Estados europeos [26].

Estos resultados están apoyados por otros estudios de una serie de barreras no arancelarias en el comercio mundial durante los años 60 y 70. Algunos estudios han comprobado que a finales de los 60 la proporción de las importaciones sujetas a restricciones no arancelarias era el doble en los grandes Estados industriales que en los pequeños Estados europeos [27]. Dado que las fuerzas proteccionistas cobraron fuerza a mediados de los 70, la diferencia entre estos dos grupos de países probablemente se hizo todavía mayor [28]. Mientras el GATT veía cómo al final de la liberación, en 1959-60, todos los pequeños Estados europeos habían adoptado una acción restrictiva contra lo que ellos consideraban como importaciones perjudiciales, en los años 70 mostraban una considerable indecisión sobre la introducción de nuevas barreras no arancelarias [29].

---

[24] Robert Baldwin, *Nontariff Distortions of International Trade* (Washington, D. C., Brookings, 1970), págs. 60 y 70.

[25] *Ibid., pág. 77; Melvyn Krauss, The New Protectionism the Welfare State and International Trade* (Nueva York, New York University Press, 1978), págs. 52-53.

[26] Comité de Finanzas, *Economic Analysis of the Effects of the Tokyo Round*, pág. 81. Las cuantías son de 5 billones de dólares para los grandes Estados industriales y de 0,8 billones para los pequeños Estados europeos. Esta es una razón de 6:1 en comparación con una de 3:1 en el comercio de exportación de los Estados grandes y pequeños. Estos datos sugieren, pero no demuestran, que las retricciones al comercio estaban mucho más extendidas entre los grandes Estados industriales.

[27] Ingo Walter, «Nontariff Protection among Industrial Countries: Some Preliminary Evidence», *Economia Internazionale*, 25, 2 (1972), pág. 350; Gerd Junne y Salua Nour, *International Abhängigkeiten, Fremdbestimmung und Ausbeutung als Regelfall Internationaler Beziehungen* (Frankfurt, Fischer Athenäum, 1974), págs. 73-74, y Mayrzedt, *Multilaterale Wirtschaftsdiplomatie*, págs. 392-93.

[28] U. S. Congress, House, Committee on Ways and Means, Briefing Material Prepared for Use of the Committee on Ways and Means in Connection with Hearings on the Subject of Foreign Trade and Tariffs, 93 Cong., 1.ª Sesión (mayo 1972), págs. 54-150; UNCTAD, Trade and Development Board, Committee on Manufactures, *Liberalization of Non-Tariff Barriers, Including Quantitative Restrictions, Applied in Developed Market Economy Countries to Products of Particular Export Interest to Developing Countries: Reports by the Unctad Secretariat*, TD/B/C 2/115/Rev. 1 (Ginebra, 1974), pág. 8, y Mayrzedt, *Multilaterale Wirtschafts-Diplomatie*, págs. 524-25.

[29] Patterson, *Discrimination in International Trade*, pág. 303.

Con formas diferentes de restricciones comerciales, visibles e invisibles, que se ampliaban en los años 70, los pequeños Estados europeos podrían contarse entre los campeones persistentes de un régimen de comercio internacional liberal. Las iniciativas de una reordenación del sistema monetario internacional después de 1971 y la puesta en marcha de regímenes comerciales para sectores específicos en las industrias en declive han surgido, sin duda, de los grandes países. En cada ocasión imaginable los pequeños Estados europeos han presionado fuertemente por una reafirmación del principio de libre comercio. Su objetivo de liberalismo económico no está basado en nociones desinteresadas de un bienestar agregado, sino que está firmemente enraizado en la conciencia de que su autonomía política y bienestar económico se ven mejor atendidos difundiendo la dependencia en un mercado más amplio antes que concentrándola en Estados particulares. Esta preferencia de los pequeños Estados europeos tiene una larga tradición en la que se inspira. Como señala Andrew Shonfield «no había nada nuevo en estas actitudes... eran una continuación más acentuada de las líneas generales de políticas ya perseguidas antes de la segunda guerra mundial. Su fuerza adicional puede explicarse de forma razonable por la señalada mejora en el entorno económico internacional en el mundo posbélico» [30]. No es exagerar demasiado el afirmar que para los pequeños Estados europeos la liberalización internacional es una forma sucedánea de patriotismo.

Para los pequeños Estados europeos, con sus economías abiertas y el temor a las represalias de otros gobiernos, exportar los costes del cambio mediante políticas proteccionistas no constituye una estrategia política viable. El proteccionismo invitaría no sólo a las represalias sino que incrementaría también los costes de los *inputs* intermedios de productos manufacturados para la exportación, determinando así la competitividad internacional de estas economías pequeñas y abiertas. Pero a pesar de sus objetivos políticos o de sus intereses económicos, en este punto todas las élites y masas públicas en los pequeños Estados europeos coinciden fuertemente. Sólo un colapso total de la economía internacional y una reorganización básica de su política interna podría acabar con este consenso envolvente. Desde el final de la segunda guerra mundial los procesos de crecimiento y declive económicos así como de obsolescencia y rejuvenecimiento industrial, se han producido con mayor rapidez en los pequeños Estados industriales que en los grandes. Los líderes políticos en las economías abiertas de los Estados pequeños están así acostumbrados a aceptar como normales unas tasas de cambio y de trastorno económicos que las élites de los países grandes consideran como intolerablemente altas [31].

---

[30] Shonfield, «*International Economic Relations of the World,* pág. 98.
[31] Mancour Olson, *The Rise and Decline of Nations: Economic Growth, Stagflation and Social Rigidities* (New Haven, Yale University Press, 1982), págs. 61-66 y 132-36.

Una estrategia de liberalización internacional puede llevar perfectamente a la cooperación internacional. En sus políticas de investigación y desarrollo, por ejemplo, los pequeños Estados europeos han elegido una respuesta internacional cooperativa ante los inconvenientes que el reducido tamaño de sus mercados nacionales impone sobre una I + D autónoma. Desde 1945 la investigación científica se ha visto conformada decisivamente por los esfuerzos concertados de los grandes países industriales para desarrollar grandes programas en tecnología militar, nuclear, espacial y en aeronáutica. La mayor diferencia entre los grandes países industriales y los pequeños Estados europeos (con las excepciones de Japón y Suecia) se da en esas nuevas áreas de la ciencia y la tecnología [32]. Sólo dos de los siete pequeños Estados, Suecia y Holanda, poseen una industria aérea propia, y en los años 70 el intenso debate sueco sobre un avión de combate de la quinta generación ejemplificó con qué fuerza, incluso los más grandes de entre los pequeños Estados se veían agobiados en el mantenimiento de un esfuerzo independiente. Algunos estudios estadísticos apoyan también la conclusión de que el tamaño de un país es un determinante principal del gasto de los Estados industriales en I + D [33]. Hoy en día la investigación y el desarrollo exigen unos amplios recursos y traen consigo numerosos riesgos e incertidumbres que son, simplemente, demasiado elevados para ser soportados por las economías pequeñas y abiertas de estos Estados europeos [34].

La respuesta de los Estados pequeños ha constituido un intento deliberado de implicarse en proyectos de investigación cooperativos en áreas de las que serían excluidos de otra manera por carecer de recursos. En la investigación espacial, por ejemplo, los pequeños Estados europeos confían únicamente en empresas cooperativas internacionales como ELDO y ENDO [35]. En el campo nuclear sucede en gran medida lo mismo. Los pequeños Estados europeos ven su implicación no desde la posición ventajosa de la seguridad nacional, sino desde una perspectiva económica. Cuatro de ellos —Holanda, Bélgica, Suiza y Noruega— han conseguido con éxito atraer al menos un centro importante de investigación internacional a su propio territorio [36]. Los siete Estados confían despro-

---

[32] OCDE, *The Research System: Comparative Survey of the Organization and Financing of Fundamental Research*, vol. 2 (París, 1973), pág. 104, Kristensen y Levinsen, *Small Country Squeeze*, págs. 92 y 196-209.

[33] Kristensen and Levinsen, *Small Country Squeeze*, págs. 156 y 178; Yoram Ben-Porath, «Some Implications of Economic Size and Level of Investment in R and D», *Economic Development and Cultural Change*, 21 (octubre 1972) 100, y Stevan Dedijer, «The Future of Research Policies», en Lawrence W. Bass y Bruce S. Old, eds., *Formulation of Research Policies: Collected Papers from an International Sympossium* (Washington, D. C., American Academy for the Advancement of Science, 1967), págs. 156-58.

[34] Kristensen y Levinsen, *Small Country Squeeze*, pág. 171.

[35] OCDE, *The Research System*, 2: págs. 103-104.

[36] *Ibid.*, págs. 101-103.

porcionadamente en la cooperación de la investigación internacional para compensar la falta de capacidad nacional, para conseguir el acceso al conocimiento y las tecnologías desarrolladas en cualquier parte y para facilitar el proceso de transferencia de tecnología [37]. En 1973 la participación en las organizaciones internacionales o en las empresas de investigación mutlinacionales representaba del 15 al 20 por 100 de los gastos nacionales en I + D en Suiza y Suecia, el 30 por 100 en Noruega y Holanda y alrededor del 50 por 100 en Bélgica [38].

Esta dependencia de las fuentes extranjeras de tecnología es una ventaja mixta. En términos relativos, los pequeños Estados europeos guían a los grandes países en la investigación fundamental y en el desarrollo de la ciencia abstracta. Pero quedan rezagados detrás de los grandes países en el desarrollo experimental y en la aplicación de la ciencia al desarrollo de nuevas tecnologías, patentes y productos. Cuanto más cercanos avanzan el desarrollo científico y tecnológico con la aplicación comercial, en general, más desventajosa es la posición de los pequeños Estados europeos [39]. Pero a pesar de sus ventajas o desventajas, esta interpenetración con los sistemas de investigación extranjeros es el alma de la estrategia de I + D en la mayoría de los pequeños Estados europeos.

Estos Estados tienen un profundo interés en el buen funcionamiento de las organizaciones económicas internacionales que faciliten la coordinación política entre los Estados. Con el fortalecimiento de los grandes países industriales, ciudadanos de este grupo de Estados han tomado posiciones de liderazgo en organizaciones tales como el GATT, el FMI y la OCDE. Sin duda, los ciudadanos de los pequeños Estados europeos han ocupado los más altos cargos en estas tres organizaciones durante más de la mitad del tiempo transcurrido desde el final de la segunda guerra mundial [40]. En el debate sobre un Nuevo Orden Económico Internacional, que los países menos desarrollados propiciaron ante los Estados industriales avanzados en los años 70, los pequeños Estados europeos tendieron a mostrarse más adaptables que los grandes Estados industriales. Su actitud se reflejó también en una ayuda económica mucho más generosa que la concedida por los grandes Estados industriales. En el Fondo para el Desarrollo Conjunto de las Naciones Unidas (UNCDF), por ejemplo,

---

[37] Kristensen y Levinsen, *Small Country Squeeze,* págs. 185 y 188.
[38] *Ibid.,* pág. 188.
[39] *Ibid.,* págs. 164-65, 179 y 210-29; OCDE, *The Research System,* 2, pág. 33, y Joseph Ben-David, *Fundamental Research and the Universities: Some Comments on International Differences* (París, OCDE, 1968), pág. 26.
[40] Oliver Long, de Suiza, fue el director general del GATT entre 1968 y 1980. Fue sucedido por su compatriota, Arthur Dunkel. Los directores gerentes del Fondo Monetario Internacional fueron Camille Gutt, de Bélgica (1947-1950); Irar Roth, de Suecia (1951-56); Per Jacobsson, de Suecia (1957-63); y H. Johannes Witteren, de Holanda (1974-77). Secretario general de la OCDE fue Thorkil Kristensen, de Dinamarca (1961-68), y desde 1969, Emile van Lennerp, de Holanda.

los pequeños Estados europeos han desempeñado un papel dirigente. Entre 1973 y 1979, Holanda, Suecia, Noruega y Dinamarca aportaron el 80 por 100 de las contribuciones totales, que eran de 92 millones de dólares, en comparación con sólo el 4 por 100 de los Estados Unidos [41]. Esta generosidad denota el que los pequeños Estados europeos no estén dispuestos a ver la estructura básica de la economía internacional alterada por el conflicto fundamental entre Estados pobres y ricos [42].

La preferencia por una economía internacional liberal y armoniosa va de la mano con un apoyo entusiasta al alivio de la tensión entre los grandes poderes. En ambas instancias es el propio interés antes que el altruismo el que dicta la estrategia política mediante la cual los pequeños Estados europeos intentan ampliar la dependencia y vulnerabilidad entre un gran número de actores. A mediados de los 60, por ejemplo, miembros del «Grupo de los Nueve» procedentes de Europa oriental y occidental, confiaban en poder incrementar el campo de la acción nacional oponiendo bloques de poder estrictamente definidos y favoreciendo el pluralismo internacional [43]. Esta preferencia por relajar la tensión no es nada sorprendente; con la excepción de Suecia, los pequeños Estados europeos generalmente gastan menos relativamente en seguridad militar de lo que lo hacen los poderes de un tamaño medio o los grandes Estados. Los gastos de defensa per cápita de un grupo de pequeños Estados europeos constituyen menos de la mitad de los gastos per cápita en los grandes Estados industriales avanzados, y la diferencia aumenta considerablemente en algunas industrias relativas a la defensa, tales como la industria civil aeroespacial [44]. Pero el interés en una reducción de las tensiones internacionales se deriva también de la conciencia de que la seguridad de los pequeños Estados se logra mejor mediante una orientación general hacia el rechazo de la guerra. Los pequeños Estados, en el lenguaje de los análisis estratégicos, confían en la disuasión política más que en la defensa militar [45].

---

[41] Stephen D. Krasner, *Structural Conflic: The Third World Against Global Liberalism* (Berkeley, University of California Press, próxima publicación), capítulo manuscrito 6, pág. 45.

[42] Jeffrey A. Hart, *The New International Economic Order* (Nueva York, St. Martin's, 1983), págs. 103-23, y J. Stephen Hoadley, «Small States as Aid Donors», *International Organization*, 34 (invierno 1980), págs. 121-38.

[43] Jeanne Kirk Laux, «Small States and Inter-European Relations: An Analysis of the Group of Nine», *Journal of Peace Research*, 9 (1971), págs. 147-48. Este artículo resume los resultados de una disertación doctoral con el mismo título presentada a la Universidad de Londres en 1972. Véase también Mario Hirsch, «Influence without Power: Small States in European Politics», *World Today*, 34 (marzo 1976), págs. 116-17.

[44] Kristensen y Levinsen, *Small Country Squeeze*, págs. 207 y 197; Peter Wiles, «The Importance of Country Size, A Question but Not a Subject», artículo no publicado, marzo 1978, págs. 6-7, y Army Vandenbosh, «Small States in International Politics», *Journal of Politics*, 26 (mayo 1964), pág. 301.

[45] V. V. Sveics, *Small Nations Survival: Political Defense in Unequal Conflicts* (Nueva

Para conseguir ese objetivo de distensión, los pequeños Estados europeos confían fuertemente en las organizaciones internacionales, porque estas organizaciones ofrecen un foro en que los Estados pequeños pueden esperar un mayor éxito que en los tratados bilaterales [46]. Reuniones políticas bien organizadas entre grupos de pequeños Estados —los países escandinavos, los del Benelux, el Grupo de los Nueve— fomentarían no sólo la probabilidad de bloquear las iniciativas desventajosas de los Estados más grandes, sino también la oportunidad para los países pequeños de tomar ellos mismos las iniciativas [47]. El énfasis de los pequeños Estados europeos en las organizaciones internacionales en cuestión de seguridad queda ilustrado por las tres décadas en las que sus ciudadanos mantuvieron la posición de secretariado general en las Naciones Unidas y por su papel prominente en misiones de pacificación. Estas contribuciones políticas no son actos de magnanimidad. Están dictadas, por el contrario, por el manifiesto interés que tienen los pequeños Estados en el buen funcionamiento de las organizaciones internacionales [48].

Desde 1945 los pequeños Estados europeos han tendido a realizar menos demandas sobre el sistema de Estados internacional y han estado más interesados en el proceso de distensión que otros grupos de Estados [49]. Difieren de los países menos desarrollados, así como de los Estados industriales avanzados, en su orientación conservadora. Han tendido a favorecer una orientación pragmática sobre una orientación ideológica, enfatizando la conciliación universal más que el activismo exclusivista y rechazando las «grandes palabras» y los «actos pequeños» [50]. Incluso los pequeños Estados que participaron en alianzas después de 1945 han optado cautelosamente por las alianzas multilaterales antes que por las arriesgadas opciones del bilateralismo o del «multilateralismo mixto» [51]. Y aquellos que han seguido una política de neutralidad han insistido en una postura defensiva del mínimo riesgo en contraste con la no alineación de los

---

York, Exposición, 1969), págs. 261-62; Gustav Däniker, *Strategie des Kleinstaats: Polistische-Militärische Möglichkeiten Schweizerischer Selbstbehauptung im Atomzeitalter* (Frauenfeld, Huber, 1966), págs. 53-54; Edward E. Azaar, *Probe for Peace: Small State Hostilities* (Minneapolis, Burgess, 1973), págs. 31-32, y Antonin Snejdarek, «Small Countries and European Security», *Adelphi Paper,* núm. 33 (marzo 1967), pág. 41.

[46] Laux, «Small States and Inter-European Relations»; Annette Baker Fox, «The Small States of Western Europe in The United Nations», *International Organization,* 19 (verano 1965), págs. 775 y 783, y Gunnar Heckscher, *The Role of Small Nations: Today and Tomorrow* (Londres, Athlone, 1966).

[47] Fox, «Small States of Western Europe», pág. 783; Annette Baker Fox, «Intervention and the Small State» *Journal of International Affairs* pág. 22 (1968), págs. 247-56.

[48] Fox, «Small States of Western Europe», págs. 784-85.

[49] Annette B. Fox, «Small States in the International System, 1919-1969», *International Affairs,* 24, 4 (1969), pág. 764.

[50] Fox, «Small States of Western Europe», pág. 782.

[51] Robert L. Rothstein, *Alliances and Small Powes* (Nueva York, Columbia University Press, 1968), págs. 30-45, 60-64, 116-27, 170-78 y 242-45.

países del tercer mundo (lo cual ha sido compatible con una postura ofensiva de alto riesgo) [52]. En definitiva, los pequeños Estados europeos, en comparación con los países menos desarrollados y los grandes Estados industriales avanzados, han elegido estrategias para la seguridad que encajan con sus estrategias en asuntos económicos; ambas expresan su satisfacción con el *statu quo*.

II. La compensación interna

Los pequeños Estados europeos combinan su objetivo de liberalismo en la economía internacional con una estrategia de compensación interna. Dado que su influencia sobre los avances en los mercados mundiales es insignificante, los pequeños Estados europeos buscan ejercer algún tipo de control sobre sus destinos a través de diversas políticas internas. Estas políticas se llevan a cabo por la convicción de que es importante contestar a algunos de los efectos nocivos de la liberalización internacional. El *laissez-faire* político es un lujo de los grandes países industriales, un lujo en el que no pueden incurrir los pequeños Estados europeos. Incluso los teóricos liberales del comercio internacional actualmente concuerdan ampliamente en que «el vínculo entre el principio del libre comercio y el principio del *laissez-faire* se ha roto» [53]. Los eruditos marxistas están convencidos igualmente de la capacidad distintiva de los pequeños Estados europeos para la compensación interna [54].

Las políticas destinadas a ofrecer la compensación por la inestabilidad en la inversión y empleo son comunes entre todos los pequeños Estados europeos. La más famosa de todas las políticas de estabilización es la reserva sueca de inversión, destinada a suavizar las fluctuaciones del ciclo económico [55]. Creada a mitad de los años 50 bajo una legislación que da-

---

[52] *Ibid.*, pág. 244, y David Vital, *The Inequality of States: A Study of Small Powers in International Relations* (Oxford, Clarendon, 1967).

[53] Richard Blackhurst, Nicolas Marian y Jan Tumlir, «Trade Liberalization, Protectionism and Interdepence», *GATT Studies in International Trade*, núm. 5 (Ginebra, 1977), pág. 41.

[54] Svlatopuk Tikal, «Soviete Economists and Their Works on Social-Economic Problems of Small Countries», *Politicka Ekonomie*, 22, 5 (1974), págs. 469-72; J. I. Jadanow, «Die Kleinen Industrieländer Westeuropas in System des gegenwärtigen Kapitalismus», *IPW-Berichte*, 11/1973, págs. 14-22, y Béla Kádár, *Small Countries in World Economy* (Budapest, Academia Húngara de Ciencias, Centro de Investigación Agroasiática, 1970).

[55] Véanse Assar Lindbeck, *Swedish Economic Policy* (Berkeley, University of California Press, 1973), págs. 58, 72-73 y 97-104; Harold G. Jones, *Planning and Productivity in Sweden* (Londres, Croom Helm, 1976), págs. 16-17, y 151-62; Andrew Shonfield, Modern Capitalism: The Changing Balance of Public and Private Power (Londres: Oxford University Press, 1965), págs. 201-203; Martin Schnitzer, *The Swedish Investment Reserve: A Device for Economic Stabilization?* (Washington, D. C., American Enterprise Institute, 1967); Holder Heide, *Die Langfristige Wirtschaftsplanung in Schweden* (Tübingen, Mohr, 1965),

taba de 1938, este fondo de reserva compensa por la decreciente utilidad de controles directos tales como las licencias y regulaciones y fomenta los instrumentos más tradicionales de influencia indirecta sobre la economía. Las empresas que disfrutan de altos beneficios en los buenos tiempos pueden evitar los aranceles congelando una parte de sus beneficios en un fondo de reserva especial; en la oscilación a la baja del ciclo económico se liberan estos fondos para los proyectos específicos aprobados. A principios de los 70, el fondo de inversiones sueco se hacía cargo de, aproximadamente, el 12 por 100 de las inversiones anuales totales [56]. La experiencia sueca no es única. A mediados de los 60, por ejemplo, las empresas noruegas podían depositar hasta un 20 por 100 de los beneficios imponibles en una cuenta especial del Banco Central, para ser invertido (con un considerable ahorro de impuestos) en el futuro, en momentos de debilidad de la demanda. Dinamarca tenía una política comparable [57]. La política de compras del gobierno suizo responde también a las fluctuaciones del ciclo económico, permitiendo a las empresas el aplazar las inversiones hasta momentos de subempleo [58].

Los pequeños Estados europeos difieren además de los grandes países industriales en la extensión y claridad con las que fomentan el empleo, ya sea directamente, a través de una serie de políticas de la mano de obra, o indirectamente, a través del control total de los subsidios públicos a las empresas individuales. En los años 60 y 70 todos los pequeños Estados europeos, y en particular Suiza, utilizaron deliberadamente trabajadores extranjeros como amortiguación para proteger el empleo de la fuerza de trabajo nacional. En los años 70 la mayoría de los pequeños Estados europeos apoyaron el crecimiento del empleo en el sector público. Holanda y Noruega, entre otros, han demostrado un considerable interés en los programas de formación profesional, así como en las medidas de empleo temporal, incluyendo los salarios de subsidio temporal [59]. Pero en cuanto al absoluto control y la sofisticación de tales programas,

---

págs. 130-31, y Jutta Grohmann, *Finanzpolitik und Konjunktur in Schweden Seit 1933* (Frankfurt, Knapp, 1968), págs. 72-177.

[56] Jones, *Planning and Productivity*, págs. 159-60.

[57] Schnitzer, *Swedish Investment Reserve*, pág. 22.

[58] «Measures Employed by OECD Governments to Influence Industrial Investment», *OECD Observer*, núm. 19 (diciembre 1965), págs. 42-45, y Hans Schmid, *Die Staatliche Beschaffungs-Politik: Ein Beitrag zu den Einkaufsverfahren der Offentlichen Hand* (Berna, Haupt, 1972), pág. 120.

[59] OCDE, *Selected Industrial Policy Instruments: Objetives and Scope* (París, 1978), págs. 14-15; Theodore Geiger, *Welfare and Efficiency: Their Interactions in Western Europe and Implications for International Economic Relations* (Washington D. C., National Planning Association, 1978); Robert H. Haveman, «The Dutch Social Employment Program», en John L. Palmer, ed., *Creatin Jobs: Public Employment Programs and Wate Subsidies* (Washington, D. C., Brookings, 1978), pág. 243; Cornelius Weststrate, *Economic Policy in Practice: Netherlands*, 1950-1957 (Leiden, Stenfert Kroesse, 1959), págs. 203-7, y M. Gardner Clark, «The Swiss Experience with Foreign Workers: Lessons for the United States», *Industrial and Labor Relations Review*, 36 (julio 1983), págs. 606-23.

ninguno de los pequeños Estados europeos rivaliza con Suecia [60]. Centrada en alto grado en la industria de la construcción, los programas suecos han tenido unos efectos muy importantes en el empleo. Desde 1972 las subvenciones se han extendido a las empresas con dificultades temporales para pevenir el desempleo. En 1972-73, por ejemplo, el desempleo se habría duplicado sin una política activa de empleo creada por el fondo de reserva para la inversión. En lugar de ello, el número de trabajadores en proceso de reciclaje se incrementó de 100.000 en 1972 a 142.000 en 1973 [61]. Entre 1972 y 1976 el número mínimo de personas en reciclaje por trimestre anual era 1.350; el más alto fue 19.600, y la mayor variación trimestral superó los 10.000 [62]. En 1973 la formación profesional y el reciclaje en Suecia podría haberse igualado de forma proporcional si los Estados Unidos hubieran formado a 3,9 millones de trabajadores o si Alemania Occidental y Gran Bretaña hubieran formado a un millón de trabajadores cada una [63]. A principios de los 80, el apoyo financiero a estos programas tenía un fuerte peso en la lucha sueca por recuperar su competitividad internacional.

Las más destacadas de entre las políticas de compensación interna son las limitaciones de los salarios y los aumentos de precios impuestas o acordadas en nombre de una «política de rentas» nacional. La confianza en la retórica política y los expertos «neutrales» son formas políticamente costosas de políticas de rentas, y pueden encontrarse en países industriales grandes y pequeños. Lo que distingue a los pequeños Estados europeos es el control de salarios mediante una negociación centralizada y unos convenios de estabilización incluso más trascendentales, con o sin controles de precios, sanciones legales y restricciones directas en el sector público de imposición gubernamental o cuasigubernamental [64].

[60] Lindbeck, *Swedish Economic Policy*, págs. 77-78, 104-7 y 156-57, Schnitzer, *Swedish Investment Reserve*, pág. 27.

[61] Eric Einhorn y John Logue, *Welfare States in Hard Times: Denmark and Sweden in the 1970s* (Kent, Popular, 1980), págs. 20-27; OCDE, *Selected Industrial Policy Instruments*, págs. 128-29, y Jones, *Planning and Productivity*, pág. 40.

[62] Kenneth Hanf, Benny Hjern y David O. Porter, *Networks of Implementation and Aministration for Manpower Policies at the Local Level in the Federal Republic of Germany and Sweden* (Berlín, Instituto Internacional de la Gestión, dp/77-16, 1977), pág. 25.

[63] Jones, *Planning and Productivity*, pág. 40.

[64] Nils Elvander, «Collective Bargaining and Incomes Policy in the Nordic Countries: A Comparative Analysis, «*British Journal of Industrial Relations*, núm. 12 (noviembre 1974), pág. 418. Véase también Klans Armingeon, «Determining the Level of Wages: The Role of Parties and Trade Unions», en Francis G. Castles, ed., *The Impact of Parties: Politics and Policies in Democratic Capitalist States* (Beverly Hills, Sage, 1982), págs. 21-96; Robert J. Flanagan, David W. Soskice y Lloyd Ulman, *Unionism, Economic Stabilization and Incomes Policies: European Experience* (Washington, D. C., Brookings, 1983), y Gary W. Marks, «Neocorporatism, Incomes Policy, and Socialist Participation in Government» (artículo preparado para el Comité de Estudios Socialistas Comparativos en colaboración con el Encuentro Anual de la Asociación Americana de Ciencia Política, Chicago, septiembre 1983).

El ejemplo más famoso de política de rentas tuvo lugar en un país con una economía extremadamente abierta. La política alemana de limitación deliberada de salarios y de control de precios durante los años 50 y 60, como señalan Murray Edelman y R. W. Fleming, se acerca a la «sustitución de los convenios colectivos por agencias públicas o semipúblicas» [65]. Aunque la implicación del gobierno en los convenios colectivos era mucho más importante que cualquier sanción legal en el funcionamienmto del sistema, la política alemana de rentas se distinguía de la de los grandes países industriales por su gran formalismo. Bram Peper lo resume así: «subyacente el sistema en su conjunto se halla el principio de que el gobierno tiene la responsabilidad de implicarse en el Estado de las relaciones industriales» [66]. Entregada a los principios del libre comercio y funcionando en una economía internacional con tipos fijos de cambio, Holanda se enfrentaba a un «dilema mercantilista» [67]. No podía esperar acelerar su industrialización en los años 50 y 60 mediante los instrumentos tradicionales de protección, altos aranceles y devaluación. Así, el argumento de la industria naciente alcanzó, en términos alemanes, unos precios y salarios relativamente bajos, logrados mediante una política de rentas. Los controles directos de precios eran indispensables, especialmente en los años 50, para el éxito de una política, porque los controles de precios habían endurecido la oposición de los empleados a los incrementos de salarios. Además, muchos precios quedaban especificados en la elaboración de los planes económicos para el país.

El desarrollo de los años 60 y 70 cambió las bases de este sistema centralizado de política de rentas. Entre 1950 y 1960 las personas que percibían un sueldo estaban cubiertas por convenios colectivos que incrementaron su cobertura del 34 al 57 por 100 de la población trabajadora, mientras que aquellos que estaban cubiertos por regulaciones obligatorias bajaron de un 48 a un 26 por 100 [68]. La ausencia de una seria crisis en la balanza de pagos en los años 60 y los cambios en las estructuras y políticas sindicales erosionó además los mecanismos formales de la política de rentas, hasta que el sistema en su conjunto se vino abajo en 1968. Aunque persistía un nivel sustancial de control informal y de centralización, la cooperación en las relaciones industriales alemanas declinó bruscamente en los años 70, siendo reemplazado progresivamente el sistema de dirección central por negociaciones y contratos a nivel sectorial, e incluso

---

[65] Murray Edelman y R. W. Fleming, *The Politics of Wage-Price Decisions: A Four-Country Analysis* (Urbana, University of Illinois Press, 1965), pág. 4.

[66] Bram Peper, «The Netherlands: From Ordered Harmonic to Bargaining Relationship», en Solomon Barkin, ed., *Worker Militancy and its Consequences, 1965-1975* (Nueva York, Praeger, 1975), pág. 148.

[67] Anne E. Millons, *Twenty-one years of Wages and Wage Policy in the Netherlands, 1945-1966* (Ithaca, Cornell University Press, 1968), págs. 287-88.

[68] *Ibid.*, pág. 61.

de empresa. Los años 70 estuvieron marcados por los convenios colectivos libres, con controles estatales ocasionales. Pero incluso en este nuevo sistema de determinación de precios y salarios la negociación exhibía todavía un vago consenso derivado de la apertura de la economía alemana a los mercados internacionales: la nueva combatividad de los sindicatos, por ejemplo, no se tradujo en un número mayor de huelgas. Detallando los cambios de los años 60 y 70 Steven Wolinetz llegó a la conclusión de que tanto las empresas como los sindicatos, a pesar de sus protestas públicas hacia los contrarios, dieron la bienvenida en silencio a la intervención gubernamental. Si esto es así, lo que tiene Alemania entonces, concluye, es un «sindicalismo responsable encubierto» [69].

A diferencia de Holanda, en Suecia la negociación salarial central incluía desde 1956 una «cláusula de paz» legalmente sancionada, sin interferencia directa del Estado, pero con su colaboración. Sirve a propósitos similares en lo esencial a aquellos más formalizados de la política de rentas alemana supervisada por el gobierno [70]. La política informal de rentas en Suecia está basada en la inviolabilidad de los convenios colectivos libres; funciona directamente desde dentro del sistema de relaciones industriales más que indirectamente por presiones del exterior. Desde mediados de los 60 los incrementos de precios y salarios en la economía de sector dual sueca han estado determinados por el efecto de los mercados internacionales sobre la alta productividad del sector «competitivo» y el efecto de la determinación sindical de ampliar las alzas salariales en los sectores «protegidos» de más baja productividad. La minimización de las diferencias salariales entre los trabajadores de diferentes sectores es, pues, el resultado de la política mencionada. Los funcionarios suecos han tolerado esta disminución de las diferencias salariales en interés de la justicia social y del rejuvenecimiento industrial. Suecia ha recurrido sólo en raras ocasiones, como en 1970, a una congelación formal de los precios para reducir su déficit comercial y ralentizar la salida de capital. En general, Suecia ha intentado conseguir los mismos objetivos por vías informales a través del control de las inversiones en la industria de la construcción y en ocasiones intentando restringir el consumo. Los avances de los años 60 y principios de los 70, tales como la revuelta de las masas contra las negociaciones salariales centralizadas y la firmeza de los sindicatos de *white-collar,* iban dirigidos a una dilución de la centralización sindical y al crecimiento de la determinación de salarios en los mercados laborales sin interferencia del gobierno. Estos cambios se hicieron más intensos

---

[69] Steven B. Wolinetz, «Wage Regulation in the Netherlands: The Rise and Fall of the Postwar Social Contract» (artículo preparado para su presentación al Consejo de la Conferencia de Estudios Europeos Europeístas, Washington, D. C., 13-15 octubre 1983).
[70] Elvander, «Collective Bargaining», págs. 425-31, y Nils Elvander, «The Role of the State in the Settlement of Labor Disputes in the Nordic Countries: A Comparative Analysis», *European Journal of Political Research,* 2 (diciembre, 1974), págs. 363-83.

después de que una coalición gubernamental conservadora resultara elegida dentro del gabinete de 1976. Los incrementos salariales todavía se establecían en gran parte de acuerdo con la política del gobierno. Como dice Sergio Lugaresi, «desde 1977 a 1982 los salarios reales de los trabajadores industriales bajaron casi un 10 por 100, un dato que no tiene comparación en otros países industriales europeos [71]». En 1984 los sindicatos y empresarios decidieron abandonar el sistema sueco de las negociaciones salariales centralizadas. El resultado, según acusó el gobierno, fue el paso de las negociaciones salariales a la lucha, dificultando así los esfuerzos del gobierno por reducir el nivel de inflación anual sueca desde el 9 por 100 en 1983 al 4 por 100 en 1984. En abril de 1984 el gobierno impuso una congelación de los precios y discutió en público una serie de medidas para contener lo que él consideraba como unos incrementos salariales excesivos [72].

Holanda y Suecia ofrecen las dos versiones de la política formal de rentas y la negociación salarial centralizada que conforman también las estrategias de Dinamarca y Noruega. El gran interés de Dinamarca en una política de rentas aparece sólo tras tres balanzas de pagos deficitarias sucesivas a principios de los años 60. A diferencia de sus colegas en Suecia y Noruega, los funcionarios daneses no han aceptado la idea de una «economía con sector dual». Igual que los políticos holandeses de los años 50 y 60, han confiado en un tratamiento legislativo de la política de rentas, complementado con un sistema de convenios colectivos menos centralizados que los de los países escandinavos vecinos. Como ya sucedió en Holanda en los años 60 y 70, la política de rentas en Dinamarca ha tenido una historia irregular; las bases institucionales de la política de rentas fueron debilitándose a lo largo de los años 70, como lo indican las huelgas de 1973. Pero la política de rentas, especialmente las congelaciones de salarios establecidas por la ley, consiguió el suficiente atractivo político para ofrecer, como en Noruega, la principal respuesta del país a la prolongada recesión económica de los 70.

Debido a que Dinamarca y Noruega han recurrido a una política de rentas a principios de los 60, al igual que a final de los 70, poseen, en sus intentos de lograr restricciones de salarios, unas similitudes que son más aparentes de lo que la realidad parece indicar [73]. La política de salarios noruega se aproxima más de cerca al modelo sueco de una política de rentas «privada» que a la versión «pública» alemana. En el centro del

---

[71] Sergio Lugaresi, «Neocorporatism between Change and Stability: The Case of Sweden», *Il Mulino,* núm. 6 (noviembre-diciembre 1983), págs. 875-87.
[72] *Wall Street Journal,* 13 de abril de 1984, pág. 37.
[73] Don S. Schwerin, «Norwegian and Danish Incomes Policy and European Monetary Integration», artículo no publicado, Oackland University, n. d., y Scherwin, «Corporate Incomes Policy: Norway's Second-Best Institutions», artículo no publicado, Oakland University, n. d.

enfoque noruego descansa, como en Suiza, un sistema de convenios colectivos libres, completamente centralizado desde 1963, y una política sindical de solidaridad salarial. Sólo en tres ocasiones desde la segunda guerra mundial —en 1956, 1961 y 1964— se ha negociado un acuerdo salarial central. También es cierto que el uso noruego de la planificación directa y los controles de precios se asemejan a las políticas alemanas posteriores a 1978, cuando el gobierno introdujo una congelación de corta duración de precios y salarios. Pero es importante señalar que estos controles nunca se extendieron a la determinación salarial. Al igual que en Suecia, los niveles salariales son fijados en consulta con el gobierno; desde 1975 han estado permanentemente coordinados con las negociaciones que realiza el gobierno con las organizaciones de agricultores sobre precios y subsidios y con los empleados del sector público sobre los salarios. No obstante, persisten los convenios colectivos libres.

La apertura económica ha hecho de la adopción de las políticas de rentas una oportunidad que muchos de los pequeños Estados europeos han experimentado en las dos últimas décadas. Como ha mostrado esta discusión, los pequeños Estados europeos han desarrollado una gran cantidad de soluciones institucionales para el tratamiento de sus problemas comunes. Pero en muchas instancias la presión internacional por una solución cooperativa ha sido muy intensa. Los problemas de la balanza de pagos ofrecen un signo peligroso, particularmente evidente en las economías pequeñas y abiertas. Como afirman Lloyd Ullman y Robert Flanagan, este signo «sigue siendo el incentivo más efectivo para la cooperación sindical en la política de rentas» [74].

Para los grandes Estados industriales, las políticas de rentas han sido un elemento relativamente poco importante de la compensación interna [75]. Estados Unidos, por ejemplo, no ha instituido nunca con éxito una política de rentas. En verdad, en los años 70 se discutieron una serie de propuestas sobre las «políticas de rentas mediante el empleo de impuestos». La idea básica no era la de premiar a los trabajadores con deducción de impuestos a cuenta para que aceptaran menores alzas salariales. Tales propuestas, si se hubieran promulgado, habrían dejado la determinación de los niveles salariales en manos de los actores individuales en los mercados laborales en vez de asociaciones de élite centralizadas. Comparado con la mezcla de un control establecido por la ley y una negocia-

---

[74] Lloyd Ulman y Robert Flanagan, *Wage Restraint: a Study of Incomes Policies in Western Europe* (Berkeley, University of California Press, 1971), pág. 202.
[75] Gerhard Lehmbruch, «European Neo-Corporatism: An Export Article?», Woodrow Wilson Center, *Colloquium Paper* (Washington, D. C., 26 de abril de 1982), págs. 8-11, 14-15 y 23, y Robert W. Russel, «Can Incomes Policies Work?», en Kristen R. Monroe, ed., *The Political Process and Economic Change* (Nueva York, Agathon, 1983), págs. 108-40.

ción política que distingue a los pequeños Estados europeos, la política
de rentas mediante el empleo de impuestos habrían confiado fuertemente en que el control se realizara a través del mercado. De cualquier forma, el fuerte apoyo político de que disfrutaban las doctrinas monetaristas
a principios de los años 80 hacía que la adopción por parte de los Estados
Unidos de cualquier tipo de política de rentas resultara altamente
improbable.

Gran Bretaña ha tenido alguna experiencia en políticas de rentas. Pero
las débiles organizaciones de élite de trabajadores y empresarios y un sistema altamente descentralizado de convenios colectivos ha condenado los
esfuerzos británicos a no más de algunos éxitos intermitentes. Al otro
lado del Canal, debido a la importancia de las tradiciones corporatistas
en el pensamiento social francés y la existencia de instituciones con fuertes figuras corporatistas (como el Consejo Económico y Social y las Comisiones Tripartitas de Modernización), Francia podía haber constituido
un campo de pensamiento ideal para el éxito de las políticas de rentas.
Pero el fracaso de la *écomomie concertée* de los años 60 se debió en gran
medida a la ausencia de una política nacional de rentas en el sistema francés de planificación económica. Trabajadores y empresarios se opusieron
firmemente a la idea y la debilidad de los sindicatos franceses y la descentralización de los convenios colectivos hubiesen hecho imposible la
cooperación efectiva entre las asociaciones de élite. El mismo razonamiento es válido para Japón, el cual no ha experimentado nunca las políticas de rentas.

Alemania Occidental posee algunas estructuras corporatistas similares
a las de los pequeños Estados europeos. Como resultado, la experiencia
de Alemania Occidental en las políticas de rentas en los años 60 y 70 se
parece más a las de los pequeños Estados que a cualquiera de las de los
grandes Estados industriales. Sin embargo, el establecimiento de una «Acción Concertada» voluntaria *(Konzertierte Aktion)* en 1967 se centró alrededor del intercambio de información en vez de en la negociación entre las asociaciones de élite, el gobierno federal y el Bundesbank. La ins-
tauración de tal intercambio, el consenso sobre política macroeconómica
y la experiencia científica no fueron lo suficientemente fuertes para resistir las luchas distributivas que irrumpieron en el discordante clima político y económico de mediados de los 70. En resumen, el fracaso de la
«débil» política de rentas de Alemania Occidental indica que este tipo de
políticas ha sido un elemento nuevo importante y duradero de la compensación interna para todos los grandes Estados industriales más que
para los pequeños Estados europeos.

A los ojos de Lane Kirkland, director de la AFL-CIO americana (Federación Americana de Trabajadores- Congreso de Organizaciones Industriales), una política de restricción de salarios es una «desviación por

caminos marcados por otras sociedades pequeñas más limitadas» [76]. Con la excepción de Suiza, los pequeños Estados europeos, más que los grandes países industriales, guiaron el paso desde unos convenios colectivos separados a los convenios colectivos paralelos para empleados *blue-collar* y *white-collar* (como en Bélgica, Holanda y Suecia) y de las negociaciones bilaterales a las trilaterales o multipartitas, en las que la negociación salarial (como sucede en Holanda, Austria y Noruega) es sólo un elemento en un marco mucho más amplio de asuntos negociados políticamente, incluyendo beneficios, dividendos, precios, pensiones e impuestos [77]. En resumen, los pequeños Estados europeos están al frente de los desarrollos en los que, como escribre Efén Córdova, «puede decirse que las negociaciones pasan de un modelo distributivo a un modelo integrador o, al menos, a un punto intermedio» [78]. Los pequeños Estados europeos han recurrido a diversas políticas de rentas intentando hacer frente a los cambios económicos de los años 70, y ha sido tan frecuentemente que se ha hecho evidente que, en palabras de Christopher Saunders, «la política de rentas no puede tratarse simplemente como un instrumento de gestión económica a corto o largo plazo en el mismo plano que la política monetaria. Es política en el más amplio sentido» [79].

Los pequeños Estados europeos confían también en su sector público como un componente de crucial importancia en la compensación interna. John Stephens lo expresa adecuadamente: «los gobiernos de naciones con economías abiertas han intentado contrarrestar los efectos de la dependencia externa expandiendo su control sobre la economía interna a través de la nacionalización de una gran parte de la renta nacional» [80]. El nivel y la tasa del incremento de la economía pública ha sido inusualmente alto en los pequeños Estados europeos. Numerosos estudios sugieren que los gobiernos de derecha, centro e izquierda en estos Estados han incrementado el gasto más rápidamente que en los grandes Estados industriales. Un análisis de la OCDE de las tendencias del gasto público muestra, por ejemplo, que en los pequeños Estados europeos la parte del gasto público en el PIB. se ha incrementado en dos tercios en los últimos

---

[76] Quoted in Harry Bernstein y Joanne Bernstein, *Industrial Democracy in 12 Nations*, Ministerio de Trabajo de EE. UU., Oficina de Asuntos Internacionales, Monografía núm. 2 (Washington, D. C., 1979), p. iv.

[77] Efén Córdova, «A Comparative Veiw of Collective Bargaining in Industrialized Countries», *International Labour Review* 117 (julio-agosto de 1978), págs. 429 y 436-37.

[78] *Ibid.*, págs. 437-38. Véanse también Michele Salvati y Giogrio Brosio, «The Rise of Market Politics: Industrial Relations in the Seventies», *Daedalus,* primavera de 1979, pág. 63.

[79] Quoted in Ann Romanis Braun, «The Role of Incomes Policy in Industrial Countries since World War II», *IMF Staff Papers,* 22 (marzo, 1975), pág. 28.

[80] John D. Stephens, *The Transition From Capitalism To Socialism* (London, Macmillan, 1979), pág. 20. Véase también Manfred G. Schmidt, «The Growth of the Tax State: The Industrial Democracies, 1950-1978», en Charles L. Taylor, ed., *Why Governments Grow: Measuring Public Sector Size* (Beverly Hills, Sage, 1983), págs. 261-85.

treinta años, de forma notable en el importante crecimiento por encima de la media en el apartado de gastos «sociales» [81]. El incremento en el gasto total del gobierno entre 1960-63 y 1977-79 en los pequeños Estados europeos también fue uniformemente mayor que en cualquiera de los cinco grandes países industriales [82].

Este crecimiento de la economía pública se debe, en primer lugar, a un incremento sustancial de los pagos de transferencia, en su mayor parte desde el gobierno a las familias, pero también a los productores, más que al crecimiento del consumo gubernamental en sí mismo. A principios y mediados de los años 70, la proporción de la Renta Nacional Bruta (RNB) dedicada a los gastos no militares del sector público fue sustancialmente mayor en los pequeños Estados europeos (41 por 100) que en los grandes Estados industriales (32 por 100) [83]. Los esfuerzos públicos dirigidos al bienestar social en los pequeños Estados europeos (exceptuando a Suiza) han sido activos y progresivos en países tan diferentes como Holanda, Suecia y Dinamarca. Los incrementos en las pensiones, que suponen aproximadamente las dos terceras partes de todos los programas de rentas de mantenimiento, conllevaron una elasticidad del gasto para los programas de rentas de mantenimiento cercana al máximo de dos dentro de la OCDE en Holanda, Suecia, Dinamarca y Noruega [84]. Los cambios en la composición demográfica de la población y una extensión de la elegibilidad a una mayor proporción de gente de más edad han elevado los costes de las pensiones en todos los países, independientemente de su tamaño; pero todos los pequeños Estados europeos hicieron esfuerzos políticos concertados entre 1962 y 1972 para incrementar sustancialmente los beneficios.

Esta generosidad caracteriza dos esfuerzos por el bienestar social de los pequeños Estados europeos más en general. Como un porcentaje del PIB en los precios del momento, estos Estados gastaron un 5,4 por 100, comparado con el 3,7 por 100 de los grandes Estados, en educación 5,3 por 100, comparado con el 4,3 por 100, en salud, y 12,9 por 100, comparado con el 8,6 por 100, en programas de rentas de mantenimiento. En el área de defensa, siguiendo con la comparación, los pequeños Estados europeos gastaron sólo un 2,5 del porcentaje, en contraste con el 3,7 por 100 para los grandes Estados [85].

---

[81] OCDE, *Public Expenditure Trends* (París, 1978), pág. 12.

[82] David R. Cameron, «On the Limits of the Public Economy» (artículo preparado para el Encuentro Anual de la Asociación Americana de Ciencia Política, Nueva York, Septiembre 1981), tabla 3.

[83] Stephens, *Transition from Capitalism to Socialism,* págs. 96 y 118.

[84] OCDE, *Public Expenditure on Income Maintenance Programmes* (París, 1976), págs. 7, 20 y 35.

[85] OCDE, *Public Expenditure Trends,* págs. 14-15, 20-21 y 25.

Fue sólo en los años 50 y 60 —es decir, durante el tiempo de la liberalización internacional— cuando el sector público asumió un rol tan prominente en los pequeños Estados europeos. Los datos de la OCDE. muestran que en los años 50 el gasto público total (como porcentaje del PIB) de los grandes países industriales superó ligeramente al de los pequeños Estados europeos. Desde mediados de los años 60 en adelante, se ha producido, no obstante, una divergencia en rápido ascenso y a mediados de los 70 el promedio para los pequeños Estados europeos era del 45 por 100 del PIB en comparación con el 38 por 100 de los grandes países industriales [86]. En 1956-57 la parte de los gastos en seguridad social en la renta nacional era idéntica, 13 por 100, en los Estados europeos pequeños y en los grandes industriales; pero hacia 1971 los pequeños Estados europeos se hallaban en un porcentaje de gastos del 20,9 por 100 del PIB en seguridad social, mientras que los grandes Estados industriales se hallaban en el 14,3 por 100 [87]. «Los gobiernos más grandes —en base a los gastos gubernamentales como el porcentaje de la renta nacional— resultaban ser la República Federal de Alemania, Francia y el Reino Unido en los años 50, pero Dinamarca, Holanda y Noruega en los 70», escribe un analista [88]. Entre 1950 y principios de los 70 el promedio de incremento anual en el gasto gubernamental como porcentaje de la renta nacional variaba para los pequeños Estados europeos entre el alto porcentaje de 1,84 por 100 para Suecia y el bajo de 0,62 por 100 para Suiza, comparado, entre los grandes países industriales, con un 0,55 por 100 para el Reino Unido y un 0,44 para Francia. En posiciones ligeramente diferentes, el crecimiento del gasto público durante los años de la posguerra en la Suiza «conservadora» superó el crecimiento del gasto en la Gran Bretaña «socialista» [89]. Todavía resulta cierto, sin embargo, que Suiza se resiste a la regla que rige entre los pequeños Estados europeos de una gran economía pública. De todas formas, la economía pública suiza creció rápidamente entre 1967 y 1976 y experimentó de hecho la mayor tasa de crecimiento relativo entre todos los Estados miembros de la OCDE [90].

El amplio y rápido crecimiento de los gastos públicos en los pequeños Estados europeos estuvo acompañado, desde luego, por unas crecientes cargas fiscales, que ahora son mayores que en cualquier otra parte del mundo occidental. En 1955-57 la presión fiscal media en los cinco gran-

---

[86] *Ibid., págs. 14-15.*

[87] *Henry Aron, «Social Security: International Comparisons», en Otto Eckstein, ed., Studies in the Economics of Income Maintenance* (Washington, D. C., Brookings, 1967), pág. 47, Harold L. Wilensky, *The «New Corporatism»: Centralization and the Welfare State* (Beverly Hills, Sage, 1976), pág. 11. Los datos no son comparables en los diferentes momentos.

[88] Warren G. Nutter, *Growth of Government in the West* (Washington, D. C., American Enterprise Institute, 1978), pág. 6.

[89] *Ibid.,* pág. 12.

[90] OCDE, *Public Expenditure Trends,* pág. 12. Esto puede deberse en parte a la gran concentración del Producto Interior Bruto Suizo a mediados de los años 70.

des países industriales superó en un punto el 26 por 100 de los pequeños Estados europeos. Pero a principios de los años 60 la imposición sobrepasaba a las de los cinco grandes países, y a mediados de los 70 la parte relativa de los impuestos dentro del PIB era del 41 por 100 en los pequeños Estados europeos y 32 por 100 en los grandes países; la mayor diferencia se dio en la incidencia de los impuestos directos [91].

Esta dura presión fiscal es una importante razón de por qué el crecimiento del gasto en el sector público ha encontrado una activa resistencia. Dinamarca ofrece el ejemplo más frecuentemente citado de «descenso del bienestar» [92]. Entre 1953 y 1973 el consumo público, más que los pagos de transferencias, como en Holanda, creció más bruscamente en Dinamarca que ningún otro pequeño Estado europeo. Debido a que la mayoría de las rentas procedían de los impuestos directos, los ciudadanos daneses no pudieron evitar el darse cuenta de que se habían convertido en la población sujeta a los impuestos más elevados dentro de la OCDE [93]. En 1970 la parte de fuerza de trabajo danesa en el sector público superaba a la fuerza de trabajo en la industria manufacturera (19 por 100 ante un 17 por 100) [94], y a finales de los 70 las consecuencias del deterioro de la competencia danesa internacional eran evidentes. La reacción contra el *welfare state* echó por tierra los cimientos del sistema de partidos en Dinamarca. Pero a pesar de la alta inflación, de una tasa de desempleo de aproximadamente un 10 por 100 y de apremiantes déficits de la balanza de pagos en los años 80, la rebelión de los votantes daneses no pareció significar que ningún sector importante del público en general o de la élite política quisiera abandonar el *welfare state* danés. Un estudio que examina un tema común concluye que el *welfare state* no se ha eliminado, los ajustes se han hecho al margen y las promesas futuras son más modestas... Existe una conciencia cada vez mayor de su sensibilidad y vulnerabilidad a los avances económicos regionales e internacionales. Ni en Dinamarca ni en Suiza se ha recibido pasivamente esta dependencia e interdependencia, pero han tomado el camino de «prueba y error» para encontrar las políticas adecuadas [95].

Los imperativos de la compensación interna establecen los límites a una amplia serie de cuestiones sobre políticas públicas que persiguen los pequeños Estados europeos. Estos países han intentado restringir los salarios y en ocasiones los precios a través de una política de rentas coordinada por el gobierno (como en Holanda y Dinamarca) o mediante un

---

[91] OCDE, *Public Expenditure Trends*, pág. 42.
[92] El significado preciso de este término se investiga empíricamente en Douglas A. Hibbs y Henrik Jess Madsen, «Public Reactions to the Growth of Taxation and Government Expenditure», *World Politics*, 33 (abril, 1981), págs. 421-35.
[93] Nutter, *Growth in the West*, págs. 12 y 90.
[94] OCDE, *The Industrial Policies of 14 membrer States* (París, 1971), pág. 120.
[95] Einhorn and Logue. *Welfare States in Hard Times*, pág. 27.

sistema centralizado de convenios colectivos (como en Suecia o Noruega) o mediante alguna combinación de los dos (como en Austria). La limitación de salarios ha estado ligada a un generoso gasto público. En la era del crecimiento económico la restricción salarial coincidió generalmente con una considerable expansión y rápido crecimiento de los pagos como suplemento a los ingresos de creación pública. En la era de la estagflación Suecia intentó crear las condiciones para la restricción de salarios mediante la coordinación de recortes impositivos para incrementar la renta disponible, mientras que en Holanda el gobierno facilitaba ocasionalmente convenios colectivos reduciendo las primas del *welfare state,* ofreciendo así a los empresarios un incentivo para que se contentaran con unos salarios más altos de lo que ellos habrían acordado de otra forma. Bien mediante el incremento del gasto, la reducción de los impuestos o las contribuciones a la seguridad, la lucha distintiva en la mayoría de los pequeños Estados europeos ha sido desplazada, como afirma Douglas Hibbs, «desde el mercado privado, donde el reparto tiene lugar a través del convenio colectivo y el conflicto industrial, a la arena pública, donde el trabajo y el capital compiten mediante la negociación política y la movilización electoral» [96].

III. El ajuste industrial flexible

Los pequeños Estados industriales comparten una estrategia política de ajuste industrial que combina la liberalización internacional con la compensación interna. El compromiso de los pequeños Estados europeos con el principio de la liberalización internacional no es meramente retórico. Estos Estados han sido más reacios que sus grandes colegas a proteger los sectores industriales en declive de las importaciones competitivas. A lo largo de los años de posguerra, además, los pequeños Estados europeos han recibido constantemente la entrada de capital extranjero, el cual consideran como un ingrediente esencial más que perjudicial para sus aspiraciones económicas y políticas. La liberalización internacional se equilibra con la compensación interna. Mientras cada uno de los pequeños Estados industriales ha desarrollado una capacidad distintiva y una serie de políticas particulares, estos países, como grupo, se distinguen por el alcance e invocatoriedad de sus políticas de compensación interna. Estos instrumentos incluyen la política de rentas, un gran sector público y amplios gastos en bienestar social.

Los pequeños Estados europeos son claras excepciones a la generalización de que el liberalismo en la economía internacional y el interven-

---

[96] Douglas A. Hibbs, Jr., «On the Political Economy of Long-Run Trends in Strike Activity», *British Journal of Political Science,* 8 (abril 1978), pág. 154.

cionismo en la economía interna son incompatibles. La experiencia de los pequeños Estados europeos sugiere, por el contrario, que la intervención política en la economía nacional en interés de la compensación interna no limita la liberalización industrial; es su concomitante necesario. En los años 70 se produjeron visibles desviaciones del principio del libre comercio, no tanto en los pequeños Estados como en los grandes Estados industriales, los cuales carecían de políticas bien diseñadas y de largo alcance de compensación interna.

En el vínculo de la liberalización internacional con la compensación interna los pequeños Estados europeos responden al cambio económico con políticas flexibles de ajuste industrial. Ellos no exportan los costes del cambio mediante la protección ni asumen los costes del cambio mediante una transformación estructural. En cambio, afrontan los problemas del cambio en vez de desear el verlos lejos de ellos. Y no esperan resolver los problemas con métodos de mano dura y unos cuantos golpes decisivos. Al contrario, existen muchas pequeñas manos, muchos pequeños golpes, muchos errores y muchas correcciones. Este tipo de respuesta parece confusa y desordenada. En un ambiente económico cada vez más incierto, donde los ritmos del cambio económico se van acelerando, esa respuesta es, después de todo, una importante contribución de los pequeños Estados europeos al repertorio del capitalismo moderno.

En todos los países, sean grandes o pequeños, las industrias del textil y del vestido se ven afectadas por presiones competitivas por la saturación y por la necesidad de hacer frente a productores más eficaces en países con un bajo nivel salarial. En este contexto, incluso «los países menos industrializados de Europa... parecen haber sido alcanzados por la moda proteccionista» [98] en alguna medida. Pero incluso en los sectores más fuertemente presionados de la industria algunos pequeños Estados europeos han mostrado su consentimiento y su capacidad para dirigir un ajuste continuo y en aumento. Holanda, por ejemplo, intentó conscientemente reducir el tamaño de la industria textil y del vestido holandesa trasladando una gran parte de la producción a los países de baja renta del este de Europa y del norte de Africa [99]. La industria del vestido, en particular, respondió a esta política de fronteras abiertas incrementando

---

[97] Krauss, New Protectionism.

[98] Lawrence G. Franko, «Current Trends in Protectionism in Industrialized Countries: Focus on Western Europe», en G. K. Helleiner et al., Protectionism or Industrial Adjustment (París, Instituto Atlántico para Asuntos Internacionales, 1980), pág. 31. Véase también Franko, European Industrial Policy: Present and Future, The Conference Board in Europe, European Research Report (n. p., febrero 1980).

[99] Steven Langdon, «Industrial Restructuring in the Dutch Textile Industry» (documento presentado a la Conferencia del Grupo de Política Europea. Asociación Canadiense de Ciencia Política, Ottawa, diciembre 1981), y Harald Ettle, «Internationale Arebitsteilung in der Textil und Bekleidungsindustrie und ihre Auswirkungen auf die Beshäftigten», Informationen über Multinationale Konzerne, 4/1980, págs. 1-4.

la productividad y la concentración primero y desplazando después al extranjero la producción. En 1978 el 20 por 100 de las importaciones totales de vestido fueron productos holandeses manufacturados en el extranjero. Como resultado de la política del gobierno y de la respuesta corporativa, el número total de puestos de trabajo en textiles y vestido en Holanda descendió de 60.000 a 20.000 entre 1968 y 1978.

La industria belga, al otro lado de la frontera, se vio mucho más afectada por estos cambios. Entre 1960 y 1977 la industria textil y del vestido belga disminuyó en más de 9.000 puestos de trabajo; más de la mitad de esos puestos de trabajo pertenecían a empresas de propiedad holandesa, las cuales se desplazaban en número creciente al norte de Africa cuando los costes de producción belgas se hicieron demasiado altos. Las empresas extranjeras que Bélgica ha buscado con tanta avidez en los años 60 estaban contribuyendo así a agravar los problemas económicos del país en los años 70 a través de su política de desposesión. Al igual que Holanda, Suecia ha fomentado, mediante una política de libre comercio, una drástica reducción en el tamaño de su industria textil[100]. En 1977 la importación de textiles representaba un 72 por 100 del consumo interno, comparado con el 36 por 100 de la CEE y el 12 por 100 de Estados Unidos[101]. Una serie de políticas específicas en los campos de formación profesional, de incentivos a la exportación, de fusiones y de ayudas a la inversión intentaban consolidar productores competitivos.

Estas diferentes experiencias en los pequeños Estados europeos compartían una buena disposición de hacer frente a los costes del cambio. Sería difícil afirmar que en el caso de los textiles la política de los pequeños Estados europeos haya tenido más éxito por un estándar económico objetivo. Pero el proceso reactivo y flexible del ajuste industrial muestra que la motivación de las políticas no descansa únicamente en «triunfar». Los problemas no sólo hay que resolverlos, hay que vivir con ellos. El ajuste reactivo y flexible que avanza por medio de muchos pequeños escalones para conocer el continuo cambio de la economía mundial parece ser el conveniente para adaptarse a los desarrollos imprevistos y para mantener unidas a las sociedades de cada país, continuamente amenazadas por inestabilidades externas.

---

[100] OCDE, *Structural Problems of the Textile and Clothing Industry* (París, 1977), págs. 8 y 29-30, y Anders Ericson, «Stagnation, Crisis and Development: Strategies and Development Processes in Swedish Textile and Clothing Firms» (Berlín, Instituto Internacional de la Gestión, dp 80-6, 1980).

[101] Boston Consulting Group, *A Framework for Swedish Industrial Policy* (Stockholm, Departmentens Offsetcentral, 1979), apéndice 5, pág. 2, y Michael B. Dolan, «European Restructuring and Import Policies for a Textile Industry in Crisis», *International Organization,* 37 (otoño, 1983), pág. 588.

También existen diferencias distintivas entre los grandes países industriales y los pequeños Estados europeos en las políticas públicas que intentan modificar las condiciones del mercado exterior. Los grandes Estados industriales tienden a exportar los costes del cambio, mientras que los pequeños Estados europeos tienden a convivir con ellos. Fueron los grandes países, no los pequeños, los que se hallaban en la vanguardia del desarrollo de diversas políticas —restricciones voluntarias a la exportación, otras formas de protección invisible y regímenes comerciales específicos para algunos sectores dentro de la estructura del GATT— para cumplir este objetivo en la economía liberal postbélica. Estados Unidos, por ejemplo, ha hecho esto en el textil desde los años 50, en el acero desde los años 60 y en un número creciente de sectores industriales, incluyendo a los automóviles, que se enfrentaron a graves problemas, en los 70 y principios de los 80. Lo mismo es válido, cada vez más, para las Comunidades Europeas en los años 70. En sus políticas comerciales sólo Japón se ha opuesto aparentemente a la tendencia proteccionista de los años 70, quizá porque nunca permitió una liberalización plena.

Su adhesión a la liberalización industrial en general ha hecho que los pequeños Estados europeos prefieran un rumbo diferente. Esto no significa que los pequeños Estados europeos no imiten nunca las innovaciones políticas a través de las cuales los grandes países industriales exportan los costes del cambio. Además, algunos de los pequeños Estados europeos, y de forma notable Suiza, han equipado sus sociedades con una fuerza de trabajo extranjera cuya manipulación hace posible absorber casi todos los costes del cambio en el sistema de comercio internacional. Otros Estados pequeños, como, por ejemplo, Austria, tienen una menor capacidad para absorber un cambio rápido en el comercio internacional; con mayor frecuencia intentan exportar los costes del cambio a otros mediante restricciones comerciales selectivas a sectores o productos específicos. En resumen, los países grandes y pequeños difieren, sin embargo, considerablemente en cuanto a su capacidad y disposición para convivir con los costes del cambio.

Sectores diferentes se prestan a diferentes formas de intervención política en los mercados mundiales. En los textiles y el acero en particular los pequeños Estados han tenido que vivir con las reglas establecidas por los grandes países industriales. En los años 50 Austria y los países escandinavos se mostraron muy críticos con la Comunidad Económica del Carbón y el Acero (CECA) y preocupados por el abastecimiento de coque, chatarra y mineral de hierro, especialmente en tiempos de escasez. Los exportadores de acero de alta calidad, como Austria y Suecia, estaban también preocupados por la homogeneización arancelaria y la política de precios de la CECA y por cuestiones de acceso al mercado. Al final esos temores resultaron ser infundados. Los aranceles comunitarios sobre el acero descendieron, en parte debido al insistente estímulo de los miembros pequeños [102].

El resurgir del proteccionismo en los años 70, organizado en regímenes comerciales para sectores específicos, especialmente en los sectores en declive, también emanó de los grandes países industriales. A finales de los años 60 los cinco grandes países industriales habían impuesto un total de veinte restricciones cuantitativas a la exportación de productos textiles; los siete pequeños Estados europeos no habían impuesto ninguna [103]. Desde 1975 los países grandes y pequeños, de la misma forma, han introducido sistemas de vigilancia a la exportación de productos textiles, pero sólo Gran Bretaña, Francia e Italia insisten en molestos métodos administrativos destinados a dañar las importaciones [104]. La creciente presión de las exportaciones de bajo coste de los países menos desarrollados en un momento de declive del crecimiento económico ha forzado a los pequeños Estados europeos a una vía más restrictiva. Pero el grado de liberalización que pueden ofrecer los países pequeños en los sectores expuestos está severamente circunscrita por la política de la Comunidad Europea. Cada vuelta del tornillo proteccionista en Bruselas desplaza las exportaciones de bajo coste desde los países en vías de desarrollo a los mercados adyacentes, los cuales, debido a su pequeño tamaño, amenazan hundimiento si no se instituyen algunas medidas proteccionistas. Sin embargo, en estos sectores, y más generalmente en los pequeños Estados europeos, han resistido en un grado asombroso a las tentaciones del «nuevo nacionalismo» [105].

Los dilemas de la política industrial con que se encontraron los pequeños Estados europeos a finales de los años 70 no fueron únicos —presentaron dilemas similares en la planificación económica de finales de los 50—. En la primera década postbélica los pequeños Estados europeos han confiado fuertemente en los métodos planificados de reconstrucción económica o modificación liberada en gran escala [106]. Las políticas de plani-

---

[102] Patterson, *Discrimination in International Trade*, págs. 127, 129, 131, 135-38 y 165-66, e Irving B. Kravis, *Domestic Interests and International Obligations: Safeguards in International Trade Organizations* (Filadelfia, University of Pennsylvania Press, 1963), págs. 91-92.

[103] Comité de Finanzas, *Quantitatve Restrictions in the Major Trading Countries*, apéndice.

[104] Milan Lasser, «Handelspolitische Probleme im Textilbereich» (discurso dirigido al Generalversammlung des IVT, 2 de mayo de 1978), págs. 6 y 8-11.

[105] Robert Black, Stephen Blank, y Elizabeth C. Hansen, *Multinationals in Contention: Responses at Governmental and International Levels* (Nueva York, Conference Board, 1978), págs. 6-7 y 36-41; OCDE, *Adjustment for Trade: Studies on Industrial Adjustment Problems and Policies* (París, 1975), y Scaperlanda, *Prospects for Eliminating Non-Tariff Distortions*, pág. 25.

[106] Sobre Noruega véanse *Nationalbudget und Wirtschaftspolitik* (Hannover, Verlag für Literatur und Zeitgeschehen, 1962); Pweter Jakob Bjerve, «Trends in Quantitative Econo-

ficación de los pequeños Estados europeos, destinadas a hacer más predecibles y menos costosos los cambios en la economía nacional, diferían
de las de los grandes Estados industriales. Estados Unidos, Gran Bretaña y Alemania Occidental, con su compromiso ante el liberalismo, desmantelaron rápidamente la maquinaria del control económico a finales
de los años 40 y principios de los 50; Japón y Francia, mientras tanto, se
embarcaban en políticas de transformación sectorial de iniciativa y supervisión estatal. Los pequeños Estados europeos abrieron un camino entre
el liberalismo y el estatismo, lo cual les llevó a formas indirectas de control económico. En una evaluación que capta lo que de distintivo hay en
la planificación económica de todos los pequeños Estados europeos, un
analista señalaba que «la planificación sueca es un tipo de planificación
indicativa, a medio camino entre el sistema francés de planificación centralizada y altamente detallada y la forma "suave" de coordinación económica utilizada en Estados Unidos» [107]. Aquello que une la experiencia
política de los pequeños Estados europeos y los sitúa aparte de los grandes países industriales es la premisa de sus esfuerzos planificadores como
adaptación a las fuerzas del mercado exterior [108].

En los años 50 y 60 Holanda y Noruega realizaron los mayores avances en el desarrollo y aplicación de métodos de planificación adaptados
a las limitaciones estructurales a las que se enfrentaban los pequeños Estados europeos. Sin duda, la teoría de la planificación económica ha sido
desarrollada de un modo más sistemático por economistas holandeses y
noruegos, hombres como Jan Tinbergen y Ragnar Frisch, a quienes en
1969 se les concedió conjuntamente el Premio Nobel de Economía.

Los elaborados planes económicos de Holanda, en particular, estaban
basados en la sofisticación técnica [109]. Los métodos de planificación han
estado fundados desde 1950 en métodos econométricos, y los economis-

---

mic Planning in Norway», en Leif Johansen y Harald Hallaraker, eds., *Economic Planning
in Norway: Methods and Models* (Oslo, Universitetsforlaget, 1970), págs. 4 y 22; Fritz C.
Holte, «A Model for Estimating the Consequences of an Income Settlement», en *ibid.,*
pág. 68; E. S. Kirschen *et al., Economic Policy in our Time,* 2 (Amsterdam, North Holland, 1964), págs. 174-75, y Per Kleppe, *Main Aspects of Economic Policy in Norway since
the War* (Oslo, Oslo University Press, 1966), pág. 3. Sobre Suecia véanse Erik Lundberg,
Bussiness Cycles and Economic Policy (Cambridge, Harvard University Press, 1957); Jutta
Grohman, *Finanzpolitik und Konjunktur in Schweden* (Frankfurt, Knapp, 1968),
pág. 211-12; *Nationalbudget und Wirtschaftspolitik,* págs. 89-90, y Hide, *Langfristige Wirtschaftsplanung in Schweden,* págs. 3-5 y 30.
   [107] Jack Barbash, *Trade Unions and National Economic Policy* (Baltimore, John Hopkins Press, 1972), pág. 7. La diferencia entre Suecia y Francia se trata también en Lindbeck, *Swedish Economic Policy,* págs. 168-69.
   [108] Shonfield, *Modern Capitalism,* pág. 204. En esta cita Shonfield se refiere únicamente a Suecia.
   [109] Weststrate, *Economic Policy in Practice,* págs. 1 y 210, y Hildegart Graebner, *Die
Langfristige Planung in Norwegen, Schweden und den Niederlanden* (Colonia, Deutsches Industrieinstitut, 1965), págs. 85 y 96.

tas han tenido una gran influencia, tanto los funcionarios como los consejeros. James Abert describe la situación como sigue: «aunque el *Central Planning Bureau* (CPB) y el *Central Statistics Bureau* no tienen el poder formal para crear políticas ellos mismos, su trabajo como asesores de los políticos, tanto en el gabinete como en los organismos asesores extraparlamentarios, influye fuertemente en el alcance, la racionalidad y dirección del proceso de toma de decisiones económicas» [110]. La aplicación sistemática de la ciencia económica a los problemas de la economía holandesa estaba en notable contraste con las tendencias más liberales de los Estados Unidos, Gran Bretaña o Alemania Occidental, por un lado, y con la planificación estatista que surgió en Francia y Japón, por el otro. La planificación holandesa no era indicativa en el sentido francés de la acción concertada *(économie concertée),* sino que ofrecía más una idea orientadora *(économie orientée)* a los políticos de lo que lo hacía, afirma, en Alemania Occidental [111]. El enfoque holandés no intentaba una planificación real, sino hacer pronósticos contingentes.

La planificación noruega difería también de los esfuerzos planificados de los grandes Estados industriales avanzados. En contraste con Francia, con quien se le ha comparado frecuentemente, los avances técnicos en el análisis del *input-output* en los años 60 no se tradujeron en un intento políticamente ambicioso de planificación indicativa en el nivel sectorial [112]. Los pronósticos noruegos hacían hincapié en la globalidad más que en los datos concretos y esperaban proporcionar una red internacional para el presupuesto anual antes que maximizar el crecimiento o la eficacia económicas. Aunque el control del capital de inversores por parte del gobierno y de los bancos nacionalizados era uno de los ingredientes clave que a lo largo de los 70 se mantuvo con una de las tasas de inversión más altas de Europa, la industria noruega no está estrechamente conectada al sector público. El gobierno noruego carece, por tanto, de los tipos de control de créditos típicos de Francia o Japón [113].

Los responsables de la planificación noruega carecían también de un organismo tripartito que representara a los trabajadores, a los empresa-

---

[110] James G. Abert, *Economic Policy in the Netherlands, 1950-1965* (New Haven, Yale University Press, 1969), pág. 129.
[111] Abert, *Economic Policy and Planning,* págs. 117-18; Graebner, *Langristige Planung,* págs. 95-96, y Marita Estor, *Der Sozial-Ökonomische Rat der Niederländischen Wirtschaft* (Berlín, Duncker & Humblot, 1965), pág. 121.
[112] Kleppe, *Main Aspects of Economic Policy in Norway,* págs. 3-4; Johansen y Hallaraker, *Economic Planning in Norway,* págs. 10, 13, y «Longer-Term Plans in Western Europe», *Economic Bulletin for Europe,* 14 (noviembre 1963), págs. 84-85.
[113] Bourneuf, *Norway, the Planned Revival,* pág. 200; Kleppe, *Main Aspects of Economic Policy,* pág. 7; Johansen and Hallaraker, *Economic Planning in Norway,* pág. 25; Graebner, *Langfristige Planung,* pág. 43, y John Zysman, *Governments, Markets, and Growth: Financial Systems and the Politics of Industrial Change* (Ithaca, Cornell University Press, 1983).

rios y al gobierno y que podía haber fortalecido la influencia de los planificadores. En 1945 se estableció un Consejo de planificación económica que dejó de funcionar en los años 50, cuando la Comunidad de empresarios le retiró su apoyo. A lo largo de los 60 el sector nacionalizado noruego era relativamente pequeño; en vez de la propiedad pública o el control del capital de inversión, el gobierno noruego ejerció su influencia directamente en sectores o empresas grandes o estratégicamente situados [114]. En suma, el gobierno noruego tiene menos instrumentos políticos que Francia y Japón mediante los que determinar los desarrollos en los diferentes sectores de la economía. Sin duda se podría argumentar que la planificación noruega más actual se asemeja a los esfuerzos holandeses de hacer su contribución central en los años 60 no en la forma de un programa de modernización planificada, sino a través del fortalecimiento de la política noruega de rentas y por ejemplo, el 70 por 100 de todos los precios en el índice del coste de vida noruego estaba controlado por el gobierno.

La experiencia planificadora de los pequeños Estados europeos ha estado marcada por un rasgo distintivo: las estimaciones del desarrollo de las exportaciones e importaciones han estado normalmente, debido a la apertura de sus economías, muy lejos de la realidad. Esto ha sucedido especialmente en Holanda, Noruega y Suiza [115]. La eliminación gradual de los controles directos a la importación durante los años 50 quitó de las manos de los planificadores un instrumento importante y les dejó incapaces, en su planificación a medio y largo plazo, de defender sus economías nacionales contra los efectos de los cambios en los mercados internacionales. Efectivamente, Bélgica, a diferencia de Francia, rechazó el término «planificación» por completo en los años 60 y prefirió, en cambio, hablar de «programas»; su planificación económica *ad hoc* y pragmática subrayó primeramente el papel competitivo de la economía belga en los mercados internacionales [116]. Esta carencia de defensas hace más inteligible por qué la economía holandesa no planifica realmente, sino que produce pronósticos de contingencia; por qué Austria, con el sector nacionalizado mayor de la OCDE, no posee más que unos instrumentos rudimentarios de planificación, y por qué Noruega se pasó a las políticas sectoriales de medio plazo en los años 60 (sobre la premisa de que la apertura económica estaba forzando a toda la planificación a ser poco más

---

[114] Bourneuf, *Norway, the Planned Revival*, págs. 203, 206; Graebner, *Langfristige Planung*, págs. 33-34, y Johansen y Hallaraker, *Economic Planning in Norway*, págs. 6-7.
[115] Graebner, *Langfristige Planung*, págs. 118-19 y 123; «Long-term Plans in Western Europe», págs. 82-84.
[116] René Capreau, *Ziele un Instrument der Belgischen Wirtschaftspolitik* (Tübingen: Mohr, 1967), págs. 53, 58 y 66; Christian Franck, «Die ordnungpolitische Neugestaltung in Belgien: Einflussgrössen und Lösungsversuche» (Ph. D. diss., Universidad de Colonia, 1966), págs. 16-17 y 95.

que una política a corto plazo) [117]. Quizá por esta razón «la planificación sueca no se acompaña de sanciones, excepto la sanción impuesta por la fuerza de la inteligencia económica y por lo que Rehn denominó una vez, la dictadura de las circunstancias» [118]. Los pequeños Estados europeos han encontrado cada vez menos aplicable los esfuerzos de planificación amplia o sectorial, simplemente debido a su apertura económica. Necesitaban, en palabras de Raymond Vernon, «permancecer en pie y protegidos en medio de un movido mar internacional; para ellos, por tanto, el problema era el de la selección de los mecanismos de estabilización que estuvieran en armonía con sus objetivos sociales [119]. Pero la apertura económica impidió también que los pequeños Estados europeos abandonaran por completo la planificación.

En cuestiones de política de I + D que están estrechamente conectadas con la competitividad internacional de las economías industriales los pequeños y grandes Estados difieren marcadamente en la influencia interna que intentan ejercer. En términos generales, los grandes países industriales concentran sus esfuerzos en I + D en sectores económicos modernos y científicamente fundados con riesgos sustanciales, mientras que los pequeños Estados europeos tienden a gastar sus esfuerzos, con la excepción de la farmacéutica, en industrias más tradicionales con una menor incertidumbre y unas menores tasas de crecimiento [120]. Pero los pequeños Estados europeos han creado unas buenas condiciones para las empresas innovadoras en sectores más tradicionales de su economía. En los años 60 y 70 destinaron una gran proporción de su presupuesto total de I + D a estimular la innovación industrial, una proporción sustancialmente mayor que la de cualquier gran país industrial, a excepción de Alemania Occidental [121]. Los pequeños Estados europeos, además, hacen hincapié en la absorción y difusión de la información científica y tecnológica más que en una política intervencionista sobre la ciencia. Sus dis-

---

[117] Graebner, *Langfristige Planung,* págs. 19 y 95-96; Erhard Fürst, «Die holländische Planung - Vorbild für Österreich?», *Quartalshefte,* 1/1969, págs. 95-98, y Bjvere, «Trends in Quantitative Economic Planning», págs. 18-19.

[118] Barbarsh, *Trade Unions,* pág. 5.

[119] Raymond Vernon, «Entreprise and Government in Western Europe», en Verbon, ed., *Big Business and the State: Changing Relations in Western Europe* (Cambridge, Harvand University Press, 1974), pág. 10.

[120] Kristensen and Levinsen, *Small Country Squeeze,* págs. 43-46, 165-66 y 261-63; Carmi, «Science and Technology Policy in Small States: First Report», manuscrito no publicado, Jerusalem Group for National Planning, 1975, págs. 10-11; K. Pavitt y S. Wald, *The Conditions for Success in Technological Innovation* (París: OCDE, 1971), pág. 122, y Bela Balassa, «Revealed' Comparative Advantage Revisited: An Analysis of Relative Export Shares of the Industrial Countries, 1953-1971», *Manchester School of Economic and Social Studies,* 45 (diciembre 1977), págs. 331-36.

[121] OCDE, *Policies for the Stimulation of Industrial Innovation: Analytical Report,* vol. 1 (París, 1978), págs. 16, 48 y 127-37, y OCDE, «Science Resources Unit», *Science Resources Newsletter,* núm. 2 (primavera 1977), pág. 11.

tinguidas universidades técnicas juegan un papel central en cubrir el vacío que a menudo separa a la ciencia pura de la aplicada e impide las aplicaciones industriales de la ciencia y la tecnología. Los grandes países industriales establecieron institutos especializados de investigación, por ejemplo, el CNRS francés o el instituto Max-Plank alemán, para cumplir un objetivo similar en nombre de una política de I + D dirigida por el gobierno, centrándose frecuentemente en áreas de ciencia fundamental [122]. El énfasis de los pequeños Estados en la difusión y absorción queda también ilustrado por la importancia que atribuyen a los programas de formación profesional, los cuales son, como media, dos veces más amplios que los de los grandes países industriales [123].

Las políticas de I + D en los pequeños Estados europeos tienen una orientación económica, en parte debido a la ausencia de una investigación de amplia escala consolidada por el gobierno en torno a la seguridad nacional y en parte a causa de la prominencia de las empresas en la financiación del presupuesto total de I + D. En los años 60 y 70 la parte relativa de los gastos en I + D dentro del PIB se incrementó en los pequeños Estados europeos, mientras que, como media, descendió en los grandes Estados industriales [124]. En los 70, un estudio de la OCDE sobre las políticas de I + D en cinco pequeños Estados europeos concluía: «hoy prevalece el sentimiento... de que la distancia que los separa de los otros países está reduciéndose» [125]. La competencia particular de estos siete Estados descansa en su adaptación a los modelos cambiantes de la demanda en los mercados internacionales [126]. Su enfoque es menos caro, más flexible, más orientado hacia las necesidades de la industria y menos influenciado por las presiones políticas que constituyen un componente real de los grandes Estados industriales. Tienden a favorecer, en otras palabras, un camino que constituye, como así lo ha identificado al menos un importante estudio, el mejor camino hacia el éxito [127].

---

[122] Kristensen y Levinsen, *Small Country Squeeze,* págs. 40-42, 182-83 y 289; OCDE, *The Research System,* 2, págs. 118.

[123] Banco Mundial, *World Bank Trables,* 1976 (Baltimore, Johns Hopkins University Press, 1976), pág. 523. La tasa de matriculación en formación profesional como porcentaje de la matriculación en la secundaria es alrededor del doble en los pequeños Estados europeos que en los países grandes. Por otro lado, el número de estudiantes matriculados en la educación superior es mayor en los países grandes que en los Estados pequeños. Véase Peter Flora, Quantitative Historical Sociology, informe TIWED núm. 2 (Colonia, 1975). Cuadro 10.

[124] OCDE, *The Research System,* 2, pág. 117; «A New Challenge for Small Countries: The Reorientation of Research Systems», *OECD Observer,* núm. 64 (junio 1973), págs. 31-34, y Kristensen y Levinsen, *Small Country Squeeze,* págs. 156-64.

[125] OCDE, *The Research System,* 2, pág. 157.

[126] Kristensen y Levinsen, *Small Country Squeeze,* pág. 115.

[127] OCDE, *The Research System,* 2, págs. 7, 24 y 27, y Kristensen and Levinsen, *Small Country Squeeze,* pág. 115.

De acuerdo con la OCDE, en definitiva, «las tradiciones, instituciones y estructuras forman un contexto e imponen unas políticas que no se asemejan a las de los más grandes países europeos» [128]. La creciente liberalización internacional de los años 50 y 60 devaluó los controles directos y los aranceles como instrumentos políticos [129]. A diferencia de los grandes Estados industriales liberales, los Estados Unidos y Alemania Occidental entre ellos, los pequeños Estados europeos prestaron mayor atención a la política industrial como un posible instrumento para seguir los pasos de los cambios estructurales en sus economías internas. Pero los pequeños Estados industriales rehuyeron el tipo de reordenación a gran escala de algunos sectores industriales específicos que constituyeron el sello de las estrategias estatistas de Japón y Francia.

Un análisis del desarrollo sueco en los años 70 apoya este argumento. Una empresa americana, el *Boston Consulting Group,* fue la encargada de desarrollar la estructura de una política industrial sueca [130]. Señalaba que Suecia carecía de lo que podía denominarse una política industrial coherente y selectiva. El informe ilustra de forma útil que el enfoque «japonés» o «francés» de transformación estructural está completamente fuera de lugar en los pequeños Estados europeos. La empresa recomendaba al gobierno que era ya hora de dejar las políticas keynesianas de demanda agregada ayudadas por una activa política de mercado de trabajo y volver en su lugar a una política industrial considerable y sostenida y seriamente orientada en particular hacia las industrias en crecimiento. El primer ministro sueco designó a un comité para evaluar el informe y esta delegación económica especial criticó severamente dicho estudio. El «principal mensaje del comité... es que el desarrollo futuro de la economía sueca depende de la situación económica y social general, más que de las medidas políticas específicas sobre la economía». A pesar del violento debate en torno a los dos contrapuestos análisis, ningún informe condujo a cambios tangibles en la política industrial sueca. Suecia continúa dependiendo primariamente de los tradicionales y conocidos métodos de política económica» [131]. Sin embargo, comparados con el alcance de estas políticas, las improvisaciones de la reactiva política sueca son sorprendentes.

Lo que es válido para Suecia caracterizó también la situación de los pequeños Estados europeos de forma más general: «la principal función de la política es, por tanto, apoyar la adaptación industrial al orden competitivo cambiante en contraposición a la protección de la industria de

---

[128] OCDE, *The Research System,* 2, pág. 7.
[129] Göran Ohlin, «Sweden», en Vernon, *Big Business and the State,* págs. 126-27.
[130] Boston Consulting Group, *Framework for Swedish Industrial Policy.*
[131] Norges Offentlige Utredninger, *Employment and Working Conditions in the 1980s: Perspectives on the Significance of the Technological and Economic Development for Employment and Working Conditions* (Oslo, Universitetsforlaget, 1980), pág. 75.

esa competición» [132]. Los pequeños Estados en particular han ofrecido una ayuda generosa a las empresas individuales asumiendo las consecuencias adversas del cambio económico [133]. Los pequeños Estados europeos han quedado en alguna medida rezagados con respecto a los grandes países en cuanto a medidas estadísticas de intervención general del gobierno en la industria, incluyendo la nacionalización. Pero han sido más activos en cuanto a intervenciones específicas [134]. Tanto en 1960 como en 1976 los pequeños Estados europeos concedieron, en términos relativos, el doble de subsidios públicos a las empresas de lo que hicieron los grandes países industriales [135]. Estos subsidios incluían la ayuda temporal en tiempos difíciles y el apoyo para los intentos de recuperar la competitividad. Algunos estudios de casos en empresas concretas con problemas sugieren que los países pequeños quieren defender a las empresas, especialmente las bien establecidas y las grandes con problemas de que sean eliminadas por los desarrollos adversos del mercado [136]. Dado que se percibe que el cambio estructural se produce dentro de, más que entre, los sectores industriales, las empresas individuales son protegidas en la medida de lo posible. Establecer grandes empresas en los mercados pequeños y abiertos de esos países es una tarea extremadamente costosa, especialmente teniendo en cuenta que esas empresas son instituciones sociales de considerable importancia que sólo se sacrificarían venciendo una gran resistencia. Lo que distingue el enfoque de los pequeños Estados europeos es la atención política que prestan a las cuestiones de política industrial y la continuidad en sus respuestas a los problemas particulares durante los años 60 y 70, y no algunas estrategias sistemáticas y globales de redesarrollo industrial [137].

Durante la era postbélica, por ejemplo, Holanda pasó de una industrialización planificada a nivel nacional durante los años 40 y 50 a una política industrial reactiva en los años 60 y 70 [138]. Desde 1970 se han con-

---

[132] Alan Whiting, «Overseas Experience in the Use of Industrial Subsidies», en Whiting, ed., *The Economics of Industrial Subsidies* (Londres, HMSO para el Departamento de Industria 1976), pág. 47.

[133] OCDE, *The Case for Positive Adjustment Policies: A Compendium of ECDE Documents, 1978-79* (París, 1979), págs. 19, 30, 32 y 74.

[134] Volker Bornschier and Peter Heintz, eds., *Compendium of Data for World-System Analysis: A Sourcebook of Data Based on the Study of MNCs, Economic Policy and National Development* (Zurich, Universidad de Zurich, Instituto de Sociología, marzo 1979), cálculos del autor.

[135] Richard Blackhurst, Nicholas Marian y Jan Tumlir, *Adjustment, Trade and Growth in Developed and Developing Countries* (Ginebra, CATT, 1978), pág. 89, cálculos del autor. Véase también Franko, «Current Trends in Protectionism», pág. 39.

[136] Peter J. Katzenstein, *Corporatism and Change: Austria, Switzerland, and the Politics of Industry* (Ithaca, Cornell University Press, 1984), págs. 162-238.

[137] Assar Lindbeck, «Stabilization Policy in Open Economies with Endogenous Politicians», *American Economic Review: Papers and Proceedings of 86th Annual Meeting of the American Economic Association, Dallas, Texas, december 28-30,* mayo 1975, págs. 1-19.

[138] OCDE, *The Aims and Instruments of Industrial Policy: A Comparative Study* (París,

cluido alrededor de unos treinta estudios sectoriales, pero no puede detectarse una política clara y global de ajuste industrial ante los cambios impuestos por las transformaciones de los mercados internacionales [139]. Las medidas *ad hoc* y la improvisación en sectores industriales en declive, tales como la construcción naval, textiles o minería, son la regla más que la excepción. En la medida en que existe una política clara, se refuerzan más que se limitan los desarrollos del mercado, tal como muestra la internacionalización de la industria holandesa de la confección en los años 70 [140] —la creencia de la empresa holandesa en la eficacia de la división internacional del trabajo ha significado que el declive de los tejidos nacionales haya recibido una escasa ayuda—. La política industrial holandesa parece ser más sistemática en los sectores de alta tecnología, donde se ha realizado un esfuerzo deliberado por participar en empresas internacionales de producción (por ejemplo, en aviación o satélites) o se ha confiado fuertemente en las sociedades multinacionales holandesas (por ejemplo, en electrónica) [141]. En otras instancias, sin embargo, Holanda no ha conseguido fortalecer a las empresas competitivas o segmentos de la industria. En definitiva, la experiencia holandesa de los años 70 ofrece un balance no exento de ambigüedad.

Suecia, al igual que Holanda, desarrolló una política de industrialización en los años 50 dirigida a las empresas individuales, con la esperanza de lograr el pleno empleo y la estabilidad de precios. «En general, las políticas suecas son similares a las de otros pequeños países, como Bélgica y Holanda», así concluye el *Boston Consulting Group,* pero «son menos globalizadoras que las de países más grandes, los cuales constituyen los mayores competidores de Suecia» [142]. Puede pensarse que una política industrial activa podía haber sido legitimada por una drástica reducción de los aranceles en los años de la postguerra, en combinación con la poca disposición sueca a tolerar amplias diferencias salariales entre los sectores

---

1975), pág. 13; OCDE, *The Industrial Policies of 14 Member Countries,* págs. 259-61 y 263-65; OCDE, *Reviews of National Science Policy: Netherlands* (París, 1973), págs. 121-23, y L. B. M. Mennes, «Adjustment of the Industrial Structure of Developed Economies, in particular the Netherlands» (documento preparado para el Simposio Internacional sobre Investigación Marítima y Navegación y Construcción Naval Europea (Rotterdam, 29-31 marzo 1978).

[139] OCDE, *Adjustment for Trade,* págs. 172 y 179; Consejo Científico Holandés para la Política Gubernamental, *Industry in the Netherlands: Its Place and Future,* Informe para el Gobierno, núm. 18 (ed. inglesa, 1982), y H. W. de Jong y Robert Jan Spierenburg, «The Netherlands: Maintenance of Employment as a Primary Objective», en Brian Hindley, ed., *State Investment Companies in Western Europe: Picking Winners or Backing Losers?* (Nueva York, St. Martin's, 1983), págs. 59-95.

[140] OCDE, *Adjustment for Trade,* pág. 179.

[141] Scaperlanda, *Prospects for Eliminating Non-Tariff Distortions,* págs. 119-23, Nicolas Jequier, «Compuerts», en Vernon, *Big Business and the State,* págs. 201 y 203.

[142] Boston Consulting Group, *Framework for Swedish Industrial Policy,* pág. 51.

de la economía internacionalmente desprotegidos y los protegidos. Pero la política industrial sueca ha continuado siendo reactiva [143].

Desde principios de los 60 los fondos suecos para pensiones han constituido para el gobierno un importante instrumento financiero. Los problemas económicos que surgieron a mediados de los 60 impulsaron al gobierno a crear algunas nuevas agencias para la gestión de los problemas de la industria: un ministro de industria, el Consejo de Política Industrial, la Junta de Desarrollo Tecnológico, la Corporación Sueca para el Desarrollo, creada para adquirir o recuperar industrias en regiones económicamente deprimidas, y un *holding* de empresas para compañías estatales [144]. Sin embargo, la política industrial sueca carece de un foco institucional general [145]. En efecto, en 1967 fue establecido un banco de inversión pública en un intento de canalizar los fondos para pensiones con una financiación a medio y largo plazo de prometedoras pero arriesgadas inversiones industriales; se ha limitado, en cambio, a políticas de créditos relativamente más conservadoras, centradas cada vez más en torno a la defensa de los puestos de trabajo existentes [146]. Inicialmente, una gran parte de esos fondos de pensiones se dirigieron hacia una financiación convencional de la industria sueca del papel y la pulpa, así como a algunas operaciones de ahorro de impuestos sobre los dividendos de empresas en peligro.

Con los años, las políticas de inversión han venido a favorecer a las industrias de ingeniería, así como a mejorar el sistema sueco de financiación a la exportación. Entre 1970 y 1976 la ayuda del gobierno a la industria, en base al porcentaje de la formación bruta del capital, se incrementó de un 8 a un 24 por 100, antes de alcanzar más de un 50 por 100 en 1977. Durante los mismos años la ayuda gubernamental se dirigió a los sectores en declive más que a los sectores en crecimiento con un notable margen. A finales de los 70, en particular, una cantidad sustancial de recursos —ayudas al trabajo, subsidios salariales y gastos gubernamentales— se ofrecieron a empresas y sectores que sufrían graves apuros [147].

---

[143] OCDE, *Industrial Policies of 14 member Countries,* pág. 300; Vernon, «Enterprise and Government in Western Europe», pág. 6; Gunnar Eliasson y Bengt-Christer Ysander, «Sweden: Problems of Maintaining Efficiency under Political Pressure», en Hindley, *State Investment Companies,* págs. 156-91, y Office of the Under Secretary of State for Economic Affairs, «Sweden: Industrial Policy in a Small Industrialized Nation», documento sin publicar, Washington, D. C., julio 1980.

[144] Congreso de EE. UU., Comité Económico Conjunto, *Monetary Policy, Selective Credit Policy, and Industrial Policy in France, Britain, West Germany, and Sweden: A Staff Study* (Washington, D. C., 26 junio 1981), pág. 179.

[145] Boston Consulting Group, *Framework for Swedish Industrial Policy,* Apéndice 13, pág. 7.

[146] OCDE, *Aims and Instruments,* pág. 43, y Jones, *Planning and Productivity,* págs. 176-79.

[147] Boston Consulting Group, *Framework for Swedish Industrial Policy,* Apéndice 7, págs. 23 y 26, y Apéndice 13, pág. 4.

Prevalecieron las intervenciones de emergencia y las operaciones de ahorro de impuestos sobre los dividendos en las empresas con serias dificultades. No se desarrolló ninguna estrategia más amplia de ajuste industrial, entre otras razones debido a las sospechas de la comunidad de empresarios sueca de que ello podía conducir a una forma de socialismo de
Estado [148].

Aunque los programas selectivos han mostrado en ocasiones una in-
genuidad coronada por el éxito, Suecia, en términos generales, carece de
una política industrial coherente y selectiva [149]. El *Boston Consulting
Group* aconsejó al gobierno el abandono de su tradicional dependencia
de las políticas keynesianas de la demanda agregada apoyadas por una actividad política de mercado de trabajo y volver, como se hizo brevemen-
te a finales de los años 60, a una política industrial como el instrumento
más prometedor y adecuado de adaptación al cambio económico. El informe criticaba explícitamente la utilización defensiva de los fondos de inversión y la falta de una perspectiva planificadora a largo plazo sobre los
problemas del ajuste industrial, concluyendo que algunos «programas habían aliviado los problemas de las industrias en declive, pero no se había
desarrollado una estrategia coherente para las industrias en crecimiento... La política sueca ha sido defensiva, reaccionando a las crisis más que
planificando cuidadosamente la ayuda necesaria con una perspectiva a largo plazo» [150].

Las experiencias de los otros pequeños Estados europeos en el intento de desarrollar políticas de ajuste industrial, aunque menos dignas de
mención, tienen algún parecido con los casos holandés y sueco. Casi con
ninguna propiedad pública en la industria en los años 60, Dinamarca se
encontraba en el proceso de desarrollo a largo plazo de una estructura
para la industria danesa; sin embargo, a lo largo de los 70 la política danesa consistió en la creación de un buen clima inversor y en consultas frecuentes a los sindicatos [151]. En Noruega, un informe distribuido por el
Lied Committee en 1980 recomendaba también una forma política de
ajuste industrial a largo plazo que era relativamente pasiva. «El Comité
se sitúa mucho más cerca de la delegación especial de política económica
en Suecia» que del informe del *Boston Consulting Group* [152].

Desde la declaración de la Ley de Expansión Económica de 1970 Bélgica ha procedido con una gran selectividad en la intervención guberna-

---

[148] Ohlin, «Sweden», págs. 134-35, 139 y 126-45.
[149] OCDE, *Policies for Promoting Industrial Adaptation* (París, 1976), pág. 24, y *Monetary Policy*, págs. 4 y 170-71.
[150] Boston Consulting Group, *Framework for Swedish Industrial Policy*, pág. iii, y Apéndice 13, pág. 56.
[151] OCDE, *Industrial Policies of Member Countries*, págs. 127-37.
[152] Norges Offentlige Utredninger, *Employment and Working Conditions*, pág. 76.

mental y con una estrategia consciente, especialmente con respecto a los sectores de alta tecnología. Un indicador de este giro creciente en la política son los claros incrementos en los créditos oficiales para la investigación industrial [153]. La *National Investment Corporation,* que fue establecida en 1962, se ha convertido en un importante instrumento de política [154]. Actuando como un banco de desarrollo industrial, permite a las autoridades políticas adquirir de forma temporal *holdings* minotarios en empresas y así quedar directamente implicadas en la reconversión industrial. En 1972 se estableció la *Agency for Industrial Development* para fortalecer el poder de las autoridades públicas.

Tomando todo esto en consideración, la implicación pública ha influido sustancialmente en las inversiones en Bélgica. Entre 1959 y 1969 alrededor de la mitad de la inversión total en industria y minería se benefició de los créditos de bajo coste o de las garantías de Estado. Y la proporción es todavía mayor si se incluyen en el cómputo otros beneficios (es decir, bienes capitales, préstamos libres de interés para I + D e incentivos fiscales especiales). Pero a pesar del cambio belga hacia una política de ajuste industrial más selectiva y orientada, la mayoría de los instrumentos que preveía la legislación de 1970 para una política activa no se han utilizado —debido muy posiblemente al conflicto étnico y regional que domina la política belga— [155]. Además, la prolongada crisis de los mercados internacionales ha presionado enormemente al gobierno. Mientras las subvenciones belgas por tonelada de acero producido superaban con mucho a las de cualquier otro país de Europa occidental, 400.000 trabajadores belgas estaban, no obstante, sin trabajo en 1981, alrededor del 10 por 100 de la fuerza de trabajo del país. La compensación por el desempleo está entre las más altas de Europa occidental y absorbe alrededor del 10 por 100 del presupuesto nacional [156]. En tiempos de grave crisis la reconversión industrial no tiene casi espacio para maniobrar, para que los subsidios masivos consuman los recursos disponibles.

Si existe en algún lugar, entre los grandes Estados industriales, una analogía incompleta de la estrategia de ajuste de los pequeños Estados

---

[153] OCDE, *Aims and Instruments,* pág. 13; OCDE, *Industrial Policies of Member Countries,* págs. 52 y 65, y Scaperlanda, *Eliminating Non-Tariff Distortions,* págs. 143-45.

[154] Robert Senelle, *The Political and Economic Structure of Belgium* (Bruselas: Ministerio de Asuntos y Comercio Exterior, 1966), pág. 129; OCDE, *Industrial Policies of Member Countries,* pág. 59; OCDE, *Promoting Industrial Adaptation,* pág. 30; J. J. Boddewyn, «The Belgian Economic Expansion Law of 1970», en Ezra N. Suleiman y Steven J. Warnecke, eds., *Industrial Policies in Western Europe* (Nueva York, Praeger, 1975), págs. 51-54; Stuart Holland, «Europe's New Public Enterprises», en Vernon, *Big Business and the State,* págs. 37-38, y Paul De Grauwe y Greet van de Velde, «Belgium: Politics and the Protection of Failing Companies», en Hindley, *State Investment Companies,* págs. 96-124.

[155] Boddewyn, «Belgian Economic Expansion», pág. 54.

[156] *Wall Street Journal,* 14 de octubre de 1981, págs. 1 y 16.

europeos, ésta es Alemania Occidental [157]. El secreto de la política industrial alemana es su invisibilidad; existe una división del trabajo entre el sector público y el privado, entendida y apreciada por casi todos. Durante los años de la postguerra el gobierno de Alemania Occidental ha seguido políticas liberales de no intervención en la economía, medidas que han sido compatibles con las intervenciones políticas en los sectores particulares. Hacia mediados de los 50, por ejemplo, el gobierno de Alemania Occidental decidió desarrollar una industria nuclear con una considerable capacidad de exportación. Dos décadas después esta decisión se convertiría en un serio reto económico y político para América. En los años 60 el gobierno federal orquestó una tajante pero ordenada reducción en el tamaño de la industria alemana del carbón; en el umbral de los 80, el gobierno estaba en posición de determinar el futuro de esta industria tan crítica. Las industrias aeronaval y de la informática ofrecen ejemplos similares de intervenciones gubernamentales dirigidas.

La intervención del gobierno viene favorecida por el importante rol que los bancos de Alemania Occidental juegan en la política industrial. La reorganización industrial de los años 70 descansó fuertemente en la coordinación y supervisión que ejercieron los bancos. La transformación de la moribunda industria textil alemana a finales de los 60, la defensa de Daimler contra la adquisición extranjera a mediados de los 70 y la refinanciación y reorganización de industrias gigantes como AEG y Klöckner a finales de los 70 son todos ellos episodios que ilustran, para bien o para mal, la profunda implicación de los bancos en la industria alemana. Igualmente es importante que los bancos, en el desempeño de sus papeles como guardianes de los intereses de los accionistas y propietarios del capital, controlan e influyen muy de cerca en las decisiones estratégicas tomadas en las salas de consejos corporatistas. Estos vínculos institucionales privados entre la industria y las finanzas son efectivos y liberan al gobierno de la necesidad de estar más profundamente implicado en los asuntos de la industria alemana.

La extensión limitada de la implicación directa del gobierno en la industria de Alemania Occidental ha sido causa y consecuencia de una política liberal de comercio exterior que se asemeja y converge con las políticas alemanas (con la notable excepción de la agricultura). La política industrial «privada» alemana anticipó y corrigió el curso del cambio económico, debilitando así las presiones corporatistas.

Pero la aparente falta de fuerzas proteccionistas en Bonn es decisiva. La política comercial de Alemania Occidental pudo permitirse el ser tan

---

[157] En este punto, un análisis de las estrategias de ajuste de los pequeños Estados europeos converge con el que ofrece *Governments Markets, and Growth*. En la terminología de Zysman tanto Alemania Occidental como los pequeños Estados europeos han seguido una estrategia de «ajuste negociado».

liberal porque Bruselas, no Bonn, ofreció la arena institucional para grandes acuerdos de cobertura proteccionista con otros agentes europeos a través de las fronteras nacionales.

Un reciente estudio de la OCDE sobre política industrial no revelaba diferencias sistemáticas en los objetivos o instrumentos de políticas industriales en los países grandes y pequeños. Noruega y Austria, que a través de muchos cálculos se acercaban al enfoque estatista de Francia o Japón, todavía carecían de instrumentos para la adaptación industrial en los años 60 y 70 y, en cambio, confiaban plenamente, como lo hacen los Estados liberales, en la política tributaria [158].

Es quizá por esta razón que las políticas industriales de los pequeños Estados europeos no expresaban una nueva forma de nacionalismo económico o de «protección difusa» [159]. A pesar del extenso y activo sector público en Suecia, Noruega y Austria, la formulación y puesta en marcha de la política comercial e industrial están asignadas a diferentes ministerios [160]. Sus economías pequeñas y abiertas tienen sólo un interés político primordial: una economía internacional liberal. Y siempre han respaldado sus palabras con hechos. Durante las dos últimas décadas los niveles arancelarios de los pequeños Estados europeos han estado muy por debajo de las de los grandes países industriales, incluyendo a los Estados Unidos. Por otra parte, la apertura de los pequeños Estados a las influencias de la economía internacional impide la indiferencia ante las cuestiones de la adaptación industrial. El aperturismo fomenta también estos cambios en las estructuras industriales, las cuales intentan imponer Francia o Japón a través de estrategias políticas o transformaciones sectoriales más amplias.

IV. El ajuste industrial en Suiza y Austria

Aunque todos los pequeños Estados europeos se ajustan de forma flexible al cambio económico, difieren entre ellos en cómo siguen sus políticas de ajuste. Suiza y Austria ilustran la amplitud de las diferencias existentes. El gobierno suizo sigue una pasiva política industrial, carece de control sobre el capital de inversión, tan esencial para la intervención estatal en los mercados, tiene un impacto directo reducido sobre las estrategias empresariales, absorbe los costes del cambio económico principalmente a través de una confianza en el mercado y aplaude la vigorización

---

[158] OCDE, *Industrial Policies of Member Countries,* págs. 245 y 247-56.
[159] Estos dos términos son utilizados, respectivamente, por Ohlin, «Sweden», pág. 127, y Salvati y Brosio, «Rise of Market Politics», pág. 60.
[160] OCDE, *Adjustment for Trade,* pág. 215; OCDE, *Aims and Instruments,* pág. 18, y Graebner, *Langfristige Planung.*

económica que deriva de las estructuras industriales en rápido cambio. Por el contrario, el gobierno austríaco sigue una política industrial más activa, tiene un mayor control sobre la asignación del capital de inversión, asegurándose así la capacidad de intervención en los mercados, tiene efectos directos en las estrategias empresariales, intenta absorber algunos de los costes de la desarticulación económica mediante la intervención gubernamental selectiva en los procesos de mercado y se enorgullece de mantener el consenso social en tiempos de rápido cambio estructural. En Suiza el cambio industrial se describe a menudo en terminología médica, como un proceso de saneamiento *(gesundschrumpfen)*. El gobierno austríaco, por el contrario, se enorgullece de haber logrado una transformación fundamental de la industria austríaca sin grandes intervenciones. Estas diferentes políticas de ajuste industrial son parte esencial de diferentes estrategias políticas y respuestas al cambio económico.

Suiza

La política industrial suiza puede ser descrita como pasiva. A decir de todos, la implicación de las élites políticas en la reestructuración planificada de la industria de base suiza es insignificante. Por ejemplo, cuando una comisión del gobierno propuso una drástica reducción de las subvenciones a mediados de los 60 no se pudo hacer una actuación concreta en el área de política industrial —por la simple razón de que el gobierno no había concedido ninguna subvención financiera completa a ninguna empresa o sector industrial— [161]. En 1967 se produjo el primer ejemplo de reducción organizada de la capacidad de los sectores no competitivos de la industria textil suiza de las últimas tres décadas; se organizó de forma privada. Un estudio de los diferentes aspectos de la política económica suiza durante los años 70 carece, por tanto, de un capítulo sobre política industrial [162]. Además de encargar tres estudios sectoriales sobre las industrias de maquinaria textiles y relojes a mediados de los años 70, el gobierno federal ha elegido deliberadamente tratar con distancia los problemas del ajuste industrial. El término política sectorial *(Strukturpoli-*

---

[161] *Neue Zürcher Zeitung,* 7 de septiembre de 1966 y 9 de diciembre de 1973, y «Umrisse un Aspekte der Industriepolitik», *Mitteilungsblatt für Konjunkturfragen,* 29, 1 (1973), págs. 3-14.

[162] Egon Tuchfeldt, ed., *Schweizerische Wirtschaftspolitik Zwischen Gestern un Morgen: Festgabe zum 65. Gebruststag Von Hugo Sieber* (Berna, Haupt, 1976). Véase también, Francesco Kneschaurek, «Neue Probleme der Stabilitätspolitik im Zéichen der kommenden Entwicklung», *Schweizer Zeitschrift für Volkswirtschaft und Statistik,* 115, 3 (1979), págs. 253-72. Los desarrollos de los años 70 se describen en OCDE, *Economic Survey: Switzerland* (París, 1979), págs. 44-47, y Heinz Hollenstein y Rudolf Loertscher, *Die Struktur- Und Regionalpolitik des Bundes: Kritische Würdigung und Skizze Einer Neuorientierung* (Diessenhofen: Rüeger, 1980).

tik), en la medida en que es utilizado por los políticos, hace referencia, en primer lugar, a la embrionaria política regional suiza. Al menos hasta el momento Suiza no ha dirigido su atención sobre la relación entre la inversión extranjera más allá de las fronteras y la reorganización industrial nacional. Sin duda, acarrearía cambios económicos catastróficos el sacar la cuestión a relucir. El gobierno suizo ni siquiera soñaría con comprometerse en una reorganización industrial sistemática con la ayuda de empresas extranjeras o con practicar costosas políticas diseñadas para proteger el empleo, opciones que Austria ha perseguido activamente en los años 70.

Esto no significa que el gobierno suizo no intervenga nunca directamente en ayuda de su industria. Desde mediados de los 70, por ejemplo, el gobierno federal ha hecho modestos esfuerzos selectivos para fomentar los esfuerzos de I + D de las pequeñas y medianas empresas. Con los estándares políticos prevalencientes en Austria y en muchos otros países, las condiciones, sin embargo deben ser extremas para justificar la intervención. Medio en broma, un alto funcionario del gobierno federal definía estas condiciones: «Nosotros apoyaremos a las industrias enfermas sólo cuando la penúltima empresa de la industria haya caído en bancarrota» [163]. A los ojos de los suizos, sigue siendo cierto que «el Estado no puede decidir qué estructuras económicas deben ser debilitadas y cuáles deben ser fortalecidas» [164].

Los mayores impedimentos a los objetivos del gobierno suizo ante una activa política industrial son su carencia de un pleno control sobre los instrumentos de política fiscal, su carencia de una política de gastos por parte del gobierno y, lo más importante, su falta de control sobre los mercados del capital y un banco de inversión pública. El debate sobre los recortes al presupuesto en 1975, por ejemplo, reveló una vez más lo que Suiza había siempre sospechado: que los líderes políticos (y en general el sector público) carecen incluso de unas bases conceptuales rudimentarias para clarificar las opciones y especificar los criterios con los que poder justificar las diferentes elecciones en política industrial. Incluso si se quiere intervenir, el gobierno no tiene siquiera los instrumentos para una activa política industrial.

Indirectamente, por supuesto, la política pública afecta a la estructura industrial suiza. En los años 60, por ejemplo, la devaluación del franco, el flujo sin precedentes de trabajadores extranjeros y la docilidad de los sindicatos suizos, todo junto, contribuyó a una gran expansión de la in-

---

[163] Interview, Zurich, junio 1981.
[164] Gerhard Winterberger, *Die Schweiz im Internationalen Wettbewerb* (Zurich, Schweizerischer Handels-und Industrie-Verein, 1978), pág. 14. Véase también OCDE, *Industrial Policies of Member Countries,* págs. 321-48.

dustria y a un relativo retraso en el ajuste de las empresas a las cambiantes estructuras de producción del mundo económico. De forma similar, a lo largo de los años de la posguerra la tasa de inversión de las empresas suizas se ha incrementado por su implicación en la gran acumulación de existencias del país para emergencias nacionales: la participación da derecho a las empresas a tipos de interés altamente subvencionados que ayudan a los inventarios financieros. Las restricciones establecidas a la afluencia de trabajadores extranjeros tuvieron también un efecto inmediato y diferenciado sobre varios sectores [165]. Sin embargo, los gobiernos federal y cantonal no han sido capaces ni han estado dispuestos a utilizar el potencial de la poderosa herramienta que constituye una política de mano de obra para influir en la estructura industrial suiza. En cambio, en respuesta al alza del franco y de la crisis económica de los 70, fueron las empresas suizas las que, reconociendo los cambios fundamentales en las condiciones de mercado, rechazaron el seguir dando trabajo a un cuarto de millón de trabajadores extranjeros después de que expiraran sus permisos de trabajo. Una seria cuestión política, que fue resuelta en Suiza a través de las instituciones de mercado.

Esta aversión a la intervención directa y selectiva coincide con una frecuente interpretación de los bajos aranceles a la importación, por la que éstos forman parte de una política estructural imparcial en sus efectos, porque se ajusta a los principios del mercado. El seguro contra los riesgos de la importación es, de forma similar, considerado como «liberal», porque es supuestamente neutral en cuanto a su impacto en la estructura industrial suiza. Además, la revaluación del franco en los años 70, a la que se alude con frecuencia, forzó «imparcialmente» una adaptación que, a la luz de la devaluación tradicional del franco, fue particularmente dura para aquellos sectores de la industria suiza, textiles y relojes entre ellos, que dependían de la producción interna y de las ventas al extranjero. En respuesta a los numerosos efectos indirectos de la estrategia suiza, las industrias que padecían un declive estructural de su competitividad internacional han procedido a reorganizar sus instalaciones de producción en el extranjero, imitando así los pasos dados anteriormente por otros sectores de la industria [166].

---

[165] D. Maillat, C. Jeanrenaud y J. P. Widmer, «Transfert d'emplois vers les pays qui disposent d'un surplus de main d'ouvre comme alternative aux migrations internationales; le cas de la Suisse», *World Employment Programme, Working Paper, Migration For Employment Project*, 2 pts. (Ginebra, Oficina Internacional del Trabajo, 1976 y 1977). Los autores han resumido los resultados principales en «Reactions of Swiss Employers to the Inmigration Freeze», *International Labour Review*, 117, 6 (noviembre-diciembre de 1978), págs. 733-45. Véase también «Le comportement de l'entrepreneur face à la pénurie de main d'oeuvre: résultats d'une enquête par questionnaire», *Documents D'economie Appliquee* (Universidad de Neuchatel, n. d.), y Schweizerischer Handels-und Industrie-Verein, «Mittlere und Kleiner Fabrikationsunternehmen (PME): Enquête (Zurich: SHIV, 1977), núm. 1, pág. 22, y núm. 5, pág. 29.

[166] Silvio Borner, ed., *Produktionsverlagerung und Industrieller Strukturwandel* (Berna,

Dado que las grandes corporaciones suizas afrontan sus necesidades de inversión mediante beneficios no distribuidos, el gobierno, en cualquier caso, se vería en una situación difícil si tuviera que influir directamente en las decisiones de inversión. La dependencia de los mercados de capital internacionales es relativamente poco importante. La compañía química Hoffmann-La Roche, de Basilea, por ejemplo, acudió a los mercados de capital por última vez en 1920. Esta empresa ostenta la distinción, única en el mundo de las grandes corporaciones, de tener literalmente compradas todas las emisiones de acciones más destacadas. A mediados de los 70, una sola acción de la empresa puesta a la venta por un miembro de la familia propietaria de la empresa habría costado alrededor de un cuarto de millón de francos [167]. Aunque el caso de Hoffmann-La Roche es extremo, indica la autonomía que las grandes empresas suizas obtienen de sus solventes bases financieras. Incluso si se tienen en cuenta la incertidumbre de las estimaciones estadísticas agregadas, el 83 por 100 de la tasa de inversión de la industria suiza a través de beneficios no distribuidos está entre las más altas, sino la más alta, del mundo [168].

El ajuste industrial actualmente en curso en Suiza tiene lugar dentro de las estructuras industriales establecidas. La espectacular revalorización del franco durante los años 70 ilustró los enormes ritmos de cambio a los que debe ajustarse la industria suiza. La innovación y adaptación requeridas hoy por parte de algunas industrias suizas de exportación tradicional son muy elevadas; así es como está implicada la desestructuración económica y social [169]. Admitiendo los límites que la escasez de mano de obra suiza, la protección exterior y los peligros de la contaminación medio ambiental imponen sobre la futura expansión de la industria, las empresas dinámicas suizas están yendo más allá de la producción de hardware industrial. Están estableciendo firmas consultoras que venden Software industrial con el que resolver los problemas y que están adaptadas a las necesidades individuales del cliente. Dado que en Suiza son escasas las instalaciones especializadas en la producción industrial masiva, sus em-

---

Haupt, 1980); Hilmar Stetter, *Schweizer Fabriken: An in Die 3. Welt? Produktionsverlagerung der Schweizer Grossindustrie* (Basilea, Z-Verlag, 1980), y Philippe Queyrance y Bruno Simma, A *Survey od Industrial Redepoyment Opportunities in Switzerland for the United Nations Industrial Development Organization (Unido)* (Zurich, Industrial Consulting & Mangament Engineering Co., 1976).

[167] La empresa es criticada por Ditmar Wenty, «Hoffmann La Roche: Der weltgrösste Pharmakonzern», *Informationen Über Multionationale Konzerne,* I 1980, págs. 4-10.

[168] Gottfried Berweger, *Investition und Legitimation: Privatinvestitionen in Entwicklungsländern als teil der schweizerischen Legitimationsproblematik* (Diessenhofen, Rüegger, 1977), pág. 196.

[169] *Die Scheweiz im Zeichen des Harten Franken* (Zurich, Schweizerische Kreditanstalt, 1978), pág. 17; Fritz Leutwiler, *Die Schweiz Als Internationaler Finanzplatz: Wachstum in Grenzen* (Zurich, Schweizerischer Handels-und Industrie-Verein, 1977), pág. 26, y F. Kneschaurek, «Die internationale Wettbewerbsfähigkeit der Schweiz», *Mitteilungsblatt des delegierten für Konjunkturfragen,* 32 (julio 1976), pág. 22.

presas están en una excelente situación para explotar estos espacios provechosos del mercado. En los años 70 el gobierno federal intentó fomentar su poder en esta área mediante el establecimiento de una escuela para el desarrollo del *software* industrial. En Suiza, pues, el ajuste al cambio económico se define, en términos generales, como un problema estratégico a nivel de empresa [170]. El énfasis debe situarse en la producción de bienes de un alto valor añadido (tales como los bienes de consumo de lujo o los bienes de inversión), en la búsqueda deliberada de bienes con una baja elasticidad de precios que ocupen lugares especiales en el mercado y, más recientemente, en la transformación de una forma de producción artesanal (por ejemplo, la de bordados o relojes) en una experiencia y servicio técnicos (por ejemplo, en maquinaria). La flexibilidad de muchas pequeñas y medianas empresas es una condición previa esencial para la adaptabilidad de la economía en su conjunto.

Las empresas más grandes, por el contrario, y en particular las gigantes corporaciones multinacionales suizas, basan sus ajustes en beneficios no distribuidos excepcionalmente altos, una sólida base de capital y en extensas operaciones internacionales.

Pero las multinacionales suizas no forman un conjunto monolítico, existen algunos tipos distintos de empresas que siguen diferentes estrategias de ajuste [171]. Las empresas de integración vertical. Nestlé y Alusuisse, por ejemplo, son como las compañías de petróleo americanas, verdaderamente internacionales en su necesidad de acceder a las materias primas. Hoffmann-La Roche y Ciba-Geigy se asemejan a la IBM o a XEROX; son multinacionales debido a su protagonismo tecnológico en algunas líneas de productos. A diferencia de Nestlé, Ciba-Geigy internacionaliza a menudo la producción debido a barreras no arancelarias, como el *American Selling Prices;* todavía hoy exporta desde Suiza a una escala considerable. Brown Boveri y otras multinacionales suizas en las industrias de maquinaria, tales como Sulzer, están integradas horizontalmente, asemejando corporaciones del automóvil como General Motors; se distinguen no sólo por su protagonismo tecnológico, sino por su control sobre la participación en el mercado y las dimensiones generales. Finalmente, Suiza posee también sus conglomerados. Bührle, por ejemplo, al igual que las industrias Litton, está integrada mediante estrategias financieras

---

[170] *Die Schweiz in Zeichen des Harten Franken*, pág. 16; Leutwiler, *Schweiz als Finazplatz*, pág. 21, y Bernhard Wehrli, «Wege der schweizerischen Wirtschafsordnung», *Schweizer Monatshefte*, 49, 9 (1969), págs. 811 y 813.

[171] Herbert Amman, Werner Fassbind, y Peter C. Meyer, «Multinationale Konzerne der Schweiz und Auswirkungen auf die Arbeiter-Klasse in der Schweiz» (Zurich, Universidad de Zurich, Instituto de Sociología, 1975), pág. 55; Jonathan Steinberg, *Why Switzerland?* (Cambridge: Cambridge University Press, 1976), pág. 141, y Jürg Niehans, «Benefits of Multionational Firms for a Small Parent Economy: The Case of Switzerland», en Tamir Agmon y Charles P. Kindleberger, eds., *Multinationals from Small Countries* (Cambridge, MIT Press, 1977), págs. 22-23.

que combinan la rentabilidad y la dispersión del riesgo a través de la diversificación.

Estas diferencias en cuanto a estructuras y estrategias corporativas son sustanciales y hacen difícil a las grandes corporaciones suizas unirse bajo una estrategia de ajuste industrial coherente y organizada de forma privada. En vez de eso, estas empresas se sienten mejor atendidas a través de una confianza exclusiva en las estrategias corporativas de ajuste. En términos generales, el ajuste industrial en todas las empresas, sean grandes o pequeñas, depende en gran medida del mantenimiento de algunos rasgos clave de la economía institucional suiza: una dirección empresarial de la industria, favorecida por los créditos bancarios en condiciones favorables, en contacto con líderes obreros dispuestos a cooperar, y sin las trabas de la intervención gubernamental [172].

Austria

En comparación con Suiza, Austria tiene una política industrial ambiciosa y cara [173]. La participación del gobierno data de los primeros años de la Segunda República. La ayuda del Plan Marshall exigía una verdadera planificación que confiriera a las agencias estatales la responsabilidad de la reconstrucción y rejuvenecimiento de la estructura industrial austríaca. Al finalizar el programa de ayuda, en la era Raabkamitz de los años 50, las notables ganancias económicas habían dispuesto un clima político en el que los austríacos podían adoptar la economía social de mercado de Alemania Occidental [174]. El temor a la integración europea y el

---

[172] P. de Weck, *Outlook for the Swiss Economy* (Zurich, Union Bank of Switzerland, marzo 1977), pág. 10.

[173] Ferdinand Lacina, «Development and Problems of Austrian Industry», en Kurts Steiner, ed., *Modern Austria* (Palo Alto, SPOSS, 1981), págs. 155 y 171; Hans Wehsely, «Industriepolitik in den siebziger Jahren - Rückblick un Ausblick», *Österreichische Zeitschrift für Politikwisssenschaft*, 1/1981, págs. 27-39; Wolfgang C. Müller, «Economic Success without an Industrial Strategy: Austria in the 1970's», *Journal of Public Policy*, 3 (febrero, 1983), págs. 119-20; OCDE, *Policies for the Stimulation of Industrial Innovation: Country Reports*, vol. 2-2 (París, 1978), págs. 20-30; Vereinigung Österreichischer Industrieller, *Mittelfristiliges Industrieprogram* (Viena, 1974), págs. 55-57; «Austrian Industrial Development», *Financial Times*, 20 de agosto de 1975, págs. 9-11; *Neu Technologien und Produkte für Österreichs Wirtschaft* (Viena, Zentralsparkasse und Kommerzialbank, 1979), pág. 43, y Ronald Müller, «Strukturwanderl in Österreichs Industrie», *Österreichs-Bericht*, 86/1984, pág. 2.

[174] Eduard März, «Austrian Investment Policy in the Post War Period», *Zeitschrift für Nationalökonomie*, 23, 1-2 (1964), págs. 163-88; Franz Nemschak, «Längerfristiges Wirtschaftswachstum und Wirtschaftsplanung in Österreichisches», *Vorträge und Aufsätze, 23* (Viena, Österreich Institut für Wirtschaftsforschung, 1965); Othmar Peham, «Walter Eucken und seine Auswirkungen auf fie Wirtschaftspolitik, insbesondere in der ra Kamitz in Österreich», (Diplom, Viena, Hochschule für Welthandel, 1975), y Herbert Reisenhofer *et al.*, «Kommentar zum Johnstone Bericht 1952», manuscrito sin publicar, Viena, 1952.

descenso de las tasas de crecimiento económico en Austria hicieron resurgir el debate público. Esto dio lugar al acuerdo programático de los dos grandes partidos en 1960 de modernizar la estructura de la economía austríaca mediante esfuerzos políticos. La legislación establecida en 1969 ofrecía incentivos financieros a las fusiones y la concentración se llevó a cabo en las industrias nacionalizadas austríacas con la esperanza de incrementar la eficacia económica y la competitividad internacional [175].

En los años 70 la política industrial austríaca se realizó en medio de un amplio consenso sobre la necesidad de una industria manufacturera competitiva y eficaz [176]. La política industrial en Austria tenía dos objetivos principales. Por un lado, intentaba frenar el proceso de desindustrialización y facilitar el ajuste de los sectores industriales en declive; por otro lado, la política industrial intentaba también crear nuevos puestos de trabajo, sobre todo en los sectores de alta tecnología.

Su principal preocupación a lo largo de los años 70 fue conservar los puestos de trabajo reduciendo el ritmo del cambio —las cuestiones de empleo que afectaran a más de cien trabajadores eran discutidas y tratadas generalmente por el consejo nacional, a menudo en una atmósfera de crisis—. Con más de 50.000 puestos de trabajo industriales perdidos definitivamente durante los años 70, la preocupación política en torno a la estructura y crecimiento futuro de la industria austríaca alcanzó los más altos niveles políticos.

Junto a la defensa de los puestos de trabajo existentes estaba la creación de nuevos trabajos. Austria no confiaba simplemente en los cambios del mercado; el gobierno llegó a implicarse activamente y de forma creciente en el esfuerzo por modernizar la estructura industrial de Austria mediante su consolidación, aumentando la eficacia y, a veces, reduciendo el tamaño de sectores particulares o partes de sectores, frecuentemente con la ayuda de grandes corporaciones extranjeras [177]. El gobierno centró sus esfuerzos en seis o siete grandes proyectos, en industrias como la del papel y la pulpa, los automóviles, la química y los textiles. Motivado por diversos objetivos —desequilibrio comercial en automóviles, desempleo en textiles, racionalización y modernización en el papel y la

[175] Egon Matzner, *Modell Österreich: Skizzen für ein Wirtschafts und Gesellschaftskonzept* (Viena, Europa, 1967). Friedrich Placek, «Bankenkonzerne: Machtkonzentration order Strukturpolitik?», *Wirtschafspolitische Blätter,* 2 (marzo-abril 1976), págs. 102-103, contiene datos para los años 1969-79.

[176] OCDE, *The Industrial Policy of Austria* (París, 1971), págs. 67-79; Ferdinand Lacina, *The Development of the Austrian Public Sector Since World War,* II, Universidad de Texas, Instituto de Estudios Latinoamericanos, Oficina de Estudios del Sector Público, Serie de Documentos Técnicos, núm. 7 (Austin, 1977), pág. 17, y *OIAG Journal* 2/1978, pág. 3.

[177] Margit Scherb, «International Factors Determinig Austrian Industrial Structure» (documento preparado para la Conferencia sobre Estados Pequeños y Dependencia, Instituto Austríaco para Asuntos Internacionales, Luxemburgo, 10-12 de junio de 1981).

química—, estos esfuerzos de iniciativa estatal fueron un intento deliberado de introducir grandes cambios en la estructura industrial austríaca.
En un discurso a la nación el anterior canciller Bruno Kreisky reiteró en
1980 que su gobierno dirigiría de forma creciente su «atención y promoción a la reestructuración de la industria austríaca y las pequeñas empresas» [178]. El anterior ministro de finanzas, Androsch, había hecho de la
mejora de la estructura industrial austríaca una de sus preocupaciones
principales a finales de los 70 [179]. El objetivo que el gobierno ha declarado para los años 80 es el de desarrollar una política industrial organizada en torno a la tarea de incrementar el ajuste industrial mediante una
energía y eficacia mayores [180]. Estos explícitos compromisos programáti-
cos del gobierno federal habrían sido impensables en Suiza.

Estos compromisos requieren más fuentes financieras sustanciales controladas por el gobierno. Mientras que Suiza no tiene subsidios comple-
tos para la industria, los subsidios directos en Austria representaban más
de medio billón de dólares en un solo año a finales de los 70. La ayuda
concedida a las empresas mediante una serie de medidas impositivas que
favorecìan la inversión era de alrededor ocho veces mayor [181]. «Comparado con otros países miembros», concluía un informe de la OCDE, «los
incentivos financieros ofrecidos a los industriales individuales en Austria
están entre los más altos disponibles» [182]. En palabras del canciller
Kreisky, «en Austria, a diferencia de Alemania Occidental, no tenemos
que hablar sobre controles a la inversión; para esa tarea tenemos los fondos públicos» [183].

La influencia financiera del gobierno queda ilustrada por el papel prominente que desempeñan un gran número de fondos públicos para la inversión, los cuales proveen al gobierno de un acceso directo a los mercados del capital y le dan un control considerable sobre las decisiones de
inversión en los sectores público y privado. Sin contar los diversos fondos

---

[178] Citado en News from Austria, 1/1980 (7 de enero de 1980), pág. 2.
[179] «The Austrian Lesson in Economic Harmony», Euromoney, mayo 1979, Suplemento, págs. 30-31.
[180] News from Austria, 24/1980 (14 de octubre de 1980), pág. 3, y 28/1980 (25 de noviembre de 1980), pág. 2. Las demandas programáticas de la Comunidad Austríaca de Negocios están recogidas en Vereinigung Österreichischer Industrieller, Programm'80 (Viena,
n. d.), págs. 47-84.
[181] Beirat für Wirtschafts-und Sozialfragen, Vorschläge zur Industriepolitik, II (Viena,
Ueberreuter, 1978), págs. 33-47.
[182] Citado en «Austrian Industrial Development», Financial Times, 20 de agosto de
1975, págs. 9-11. Véanse también Michaela Dorfwirth y Jörg Schram, «Bürgschaften und
Garantien der öffentlichen Hand als Instrument der Investitionsfinanzierung», Quartalshefte, 1/1968, págs. 15-18; OCDE, Aims and Instruments of Industrial Policy, págs. 45 y 89, y
Manfred Drenning, «Staatliche Wachstumspolitik in österreich», Quartalshefte, 4/1986,
págs. 19-28.
[183] Citado en Kurier, 23 de mayo de 1976. Véase también Oskar Grünwald, «Indus-
trieadministration in Österreich», IBE-Bulletin, 21-22 de agosto de 1976, págs. 11-15.

de desarrollo regional y municipal que desembolsan cantidades sustanciales en ayudas, los diferentes fondos que conceden préstamos preferenciales gastaron más de 180 millones de dólares sólo en 1974. A nivel federal, en 1980 existían treinta fondos diferentes; las diferentes provincias mantienen 95 fondos adicionales operando a una escala mucho mayor. Entre 1963 y 1979 se concedieron a la industria subsidios para la inversión, totalizando un 16 por 100 de toda la inversión industrial, a través del fondo para la inversión más importante de Austria: los Fondos de Participación del Programa de Recuperación Europeo [184]. A finales de los 70, el 40 por 100 del volumen total de créditos y préstamos concedidos a empresas e individuos estaba subvencionado [185].

La implicación masiva del gobierno en la asignación del capital ha servido para fomentar una estrategia de alto crecimiento y para mantener o crear puestos de trabajo. La inversión bruta de Austria en los años 70 aumentó de forma sustancial por encima de la tasa de los años 60. Entre 1970 y 1978 Austria experimentó un crecimiento de inversión anual del 4,4 por 100, superando con mucho la tasa de Alemania Occidental de 1,6 por 100 y el promedio de 1,3 por 100 de la CEE[186]. Entre los países de la OCDE en los años 70 sólo Japón y, bajo los efectos del boom del petróleo, Noruega destinaron una proporción mayor de PIB a la inversión de lo que lo hizo Austria. De acuerdo con un estudio reciente, además, la Comunidad empresarial en Austria, debido a estos incentivos a la inversión, disfruta de una sistema de imposición más favorable que sus colegas en Suiza, Alemania Occidental y Suecia [187].

Las decisiones de inversión tomadas en las empresas austríacas nacionalistas refuerzan el objetivo del gobierno de ajustarse a las condiciones económicas cambiantes mediante una tasa de inversión constante y alta. En los años 70 la intensidad de la inversión aumentó mucho más rápidamente en las industrias básicas de capital intensivo de Austria, las cuales están ampliamente nacionalizadas, que en las industrias de bienes de consumo e inversión dominadas por empresas privadas [188]. Los programas de inversión de las industrias nacionalizadas, por otra parte, han tendido

---

[184] Oskar Grünwald, «Austrian Industrial Structure and Industrial Policy», en Sven W. Arndt, ed., *The Political Economy of Austria* (Washington, D.C., American Enterprise Institute, 1982), pág. 139. La cifra en dólares citada equivale a diez billones de schillings al tipo de cambio de 1974, 18.693 shillings por dólar. Véase OCDE, *National Accounts: Main Aggregates,* vol. 1, 1952-1981 (París, 1983), pág. 102.

[185] Grünzwald, «Austria's Industrial Structure», pág. 140.

[186] Wilhelm Hankel, *Prosperity Admidst Crisis: Austria's Economic Policy and the Energy Crunch* (Boulder, Westview, 1981), pág. 32.

[187] Gunther Tichy, «Wie Wirkt das österreichische System der Investitionsförderung?» *Quartalshefte,* número especial, 1/1980, págs. 20-21.

[188] Vereinigung Österreichischer Industrieller, *Zur Wirtschatspolitik,* 2d ed. (Viena 1975), pág. 20.

a ser anticíclicas. Estos sectores invierten fuertemente en tiempos de recesión y aplazan sus inversiones en tiempos de alto crecimiento. Dado que realizaron sus programas de inversión en interés de una rentabilidad a largo plazo, las empresas nacionalizadas austríacas aumentaron la parte de inversión industrial total de un cuarto a un tercio en la grave recesión de mediados de los 70 [189].

Los bancos austríacos nacionalizados juegan también un importante papel, aunque es difícil determinarlo con precisión. En los años 50 se decía que el sector público austríaco no había disfrutado de una posición privilegiada en las políticas de préstamos de esos bancos [190]. Pero la política de protección del trabajo en los años 70 cambió todo esto. El presidente y director general del mayor banco austríaco, el *Creditanstalt,* admitió con cierto malestar en 1979 que «nuestro papel es ahora atender a los asuntos de las industrias, especialmente si tienen problemas. Este es un riesgo adicional que uno no debería tomar. No sólo tenemos el riesgo del accionista y el riesgo del acreedor, tenemos también el riesgo del *manager,* y a largo plazo esto es insostenible» [191]. En 1981 una acumulación de créditos incobrables demostró ser casi la ruina para el segundo mayor banco de Austria, el *Osterreichische Länderbank.* Fue necesaria una infusión masiva de capital de 150 millones de dólares para que el banco sobreviviera al derrumbe de dos grandes empresas de las que, en nombre de una política «socialmente responsable», se había hecho cargo con grandes pérdidas de préstamos potenciales [192].

Las políticas del gobierno destinadas a conseguir el pleno empleo y la modernización industrial también tienen importantes efectos en la estructura industrial austríaca. Informada de los experimentos escandinavos, Austria invirtió fuertemente en los años 70, para desarrollar una política de mano de obra que pudiera afrontar los crecientes ritmos de cambio económico y a la vez fuera sensible a las exigencias de las estructuras industriales en desarrollo austríacas. El efecto acumulativo de tales políticas sobre la industria austriaca, sujeta a los cálculos políticos del gobierno, está lejos de ser desdeñable. A diferencia de sus colegas suizos, los funcionarios austríacos no valoran la imparcialidad de los efectos indirectos de sus diferentes medidas políticas. Es más, evalúan esos efectos indirectos desde la perspectiva de mantener los puestos de trabajo existentes y generar otros nuevos en el marco de una economía que puede competir en los mercados internacionales. La competitividad internacional está ligada explícitamente al bienestar nacional.

---

[189] Lacina, *Development of the Austrian Public Sector,* pág. 20.
[190] Karl Socher, «Die öffentlichen Unternehmen im österreichischen Banken - und Versicherungssystem», en Wilhelm Weber, ed., *Die Verstaatlichung in Österreich* (Berlín, Cunker & Humblot, 1964), págs. 452-53.
[191] Citado en «Austrian Lesson in Harmony», pág. 12.
[192] *World Business Weekly,* 29 de junio de 1981, pág. 51.

Un anuncio de Swissair afirma que el éxito de Suiza es fácilmente comprensible: Suiza añade tantas mejoras a las materias primas que importa, que pueden exportar esas materias primas en forma de nuevos productos [193]. Mientras se admite que los éxitos de la economía austríaca no pueden ser rápidamente imitados por los grandes Estados industriales, una reciente evaluación de la política económica austríaca, concluye, de forma similar, que «contiene interesantes lecciones para otros gobiernos y no sólo para los socialistas en cuanto a su flexibilidad» [194]. La proximidad geográfica y las diferencias políticas explican por qué las experiencias suiza y austríaca son vistas con frecuencia como mutuamente instructivas. La estructura industrial suiza, altamente especializada, se utiliza a menudo como modelo para el futuro industrial de Austria. La OCDE, por ejemplo, señaló en 1967 que «Austria modificaría la estructura de su industria en base a los modelos suizos» [195].

Un análisis más reciente repite la misma idea: «así es como deben contemplarse las recientes discusiones sobre las políticas estructurales en Austria, es decir, como un ambicioso intento de crear una estructura industrial y económica capaz de afrontar los más enérgicos retos, y a este respecto la República Federal de Alemania y Suiza deben, en cierta medida, considerarse como modelos» [196]. Estos argumentos están equivocados al derivar las prescripciones políticas de un sólo modelo de estructura y cambio económico. Olvidan importantes diferencias políticas entre los dos países. Austria, al igual que Suiza, es flexible en su respuesta al cambio, pero la forma en que las políticas se dirigen al cambio económico y las consecuencias que la forma de respuesta tiene para la política son diferentes. Las estrategias de ajuste responden a cambios en las condiciones económicas, pero éstas están conformadas políticamente. Una economía simple requiere una política compleja.

Al igual que Suiza y Austria, todos los pequeños Estados europeos han adoptado una política flexible de ajuste industrial. Han encontrado en la política industrial un instrumento útil para ir al paso de los cambios estructurales que los mercados internacionales imponen en la economía interna. En cuestiones de política industrial no muestran la indiferencia política fomentada por las políticas proteccionistas que caracteriza a algunos grandes Estados, ni tampoco intentan transformar los sectores industriales. En vez de esto, los pequeños Estados industriales combinan la liberalización internacional con la compensación interna. El liberalis-

[193] Der Spiegel, 24 de septiembre de 1979, págs. 82-83.
[194] Sarah Hogg, «A Small House in Order», Economist, 15 de marzo de 1980, Informe, pág. 22. Véanse también Christof Gaspari y Enrique H. Prat de la Riba, «Die Problemlösungskapazität des österreichischen Wirtschaftssystems», Wirtshaftspolitische Blätter, 22, 6 (1975), págs. 37-40, y Die Presse, 11 de diciembre de 1981.
[195] OCDE, Economic Surveys: Austria (París, 1967), pág. 12.
[196] Félix Butschek, «The Economic Structure», en Steiner, Modern Austria, pág. 151.

mo de los pequeños Estados europeos está, en la acertada expresión de John Ruggie, «empotrado» en una serie de políticas de compensación interna [197]. Las políticas de largo alcance de liberalización internacional pueden llevar a graves trastornos sociales. La compensación interna reduce tales desajustes y permite, a la vez que exige, la adopción de políticas flexibles de ajuste industrial. El ajuste industrial está así inmerso en un amplio conjunto de respuestas políticas que vinculan la liberalización con la compensación. Al mismo tiempo, existen importantes diferencias en cómo los pequeños Estados industriales persiguen de forma activa el ajuste industrial.

Una anomalía en el trabajo estadístico de los economistas sostiene el argumento de que los pequeños Estados europeos han adoptado una estrategia distintiva de ajuste industrial. La amplia (y poco convincente) literatura sobre la inestabilidad del comercio de exportación describe a las economías relativamente abiertas de los pequeños Estados europeos como con un comercio de exportación más estable que las economías de los grandes países industriales o los Estados del Tercer Mundo [198]. Los economistas han tendido o bien a olvidar este resultado anti-intuitivo o bien a ofrecer explicaciones *ad hoc.* Joseph Coppock, por ejemplo, dice que las «pequeñas economías abiertas tienen que estar más atentas a los beneficios de sus exportaciones, de manera que puedan, a través de políticas gubernamentales deliberadas o de la incorporación de medidas institucionales, fomentar la estabilidad de la exportación» [199]. Este capítulo ha ofrecido una explicación diferente a estos datos económicos. La estrategia de ajuste industrial de los pequeños Estados europeos acentúa la especialización en los mercados donde la demanda es relativamente estable. La producción masiva de mayor elasticidad de precios para los mercados de exportación de los grandes Estados industriales y la exportación de materias primas no procesadas y con una alta sensibilidad en los precios por parte de los Estados del Tercer Mundo hace a los beneficios de las exportaciones de esos dos grupos de Estados más vulnerables a las fluctuaciones en el ciclo económico internacional.

Dinamarca ofrece una excelente ilustración de este punto. Enfrentada a la liberalización de la economía internacional de postguerra, escribe Andrew Boyd:

---

[197] John Gerad Ruggie, «International Regimes, Transactions, and Change: Embedded Liberalism in the Postwar Economic Order», en Stephen D. Krasner, ed., *International Regimes* (Ithaca, Cornell Universtiy Press, 1983), págs. 195-232.

[198] Alasdair I. Macbean, *Export Instability and Economic Development* (Londres, Allen & Unwin, 1966); Joseph D. Coppock, *International Economic Instability: The Experience After World War II* (Nueva York, McGraw-Hill, 1962); Coppock, *International Trade Instability* (Farnborough, Saxon, 1977), y Odin Knudsen y Andrew Parnes, *Trade Instability and Economic Development* (Lexington, Mass., Heath, 1975).

[199] Coopock, International Economic Instability, pág. 105.

«Dinamarca podía haber perdido no sólo sus oportunidades sino haber quedado destrozada si no hubiera reconocido sus limitaciones y utilizado su imaginación... Desarrolló la filosofía del "nicho". El ideal platónico de esta filosofía tiene mucho en común con la del *sandwich* abierto danés. Intentar identificar un hueco que, aunque sea bastante modesto en su tamaño, necesita evidentemente un relleno; para llenarlo hábilmente y con rapidez con un producto que requiera sólo una pequeña cantidad de material (de producción local, en la medida de lo posible) pero bastante imaginación. Novedad, alta calidad, fácil transporte, diseño atractivo y adaptabilidad a los gustos de los consumidores son todos importantes. La producción masiva es inapropiada; un pequeño equipo de trabajadores bajo la supervisión personal ofrece generalmente los mejores resultados... pero ellos no pueden esperar siempre el no ser molestados en sus "nichos". La astucia está, pues, en mantenerse el primero a través de la innovación y la adaptabilidad. El hombre que parece estar satisfactoriamente instalado en su nicho está probablemente tratando de diseñar una ratonera mejor o pensando en el momento en que tengan que lanzarse a por algo más, o en las dos» [200].

La estrategia de los pequeños Estados industriales es flexible, reactiva y va en aumento. No lucha contra el cambio adverso desviando sus costes a otros en el exterior; no intenta asumir el cambio mediante ambiciosas reorganizaciones económicas interiores. En lugar de todo ello, los pequeños Estados europeos improvisan continuamente en su convivencia con el cambio.

---

[200] Andrew Boyd, «How the Storm Changed the Signs», *Economist,* 28 de enero de 1978, pág. 24. Véase también Charles P. Kindleberger, *Multinational Excursions* (Cambridge, MIT Press, 1984), págs. 105-106.

CAPÍTULO 3

EL CORPORATISMO DEMOCRATICO Y SUS VARIANTES

En Suiza dicen, bromeando, que su fuerza aérea es la campeona mundial en vuelo circular, ya que el país es demasiado pequeño para poder aprender a volar en línea recta. El tamaño es, por supuesto, uno de los aspectos más obvios a señalar sobre los pequeños Estados europeos, pero para que sea útil al análisis habría que considerarlo como una variable, más que como una constante. Unido a otros factores, éste propicia unos resultados políticos determinados. El tamaño afecta, en particular, a la apertura económica y a las características del régimen político. Los países pequeños son más abiertos y vulnerables que los grandes, económica, política y militarmente. En los países pequeños, además, la centralización política tiende a ser mayor y las medidas políticas tienden a formar un tejido más estrecho. Constituyen poderosas fuerzas que consolidan el corporatismo democrático. Pero la relación entre esas variables no es inherente, sino histórica: el pequeño tamaño puede, después de todo, estar relacionado con una economía cerrada y un corporatismo autoritario. Pero en el caso que nos ocupa, la Europa occidental, el pequeño tamaño ha facilitado la apertura económica y el corporatismo democrático.

La apertura económica refuerza las medidas corporatistas que distinguen a los pequeños Estados europeos de los grandes países industriales. Esta diferencia corporatista se hace evidente en las tres características definitorias del corporatismo: una ideología del interés social, un sistema centralizado y concentrado de grupos de interés económico y un proceso ininterrumpido de negociación entre todos los principales actores políticos a lo largo de los diferentes sectores de la política. El corporatismo es resultado también del sistema de partidos distintivo de los pequeños Estados europeos. Los partidos políticos de la derecha están divididos, y la representación proporcional favorece un sistema de coalición o de gobiernos minoritarios. Como resultado, los oponentes políticos tienden a compartir el poder y a influir conjuntamente en la política. El desarrollo de este argumento requiere que establezca las diferencias sistemáticas entre los pequeños y los grandes países en su apertura económica, en sus estructuras corporatistas y en sus sistemas de partidos políticos. El análisis que expongo en las tres primeras secciones de este capítulo es, por tanto, explícitamente comparativo.

Pero los pequeños Estados europeos difieren también entre ellos. La cuarta sección establece las diferencias entre el corporatismo liberal de Suiza, Holanda y Bélgica, por una parte, y el corporatismo social de Austria, Noruega y Dinamarca, por otra. Suecia combina elementos de ambos modelos. Estas dos variantes del corporatismo difieren en cuanto a la fuerza y el carácter de la empresa y de los trabajadores; la diferencia se ilustra en cuanto al dónde (internacional o nacionalmente) y al cómo (privada o públicamente) se produce el ajuste industrial. La quinta y última sección compara Suiza con Austria como los ejemplos más típicos del corporatismo liberal y social, respectivamente. Muestra también cómo, a pesar de las diferencias, los dos países convergen con ejemplos de liberalismo y estatismo entre los grandes países, señalando así la emergencia de una variante corporatista del capitalismo que combina el mercado y el Estado de formas distintas.

I. La apertura económica

En su apertura y dependencia con respecto a la economía mundial, los siete pequeños Estados europeos se asemejan unos a otros. Los pequeños mercados internos implican un grado de apertura económica que es, por dos razones, mucho mayor en los pequeños Estados europeos que en los cinco grandes países industriales avanzados [2]. Primero, los pequeños Estados europeos no ofrecen las necesarias economías de escala en una serie de industrias absolutamente cruciales para el funcionamiento de una economía moderna. Por lo tanto, deben importar una amplia serie de bienes que los países más grandes pueden producir dentro de sus fronteras. En segundo lugar, los pequeños mercados internos llevan a los Estados pequeños a buscar su especialización y sus economías de escala en los mercados de exportación. La dependencia con respecto a las importaciones y la necesidad de exportar hace a las economías de los pequeños

---

[1] James N. Roṡenau, *The Study of Political Adaptation* (Londres, Pinter, 1981), págs. 102-104.

[2] Excepto cuanto se especifique «pequeños Estados europeos», se referirá en este análisis sólo a los siete Estados. A veces se los comparará con los cinco grandes Estados industriales: Estados Unidos, Gran Bretaña, Alemania Occidental, Francia y Japón.

Estados europeos más abiertas y más especializadas que las de los países más grandes [3].

La dependencia de las importaciones de los pequeños Estados europeos, como coinciden muchos observadores, refleja la ausencia de industrias de importancia crucial que requieren grandes mercados internos. En los años 50 la productividad relativa de los pequeños Estados europeos en las industrias con economías de escala (en particular, metales básicos, químicas, productos metálicos y textiles) quedó muy por debajo de las de los grandes Estados [4]. El mismo resultado se dio también a finales de los 60: los pequeños Estados europeos quedaron bastante rezagados con respecto a los grandes países industriales avanzados en la producción de metales básicos, químicas, productos metálicos, equipo eléctrico y no eléctrico y equipo de transporte en 1965 [5], y de químicas, productos del petróleo, goma, hierro y acero, manufacturas metálicas, maquinaria no eléctrica, textiles y equipo de transporte en 1970 [6]. Como señalan estos estudios, las industrias de los pequeños Estados europeos se hallan menos diversificadas que las de los grandes países industriales [7].

Esta limitación en las estructuras industriales conduce a una dependencia de las importaciones que es mucho mayor en las inversiones que en los bienes de consumo [8]. Por ejemplo, la industria de maquinaria, con

---

[3] Parte de la Literatura sobre el tema se revisa en Fritz Breuss, *Komparative Vorteile im Österreichischen Aussenhandel* (Viena, Österreichische Akademie der Wissenschaften, 1975), págs. 58-59; Antoine Basile, *Commerce Exterieur et Developpement de la Petite Nation: Essi sur les Contraintes de L'exiguite Economique* (Ginebra, Droz, 1972).

[4] Naciones Unidas, Departamento de Asuntos Económicos y Sociales, *A Study of Industrial Growth* (Nueva York, 1963), págs. 13-14. El comercio exterior no se incluye en este estudio.

[5] Naciones Unidas, Comisión Económica para Europa, *Structure and Change in European Industry* (Nueva York, 1977), pág. 27. En este estudio se incluye el comercio exterior.

[6] UNCTAD, *Restructuring of World Industry: New Dimensions for Trade Cooperation* (Nueva York, 1978), pág. 6. Véanse también págs. 5 y 8-9. «Comarative Analysis of Economic Structures by Means of Input-Output Tables», *Un Economic Bulletin for Europe* 23, 1 (1971), págs. 3, 17, 21.

[7] N. U., *Study of industrial Growth*, págs. 9-12; Structure and Change in European Industry, págs. 13-14. Véanse también United Nations Industrial Development Organization, *World Industry since 1960: Progress and Prospect. Special issue of the Industrial Development Survey for the Third General Conference on Unido* (Nueva York, 1979), págs. 43-49 y 331-365, y Bela Balassa, «'Revealed' Comparative Advantage Revisited: An Analysis of Relative Export Shares of the Industrial Countries, 1953-1971», *Manchester School of Economic and Social Studies,* 45 (diciembre 1977), pág. 337. Otro estudio estadístico mostraba que las industrias con grandes economías de escala (como textiles, papel, impresión, plásticos, químicas, productos del petróleo, metales, maquinaria y equipo de transporte) se hicieron más importantes en el proceso de industrialización. En términos estadísticos, su contribución a la producción manufacturera total se ha elevado desde el 40 por 100 hasta casi el 60 por 100 per cápita, mientras que los niveles de renta se incrementaron desde 300 a 600 dólares. Véase Hollis B. Chenery, «Patterns of Industrial Growth», *American Economic Review (septiembre 1960), pág. 646.*

[8] *Ibid.,* pág. 643; Hollis B. Chenery y Lance Taylor, «Development Patterns: Among

sus grandes economías de escala, aportó entre una quinta y una cuarta parte a la producción total y menos de una quinta parte de las exportaciones de los pequeños Estados europeos; los datos correspondientes para los cinco grandes países industriales son casi dos veces mayores [9]. A finales de los 50 el contenido de la importación correspondiente a bienes de inversión representaba el 52 por 100 para los pequeños Estados europeos y sólo el 10 por 100 para los grandes países [10]. Una estimación más reciente sobre el promedio del contenido de la importación correspondiente a la formación interior del capital bruto, aunque basada en diferentes muestras de países y diferentes métodos de cálculo, llega a resultados similares en lo sustancial: 49-52 por 100 para los pequeños Estados desarrollados, 17 por 100 para los grandes países industriales avanzados. El contenido de las importaciones directas de bienes de consumo, por el contrario, es menor del 30 por 100 en ambos grupos de Estados [11]. A mediados de los 60 los pequeños Estados europeos superaron a los grandes países industriales en el contenido total de las importaciones correspondiente a la formación de capital fijo (equipo de transporte, maquinaria, edificios y construcción).

La dependencia con respecto a la importación que tienen los pequeños Estados europeos las hace bastante más abiertos a las influencias de la economía internacional que los grandes países. En Holanda, más de la mitad de la demanda interna de manufacturas a finales de los 70 fue suministrada por productores extranjeros [13]. La parte de la economía que debe responder a la competencia internacional es ocho veces mayor en Bélgica y casi cinco veces mayor en Suecia que en los Estados Unidos [14]. Estos ejemplos ilustran la indiscutible conclusión a la que han llegado casi

---

Countries and over Time», *Review of Economics and Statistics,* 50 (noviembre 1968), pág. 399 y 412-13.

[9] Béla Kádár, *Small Countries in World Economy* (Budapest, Academia Húngara de las Ciencias, Centro para la Investigación Afro-Asiática, 1970), págs. 11 y 15, cuadro 5.

[10] Alfred Maizels, *Industrial Growth and World Trade* (Cambridge, Cambridge University Press, 1963), págs. 266-67 y 135-36. La muestra de países incluidos en el análisis de Maizels es diferente al grupo de Estados que aquí se analiza.

[11] Peter J. Lloyd, *International Trade Problems of Small Nations* (Durham, Duke University Press, 1968), pág. 37. En los años 50 la diferencia entre los pequeños Estados europeos y los grandes Estados industriales en el valor añadido en la producción industrial fue considerablemente menor en la industria de bienes de consumo que en la de bienes de producción. Véase N. U., *Study of industrial Growth,* págs. 7 y 12.

[12] «Comparative Analysis of Economic Strutures», págs. 19 y 41-42. La comparación es entre Holanda, Bélgica y Noruega, por un lado, y Gran Bretaña, Francia y Alemania Occidental, por otro.

[13] L. B. M. Mennes, «Adjustment of the Industrial Structure of Developed Economies, in particular the Netherlands» (documento preparado para el International Symposium or Maritime Research and European Shipping and Shipbuilding, Rotterdam, 29-31 marzo, 1978), pág. 3.

[14] Boston Consulting Group, *A Framework for Swedish Industrial Policy* (Estocolmo, Departamentos Offsetcentral, 1979), Apéndice 9, pág. 1.

todos los estudios sobre la materia [15]. Como concluía un análisis estadístico en 1970, los pequeños Estados europeos tienen altos niveles de importación, *con independencia* de sus niveles de renta, mientras que en los grandes países la propensión a la importación tiende a declinar cuando suben los niveles de renta. La exposición a la competencia extranjera en los pequeños Estados industriales es, como media, más de tres veces mayor que en los países grandes [16].

La apertura a los desarrollos de los mercados internacionales tiene fuertes efectos en el movimiento de precios y salarios. Las pequeñas economías europeas importan inflación de los mercados mundiales —inflación que, en contraste con los grandes países, no sólo tiene efectos indirectos a través del incremento de la demanda de exportaciones o de la divulgación de precios de los bienes y servicios importados— [17]. En los años 70, como señalaba el Informe McCracken para la OCDE, las influencias externas de precios eran una importante fuente de inflación para las economías abiertas. Incluso los analistas, que quitaban importancia a las consecuencias de una economía abierta, concedieron, sin embargo, que la influencia de la economía internacional sobre los precios y salarios es muy considerable [18].

La química suiza y el acero belga ilustran la tendencia de las industrias prominentes en los pequeños Estados europeos a buscar economías de escala en los mercados internacionales. La necesidad de exportar ha

[15] Simon Kuznets, «Economic Growth of Small Nations», en E. A. G. Robinson, ed., *Economic Consequences of the Size of Nations: Proceedings of a Conference Held by the International Economic Association* (Londres, Macmillan, 1960), págs. 14-32; Lloyd, *International Trade Problems,* págs. 128-29 y 33-34; Nadim G. Khalaf, *Economic Implications of the Size of Nations: With Special Reference to Lebanon* (Leiden, Brill, 1971), págs. 99-122; Khalaf, «Country Size and Trade Concentration», *Journal od Development Studies,* II (octubre 1974), págs. 81-85; Raimo Väyrnen, «The Position of Small Powers in the West European Network of Economic Relations», *European Journal of Political Research, 2* (junio 1974), pág. 153; D. H. Macgregor, «Trade of Large and Small Countries», *Economic Journal,* 35 (diciembre 1925), págs. 642-45; Maizels, *Industrial Growth and World Trade,* pág. 721 y Breuss, *Komparative Vorteile,* pág. 60.

[16] Raoul Gross y Michael Keating, «An Empirical Analysis of Competition in Export and Domestic Markets», *Occasional Studies, OECE Economic Outlook,* diciembre 1970, pág. 15.

[17] Hans Genberg, *World Inflation and the Small Open Economy* (Estocolmo, Publicaciones Industriales Suecas, 1975); B. L. Scarfe, «A Model of the Inflation Cycle in a Small Open Economy», *Oxford Economic Papers,* 25 (julio 1973), págs. 192-203; Martin F. J. Prachowny, *Small Open Economies: Their Structure and Policy Environment* (Lexington, Heath, 1975); Heinrich Otruba, «Inflation in Small Countries», *Wirtschftspolitische Blätter,* 22, 2 (1975), págs. 119-25; Odd Aukrust, «Inflation in the Open Economy: A Norwegian Model», en Lawrence B. Krause y Walter S. Salant, ed., *Worlwide Inflation: Theory and Recent Experience* (Washington, D. C., Brookings, 1977), págs. 107-53.

[18] Organización para la Cooperación y el Desarrollo Económico (OCDE.), *Towards Full Employment and Price Stability (The MacCraken Report)* (París, 1977), pág. 60, por ejemplo, calcula la influencia de precios externa en 1972-74 al 10,6 por 100 para los pequeños Estados europeos y al 6 por 100 para los cinco países más grandes.

llevado también a las corporaciones en los pequeños Estados europeos, a diferencia de en los grandes países, a productos estandarizados y con un alto valor añadido. Tradicionalmente ocupaban esos nichos del mercado especialmente bien adaptados a sus fuerzas económicas tradicionales y a su dotación de recursos. Durante las dos últimas décadas Suiza y Austria se han beneficiado enormemente de la producción de vestuario y equipo para el esquí. Suiza está explotando su vigor tradicional en los productos de madera y muebles, especializándose en el mercado de la informática, en la venta exterior de muebles de miniordenadores y en el diseño de oficinas. Dinamarca ha desarrollado unas estrategias de mercado altamente sofisticadas en una amplia gama de bienes de consumo, cuyo mayor exponente es el éxito fenomenal de los juguetes Lego. Detrás de tales ejemplos descansa una verdad estadística: a mediados y finales de los 60 las economías de los pequeños Estados europeos estaban mucho más especializadas en sus exportaciones que los más grandes países europeos [19].

Los pequeños Estados europeos han extendido sus mercados de exportación en determinados sectores industriales. Mientras lo que constituye una industria «moderna» comparada con una «tradicional» difiere de un estudio a otro, todos los estudios señalan que los pequeños Estados europeos han desarrollado su considerable ventaja en el marco de esta última. En la «cesta de la exportación» de los pequeños Estados, las industrias tradicionales, tales como alimentación, bebidas y tabaco, textiles, madera, papel, imprentas y pieles, representan una parte relativa mayor que las industrias modernas (caucho, productos químicos y derivados del petróleo, materias primas industriales y productos del metal) [20]. Este desequilibrio se refleja también en un contenido de importaciones mucho mayor de bienes producidos para la exportación por industrias modernas [21]. Las industrias ligeras están representadas de forma desproporcionada en la estructura industrial de los pequeños Estados europeos [22]. En 1966 la parte de exportaciones en la producción industrial de Suecia, Noruega, Dinamarca y Austria fue dos veces mayor que en los cinco grandes países

---

[19] N. U., *Structure and Change in European Industry*, págs. 25 y 26. La muestra de los países grandes excluye a los Estados Unidos y Japón, pero incluye a Italia. Véase también N. U., *World Industry Since 1960*, pág. 48.

[20] M. Carmi, «The Economics of Small Developed States», documento sin publicar, Jerusalem, 1975, págs. 11-12, y Fritz Breuss, «Die Makrostruktur der österreichishen Wirtschaft im Vergleich mit den europäischen Wirtschaftspartnern», en *Der Kleinstaat in der Europäischen Wirtschaftlichen Zusammenarbeit aus der Sicht Ungars und Österreichs* (Viena, Geschichte und Politik, 1975), págs. 62-63. Véanse también Carmi, «Economics of Small Developed States», págs. 32-33; Peer Hull Kristensen y Jorn Levinsen, *The Small Country Squeeze* (Roskilde, Dinamarca, Instituto de Economía, Política y Administración, 1978), págs. 112 y 117.

[21] «Comparative Analysis of Economic Structures», págs. 19 y 43.

[22] Kádár, *Small Countries in World Economy*, págs. 11 y 15. cuadro 5, y N. U., *Study of Industrial Growth*, págs. 9 y 13-14.

industriales. Un análisis de la orientación de las exportaciones de algunas industrias manufactureras en Alemania Occidental, Francia, Gran Bretaña y seis de los siete pequeños Estados europeos conduce a los mismos datos para 1977 [23]. En la era postbélica la parte relativa de exportaciones en el PIB de los pequeños Estados europeos ha sido de más del doble que en los grandes países.

Esta dependencia tanto de la importación de bienes de inversión modernos como de la exportación de bienes de consumo más tradicionales refuerza los desequilibrios en las estructuras económicas de los pequeños Estados europeos. La especialización económica se produce en los diferentes sectores de la economía que están menos integrados, más que en los de los grandes países —observación que resulta válida durante el período posbélico— [24]. La apertura a los mercados internacionales, la especialización y el desequilibrio dan a las estructuras económicas de los pequeños Estados europeos una propensión, utilizando una frase de David Riesman, a estar «dirigidos por otros» [25]. Los pequeños Estados europeos tienden así a desarrollar dos sectores económicos diferentes, uno orientado hacia el exterior y competitivo y otro orientado hacia el interior y protegido. Las diferencias entre estos dos sectores son generalmente mayores en las sociedades pequeñas.

La especialización en la exportación es esencial para cubrir los gastos de las importaciones necesarias. Hollis Chenery ha afirmado incluso que las deseconomías de escala en los sectores de importación son, estadísticamente hablando, dos veces más importantes que las economías de escala en la producción y (por inferencia) en las exportaciones [26]. Además, la especialización conduce a los pequeños Estados europeos a concentrar su comercio de exportación en países concretos y en mercancías concretas; concentración que durante las tres últimas décadas ha superado la de los países grandes por un margen considerable [27]. Esta concentración pue-

---

[23] Beirat für Wirtschafts- und Sozialfragen, *Vorschläge zur Industriepolitik* (Viena, Ueberreuter, 1970), pág. 31, Helmut Kramer, *Industrielle Strukturprobleme Österreichs* (Viena, Signum, 1980), pág. 52.

[24] Balassa, «Revealed' Comparative Advantage», pág. 337.

[25] Véase también Dieter Senghaas, *Weltwirtschaftsordnung und Entwicklungspolitik: Pläydoyer für Dissoziation* (Frankfurt, Suhrkamp, 1977), págs. 34-35.

[26] Chenery, «Industrial Growth», pág. 639.

[27] Para 1954, véase Michael Michaely, *Concentration in International Trade* (Amsterdam, North Holland, 1962), págs. 11-12 y 19-20. Para 1964, véase Lloyd, *Trade Problems of Small Nations*, pág. 33, Apéndice 2. Véanse también Kristensen y Levinsen, *Small Country Squeeze*, pág. 117; Kuznets, «Economic Growth of Small Nations», pág. 22; Simo Kuznets, *Siz Lectures on Economic Growth* (Nueva York, Free 1961), pág. 95; Niclaus G. Krul, *La Politique Conjoncturelle en Belgique, aux Pays-Bas et en Suisse, 1950-1960* (Ginebra, Droz, 1964), pág. 92, y Guy F. Erb y Salvatore Schiavo-Campo, «Export Inestability, Level of Development and Economic Size of Less Developed Countries», *Oxford University Institute of Economics and Statistics Bolletin*, 31 (1969), págs. 263-83. Debido a las diferencias en cuanto a la muestra de pequeños Estados, períodos de tiempo y métodos de

de tener importantes efectos en las medidas adoptadas: como ha demostrado Albert Hirschmann para los años de entreguerras, los altos niveles de concentración comercial pueden llegar a dar lugar a una enorme dependencia política [28]. Para los pequeños Estados europeos esto no ha sido así desde la guerra, reflejo del clima más favorable de la economía internacional desde 1945.

Este clima no ha favorecido la dependencia política, sino el crecimiento económico. Entre 1938 y 1967 el valor del comercio de exportación de los siete pequeños Estados creció en un punto sobre ocho en comparación con un incremento en las importaciones. Los productos que experimentaron una alta tasa de crecimiento en el comercio mundial entre 1954 y 1969 crecieron en un 14,2 por 100 en los cinco grandes Estados industriales, pero sólo en un 9,1 por 100 en los pequeños Estados europeos. A la inversa, las mercancías con tasas medias de crecimiento disminuyeron en un 8 por 100 en los cinco grandes países, mientras que aumentaron un 74 por 100 en los pequeños Estados europeos [30]. El nivel de importación de los pequeños Estados europeos cubierto por las reservas brutas internacionales es alrededor de un tercio menor que en los grandes países [31]. Además, los pequeños Estados europeos tienden a experimentar insistentemente déficits considerables en las balanzas de comercio exterior: mientras los grandes países se encontraron con superávit dos veces entre 1960 y 1977, los pequeños Estados europeos experimentaban un déficit en su balanza comercial dos de cada tres años [32]. Exagerando este caso, un observador señalaba que «los pequeños países parecían estar experimentando una desventaja considerable en la mayoría de las industrias manufactureras» [33].

En contraste con estos déficits comerciales estructurales, podríamos señalar aquí el superávit sustancial que los pequeños Estados europeos

---

cálculo, una serie de hallazgos sin demasiado valor se han recogido en la literatura económica. Véanse Värynen, «Position of Small Powers», págs. 160-61; Lloyd, *Trade Problems of Small Nations*, págs. 28, 29 y 33-34, y Khalaf, *Economic Implications*, págs. 93 y 98.

[28] Albert O. Hirschman, *National Power and the Structure of Foreign Trade* (Berkeley, University of California Press, 1945), págs. 85, 101-5 y 109-14. Es interesante destacar que esto no es válido para los pequeños Estados europeos debido a que su comercio era más diversificado que el de los países de Europa del Este.

[29] Kádár, *Small Countries in World Economy*, págs. 10-11 y 23.

[30] Kristensen y Levinsen, *Small Country Squeeze*, pág. 114. Suiza y Austria no están incluidas en las cifras de los pequeños Estados europeos. Dado que difieren en una serie de indicadores que miden la modernidad relativa de sus estructuras industriales, su exclusión en estas cifras probablemente no influye en los resultados.

[31] *World Development Report*, 1979 (Washington, D. C., World Bank, August 1979), cuadro 15, pág. 155. Se ha excluido a Suiza de los cálculos.

[32] OCDE, *Balance of Payments of OECD Countries, 1960-1977* (París, 1979). Cálculos del autor.

[33] Donald B. Keesing, «Population and Industrial Development: Some Evidence from Trade Patterns», *American Economic Review* págs. 58, 3 (Parte I) (junio 1968), págs. 545-55.

generan en su comercio invisible: la exportación de servicios [34]. Aunque la industria suiza es, en términos relativos, mayor que la de ningún otro país miembro de la OCDE, la exportación de servicios ha sido esencial en la posición de Suiza en la economía mundial a lo largo de la era postbélica [35]. El persistente déficit comercial de Noruega se ve compensado en parte por sus ingresos brutos por flete de mercancías. En 1960 los barcos noruegos transportaron una parte del comercio norteamericano (15 por 100) mayor de la que transportó la propia flota norteamericana; en la segunda mitad de los 60 los ingresos por comercio invisible representaban alrededor de un tercio de los ingresos totales noruegos del comercio exterior [36]. Y Dinamarca, afectada fuertemente por la recesión económica de mediados de los años 70, experimentó un crecimiento sustancial de sus ingresos invisibles a pesar de que ya tenía la más alta proporción de exportaciones invisibles dentro de los ingresos totales por exportaciones (29 por 100) en Europa [37]. Es casi imposible separar el componente de servicios del comercio de mercancías, sobre todo en los sectores tecnológicamente avanzados, donde los conocimientos técnicos especializados, el asesoramiento y los servicios son partes integrales en el envío de un producto; pero es evidente que los pequeños Estados europeos ofrecen tipos muy diferentes de productos, incluyendo los financieros y de seguros (Suiza), comercio (Holanda), transporte marítimo (Noruega) y turismo (Austria) [38]. En 1976 los ingresos por comercio invisible sumaron el 12 por 100 del PNB de los pequeños Estados europeos, comparado con el 5 por 100 de los grandes países; en términos de una base per cápita, los pequeños Estados se encontraban en primer lugar, en un tres a uno aproximadamente [39]. En resumen, los pequeños Estados europeos explotan su ventaja relativa en un sector que se ha mantenido en armonía con el crecimiento mundial de la industria en los años de la postguerra [40].

[34] Kristensen y Levinsen, *Small Country Squeeze*, pág. 108.

[35] Krul, *Politique Conjoncturelle*, págs. 113-14, y Committee of Invisible Exports, *World Invisible Trade* (Londres, agosto 1978), págs. 32-33.

[36] Per Kleppe, *Main Aspects of Economic Policy in Norway since the War* (Oslo, Oslo University Press, 1966), pág. 12; Kádár, *Small Countries in World Economy*, pág. 12; Comisión de Exportaciones Invisibles, *World Inivisible Trade*, pág. 14, y James A. Storing, *Norwegian Democracy* (Boston, Houghton Mifflin, 1963), pág. 3.

[37] Comisión de Exportaciones Invisibles, *World Invisible Trade*, págs. 6-7.

[38] Richard Blackhurst, Nicolas Marian y Jan Tumlir, *Trade Liberalization, Protectionism and Interdependence* (Ginebra: GATT, 1977), pág. 62, nota 10. Shmuel N. Eisenstadt, «Sociological Characteristics and Problems of Small States: A Research Note», *Jerusalem Journal of International Relations*, 2 (invierno 1976-77), págs. 39, Levinsen y Kristensen, *Small Country Squeeze*, págs. 127 y 135.

[39] Comisión de Exportaciones Invisibles, *World Invisible Trade*, págs. 15, 30, 32. Cálculos del autor.

[40] *Ibid.*, pág. 3; Comisión de Exportaciones Invisibles, *World Invisible Trade* (Londres, 1969), pág. 1, y Brlackhurst, Marian y Tumplir, *Trade Liberalization*, pág. 62, nota 10.

Pero los pequeños Estados europeos dependen también, con bastante mayor fuerza que los grandes, de la afluencia de capital exterior. La inversión extranjera directa en esos países se ha incrementado muy rápidamente durante las últimas dos décadas [41]. A principios de los 70, la parte estimada de fabricación sostenida por empresas extranjeras era mucho mayor en los pequeños Estados europeos que en los grandes países. Como media, las empresas extranjeras controlaban el 26 por 100 de las ventas y el 18 por 100 del empleo en los pequeños Estados europeos, comparado con el 15 y el 11 por 100, respectivamente, en los grandes países industriales [42]. La afluencia de capital a largo plazo ha acompañado a la exportación de servicios para ayudar a equilibrar el persistente déficit comercial de los pequeños Estados europeos, consiguiendo así el equilibrio en su balanza básica de transacciones exteriores [43].

Aunque los pequeños países europeos son abiertos y dependientes, de forma inusual, con respecto a una economía internacional que escapa a su control, no obstante, también se han beneficiado de la creciente división internacional del trabajo (ver tabla 1). Entre 1950 y 1981 la proporción de exportaciones mundiales en el PIB mundial aumentó del 10 al 18 por 100 [44]. En los años 70, en concreto, la dependencia creciente de la energía importada llevó a la mayoría de los grandes Estados industriales por vez primera a una posición comparable a la de los pequeños Estados europeos. En general, la creciente liberalización de la economía internacional entre 1955 y 1975 incrementó la dependencia de las grandes economías con mayor rapidez que la de las pequeñas economías [45]. Este avance se aceleró en el curso de los años 70. Entre 1970 y 1979, por ejemplo, el grado en que las economías de los cinco grandes Estados indus-

---

[41] Comparado con el flujo de inversión extranjera en los grandes y avanzados Estados industriales, éste aumentó desde un 11 por 100 en 1960 a un 35 por 100 una década después antes de descender a un 17 por 100 en 1978-80. OCDE, *Policy Perspectives for International Trade and Economic Relations: Report by the High Level Group on Trade and Related Problems to the Secretary-General of the OECD* (París, 1972), pág. 158; Naciones Unidas, *Transnational Corporations in World Development: Third Survey*, Sales núm. E.83.II.A.14 (Nueva York, 1983), pág. 19. Véase también Volker Bronschier, *Wachstum Konzentration und Multinationalisierung von Industrie-Unternehmen* (Frauenfeld, Huber, 1976), págs. 562-64.

[42] N. U., *Transnational corporations: A Re-examination*, págs. 263-64.

[43] Entre 1960 y 1977 el balance básico del comercio tendió a ser positivo para los pequeños Estados europeos y negativo para los grandes países industriales.

[44] Béla Kádár, «Adjustment Patterns and Policies in Small Countries», en István Dobozi, Clare Keller y Harrier Matejka, eds., *Small Countries and International Structural Adjustment* (Ginebra, Graduate Institute of International Studies, 1982), pág. 96.

[45] Margret Sieber, *Dimensionen Kleinstaatlicher Auslandsabhängigkeit*, Kleine Studien zur Politischen Wissenschaft, núms. 206-207 (Zurich, Universidad de Zurich, Forschungsstelle für Politische Wissenschaft, 1981), págs. 155 y 165, y Boston Consulting Group, *Framework for Swedish Industrial Policy*, Apéndice 2, pág. 2. Véanse también OCDE, *Economic Surveys: Switzerland* (París, abril 1978), pág. 35, y Charles Lipson, «The Transformation of Trade: The Sources and Effects of Regime Change», en Stephen D. Krasner, ed., *International Regimes* (Ithaca, Cornell University Press, 1983), pág. 239.

triales se abrieron a la economía internacional fue de un 50 por 100 mayor que el de los pequeños Estados europeos [46].

TABLA 1.   *Apertura y dependencia en las economías grandes y pequeñas.* (porcentajes.)

	Pequeños Estados[a]	Grandes Estados[b]
Apertura		
1. Exportación de bienes/PNB, 1955	24,4	11,3
Exportación de bienes/PNB, 1975	30,4	15,5
2. Exportación de bienes y servicios/PNB, 1955	31,0	13,8
Exportación de bienes y servicios/PNB, 1975	37,7	18,8
3. Correo extranjero/total correo, 1955	13,6	6,0
Correo extranjero/total correo, 1975	12,2	6,1
4. Patentes extranjeras/total patentes, 1965	82,5	39,8
Patentes extranjeras/total patentes, 1975	84,9	49,9
Dependencia		
1. Balanza comercial de bienes de importación, 1955	− 16,6	0,3
Balanza comercial de bienes de importación, 1975	− 10,2	− 0,1
2. Balanza comercial de bienes y servicios de importación, 1960	− 0,7	8,7
Balanza comercial de bienes y servicios de importación, 1973	− 2,2	3,6
3. Inversión extranjera directa/PNB, 1967	4,4	3,1
Inversión extranjera directa/PNB, 1973	4,9	3,0
4. Importación energía/consumo energía, 1960	62,0	24,2
Importación energía/consumo energía, 1975	50,3	53,7

[a] Porcentaje estimado para Austria, Suiza, Suecia, Noruega, Dinamarca, Holanda y Bélgica.
[b] Porcentaje estimado para Estados Unidos, Gran Bretaña, Alemania Occidental, Francia y Japón.

Fuente: Margret Sieber «Dimensionen Kleinstaatlicher Auslandsabhängigkeit», *Kleine Studien zur Politischen Wissenschaft* núms. 206-207 (Zurich, University of Zurich, Forschungsstelle für Politische Wissenschaft, 1981), págs. 156-59.

A pesar de la creciente apertura de los grandes Estados industriales, la diferencia entre los dos grupos de Estados es, sin embargo, lo suficientemente grande para que en un futuro previsible los pequeños Estados europeos sigan siendo mucho más abiertos y dependientes con respecto a la economía mundial. Las razones que apoyan esta predicción son evidentes. La estructura económica de los pequeños Estados europeos está

---

[46] Glenn Fong, «Export Dependence versus the New Protectionism: Constraints on Trade Policy in the Industrial World» (Ph. D. diss., Cornell University, 1983), págs. 303-4. Suiza y Bélgica no aparecen en este cálculo.

menos diversificada que la de los grandes Estados. Los pequeños Estados europeos dependen fuertemente de la importación de bienes de inversión y otros productos para los que sus pequeños mercados interiores no ofrecen las suficientes economías de escala. En vez de esto, buscan esas economías de escala a través de una especialización en sus exportaciones, especialmente en industrias relativamente «tradicionales». Este modelo da lugar a un déficit comercial estructural, que únicamente se reduce en tiempos de recesión. Los pequeños Estados europeos se ven de esta forma forzados a apoyarse en sus sectores de servicios, así como en la importación de capital extranjero, para cubrir sus perennes déficits comerciales. En suma, la apertura económica distingue a los pequeños Estados europeos de los grandes Estados industriales.

II. El corporatismo democrático

La inclusión de todos los grandes grupos productores y los actores políticos en los acuerdos corporatistas crea un tipo de políticas monótonas y previsibles en los pequeños Estados europeos. La previsibilidad tiene sus costes. Algunas élites políticas están excluidas de las arenas políticas básicas, como lo están, por ejemplo, los sindicatos suizos de las cuestiones referentes a la política económica exterior. Los dirigentes imponen estrictos controles a la participación política espontánea de sus seguidores, como sucede, por ejemplo, con los cuadros inferiores e intermedios en el movimiento sindical unitario y altamente centralizado. Estos cortes ocultos refuerzan los desafíos políticos a los que las estructuras corporatistas de los pequeños Estados europeos han estado sujetos en años recientes. Los ejemplos abundan: la creciente importancia del procedimiento de los decretos de emergencia en la política suiza, la posible implantación de un régimen socialdemócrata en Austria, la tendencia hacia las políticas de clase en la reorganización de la vida política holandesa, la reaparición de políticas de etnias militantes en Bélgica y la inestabilidad en los sistemas de partidos escandinavos. Hasta la fecha, sin embargo, estos múltiples retos políticos no han cambiado fundamentalmente ninguno de los tres rasgos definitorios del corporatismo [47].

---

[47] Además de los libros señalados en la nota 16 del capítulo I, véase John Goldthorpe, ed., *Order and Conflict in Contemporary Capitalism: Studies in the Political Economy of Western European Nations* (Oxford, Clarendon, 1984). La *Journal für Sozialforschung,* 23, 4 (1983), y la *International Political Science Review,* 4, 2 (1983), han publicado números especiales dedicados al tema del corporatismo. Véanse también Philippe C. Schmitter, «Democratic Theory and Neo-Corporatist Practice», *Social Research,* 50 (invierno, 1983), págs. 885-928, y Wolfgang Streeck y Schmitter, «Community, Market, State - and Associations? The Prospective Contribution of Interest Governance to Social Order», *European University Institute Working Papers,* núm. 94 (marzo 1984).

La primera característica del corporatismo democrático es una ideología de interés social, compartida por los empresarios y los sindicatos y expresada en las políticas nacionales. El gran arraigo de esta ideología desde 1945 se ve reflejada en la escasa frecuencia de las huelgas. En su trabajo sobre la política económica de las huelgas, Douglas Hibbs concluía que la era postbélica ha contemplado una reducción significativa de la actividad huelguística a niveles insignificantes sólo en Dinamarca, Holanda, Noruega y Suiza. Si Austria y Suiza hubieran estado incluidas en su estudio, se encontrarían en la misma categoría. Sólo la reducción en Bélgica de la actividad huelguística sigue implicando todavía notables disputas en la industria. Durante los años de entreguerras, por el contrario, los pequeños Estados europeos eran mucho más propensos a las huelgas que los grandes países industriales. Como observa Douglas Hibbs: «El debilitamiento de la huelga es un fenómeno bastante limitado, concentrado en gran parte en las pequeñas democracias del norte de Europa» [48]. Todavía hoy las huelgas breves tienen grandes repercusiones, tanto reales como psicológicas, en las pequeñas economías abiertas. En las economías abiertas de los pequeños Estados europeos una tregua duradera ha suplantado desde 1945 a la lucha de clases entre empresarios y trabajadores.

Aunque esto puede parecer paradójico a los extraños, la cooperación pragmática y el conflicto ideológico no son incompatibles. Los expertos técnicos juegan un importante papel en los pequeños Estados europeos. No existe razón, sin embargo, para creer que los expertos en los pequeños Estados europeos son más inteligentes que los expertos de otros lugares, y por ello su papel predominante no descansa evidentemente en la calidad del asesoramiento que ofrecen. En realidad, los expertos son importantes porque proveen una estructura común y unos datos aceptables, evidencias de una penetrante ideología del interés social. Esta ideología incorpora una continua reafirmación de las diferencias políticas con la cooperación política. En palabras de Harold Wilensky, «tales expertos utilizan argumentos y criterios racionales; su competencia técnica empuja a las partes opuestas a ser más atentas y honestas en el uso de la información y el conocimiento. Todavía existe el combate, pero el espíritu es:

---

[48] Douglas A. Hibbs, Jr., «On the Political Economy of Long-Run Trends in Strike Activity», *British Journal of Political Science,* 8 (abril 1978), pág. 162. Estadísticas nacionales agregadas aportan nuevos apoyos a esta conclusión. La razón entre la media de población para los pequeños y grandes países en 1975 fue 1:12,6, pero es de 1:17,6 en las muertes por violencia política (1948-77); 1:18,7 por disturbios (1948-77), y 1:23,6 por demostraciones de protesta (1947-77). Véanse Charles Lewis Taylor y David A. Jodice, eds., *World Handbook of Political and Social Indicators,* vol. 1: *Cross National Attributes and Rates of Change,* 3.ª ed. (New Haven: Yale University Press, 1983), págs. 91-94, y vol. 2: *Political Protest and Government Change,* págs. 22-25, 33-36 y 48-51.

"En guardia. Nos encontraremos con nuestras estadísticas al ama-
necer"» [49].

Esta ideología del interés social es un hecho distintivo de todos los pequeños Estados europeos. En Dinamarca, como ha argumentado Arend
Lijphart, el consenso político es particularmente evidente en la búsqueda
de un compromiso dentro del parlamento. «La regla del juego establece
que los líderes máximos de los cuatro grandes partidos hagan todo lo posible por alcanzar un consenso. Esto es, *glidningspolitik...* la política
de la tranquilidad, uniformidad, suavidad» [50]. El partido socialista austríaco, en unión de los sindicatos, se reafirma continuamente en su retórica política y en su propio punto de vista de que está construyendo una
sociedad mejor en nombre del socialismo democrático. Al mismo tiempo, además, el partido persigue políticas que hacen hincapié en el crecimiento más que en la redistribución y que están estrechamente ligadas a
la política monetaria, consciente de su estabilidad, de Alemania Occidental. A la inversa, junto con la asociación de élite de empresarios y los periódicos más importantes del país, el partido liberal suizo (los radicales)
afirma los principios de un capitalismo liberal con un gran sentido de la
urgencia. Incluso se acomoda fácilmente a una coalición gubernamental
con los socialdemócratas suizos. Pocos suizos y menos extranjeros todavía saben que el sistema suizo de dirección colegial concedió el cargo ce-
remonial de primer ministro en el seno del partido Socialdemócrata tres
veces en los años 70. En los Países Bajos han sido posibles una serie de
coaliciones políticas entre los grandes partidos políticos. Val Lorwin escribe que «esta facilidad general para las coaliciones gubernamentales de-
beríamos llamarla con el nombre breve y pegadizo de *Allgemeinkoa-
litionsfähigkeit*» [51].

La segunda característica del corporatismo democrático es un sistema
de grupos de interés centralizado y concentrado. Philippe Schmitter ha hecho de este sistema el centro de su caracterización institucional del corporatismo. Para Schmitter, el corporatismo es una forma de mediación
del interés diferente del pluralismo y del sindicalismo [52]. Teóricamente,

---

[49] Harold L. Wilensky, «Political Legitimacy and Consensus: Missing Variables in the
Assessment of Social Policy», en Shimon E. Spiro y Ephraim Yuchtman-Yaar, eds., *Evaluating the Welfare State: Social and Political Perspectives* (Nueva York, Academic, 1983),
págs. 63-64.

[50] Arend Lijphart, «Consociational Democracy», en Kenneth D. McRae, ed., *Consociational Democracy: Political Accommodation in Segmented Societies* (Toronto, McClelland
& Stewart, 1974), págs. 88-89.

[51] Val R. Lorwin, «Belgium: Religion, Class, and Language in National Politics», en Robert A. Dahl, ed., *Political Opposition in Western Democrazies* (New Haven, Yale University Press, 1966), pág. 178.

[52] Véase en particular Phillipe C. Schmitter, «Still the Century of Corporatism», en
Schmitter Gerhard Lehmbruch, ed., *Trends Toward Corporatist Intermediation* (Beverly
Hills, Sage, 1979), págs. 7-52.

es posible para la acción política ser corporatista sin instituciones centralizadas, pero sin la protección de instituciones firmemente arraigadas, las medidas corporatistas son más susceptibles de fracasar bajo la presión de las conmociones exógenas. Esta, al menos, es la lección que puede obtenerse de Gran Bretaña y, más recientemente, de los intentos de Italia por estabilizar su economía mediante medidas corporatistas.

Tanto la centralización de la sociedad como el sistema de grupos centralizados de producción son importantes. Normalmente, centralización y concentración se atribuyen de forma inversa al tamaño de un país: «En condiciones iguales... cuanto mayor es el país, mayor será el número de organizaciones y subunidades que contenga» [53]. Contemplando la situación en la que los pequeños Estados europeos se encuentran desde la perspectiva de la gestión de la economía, Peter Wiles señala acertadamente que «nunca es difícil conseguir establecer una nueva política acordada. Este es el fenómeno del "willi-nilly Frenchy planning" en los pequeños países: la *économie* está informalmente *concertée,* cualesquiera que puedan ser las disposiciones oficiales o la falta de las mismas. Esto es tanto como decir: no puede haber *laissez-faire* en un pequeño país rico con una economía de mercado, dado que el número de grandes empresas es demasiado pequeño y los matrimonios entre las familias de la élite es inevitable, y donde la élite abarca tanto a los directores de empresa como a los altos funcionarios públicos. Si uno ofreciera una fiesta tendría que invitarlos a todos» [54]. En Estados más grandes las organizaciones están diferenciadas y las funciones están especializadas; el sustituto funcional en los pequeños Estados es la «polivalencia estructural» de las organizaciones que juegan papeles muy diferentes. Como señalan dos analistas suizos, «las organizaciones en las pequeñas sociedades encuentran especialmente beneficioso mantenerse bien abiertas y dispuestas ante posibles alianzas con muchas otras organizaciones». La selectividad en la definición del problema, la personalización de las relaciones entre organizaciones y la versatilidad en la respuesta son algunas de las reacciones institucionales típicas en los pequeños Estados europeos [55]. Pero esta fluidez de las relaciones dentro de los pequeños Estados coincide con fuertes tendencias oligárquicas. El poder político está concentrado en manos de unos

---

[53] Robert A. Dahl y Edward R. Tufte, *Size and Democracy* (Stanford, Stanford University Press, 1973), pág. 40. Véanse también Jane J. Mansbridge, *Beyond Adversary Democracy* (Nueva York, Basic, 1980), págs. 278-89, y Margret Sieber, *Die Abhängigkeit der Schweiz von Ihrer Internationalen Umwelt: Konzepte und Indikatoren* (Frauenfeld, Huber, 1981), págs. 372-74.

[54] Peter Wiles, «The Importance of Country Size», artículo sin publicar, n. p., n. d., págs. 9-10.

[55] Hans Geser y François Höpflinger, «Problems of Structural Differentiation in Small Societies: A Sociological Contribution to the Theory of Small States and Federalism», *Bulletin of the Sociological Institute of the University of Zurich,* 31 (julio 1975), págs. 59, 87 y 64.

pocos políticos y depende de fuertes grupos de interés y de fuertes partidos [56].

Así como los principales grupos de interés económico organizan plenamente sus sectores sociales respectivos, los partidos políticos movilizan una muy grande proporción del electorado. En los pequeños Estados europeos, entre el 20 y el 25 por 100 de los censados o de los votantes reales son generalmente miembros de partidos, una proporción bastante mayor que en los grandes países industriales [57].

Además, existen fuertes y arraigados vínculos entre grupos de interés y partidos políticos en los pequeños Estados europeos. El pequeño tamaño y la dependencia con respecto a los mercados mundiales tiene así una repercusión no sólo sobre la centralización de las estructuras internas, sino también sobre el carácter del proceso político. «En una sociedad tan pequeña y transparente como la noruega», escribía Ulf Torgersen, «donde se tiene bastante aversión al ejercicio del poder, donde la igualdad es un hecho dominante y donde la evaluación sobre la base de los méritos individuales es rechazada firmemente, la configuración política y social puede presentar serios problemas. Esto no significa que no se ejerza el poder, sino que, de forma característica, es un proceso difícil» [58]. Johan Olsen ha observado igualmente que la reacción anticipada es una forma importante de coordinación política en los pequeños sistemas [59].

La centralización de las mayores empresas productoras en un sistema de «asociaciones de élite» es una consecuencia de la centralización de las estructuras internas característica del corporatismo democrático. La centralización es particularmente notable en la comunidad empresarial suiza, así como en el movimiento sindical austríaco. Además, las asociaciones de élite que caracterizan el corporatismo democrático poseen una base tan amplia que se aproximan a un monopolio representacional de sus circunscripciones electorales *de facto,* si no *de iure.* La centralización y el

---

[56] Eisenstadt, «Sociological Characteristics and Problems of Small States», pág. 40; Gabriel Sheffer, «Public Mood, Policy Making Elites and Surprise Attacks on Some Small States», artículo sin publicar, Cornell University, 1975, págs. 17-28, y Peter Lange, *Union Democracy and Liberal Corporatism: Exit, Voice and Wage Regulation in Postwar Europe,* Cornell University, Western Societies Program, Occasional Paper núm. 16 (Ithaca, 1983).

[57] Véase, por ejemplo para Norway Storing, *Norwegian Democracy,* pág. 125; para Austria y Switzerland, Peter J. Katzenstein, *Corporatism and Change: Austria, Switzerland and the Politics of Industry* (Ithaca, Cornell University Press, 1984), págs. 72 y 112, y para Suecia, Dankwart A. Rustow, *The Politics of Compromise: A Study of Parties and Cabinet Government in Sweden* (Nueva York, Greenwood, 1969), págs. 151-52.

[58] Ulf Torgersen, «Political Institutions», en Natalie Rogoff Ramsøy, ed., *Norwegian Society* (Oslo Universistetsforlaget, 1974), pág. 197.

[59] Johan P. Olsen, «Integrated Organizational Participation in Government», en Paul C. Nystrom y William H. Starbuck, eds., *Handbook of Organizational Design,* vol. 2: *Remodeling Organizations and Their Environments* (Oxford, Ozford University Press, 1981), págs. 509-11.

monopolio representacional de esas asociaciones cumbre son importantes en las dos formas en que los grandes grupos productores organizan sus objetivos políticos. La política se formula primeramente entre los dirigentes de los grupos productores, la burocracia estatal y los partidos políticos más importantes. La política se lleva a cabo entre los grupos productores a través de funcionarios de nivel medio, así como de la burocracia estatal. Esta combinación de política inter e intraorganizacional es un esfuerzo elaborado para promover el consenso político dentro de y entre las organizaciones. Esto tiende a difuminar la distinción entre público y privado.

Los niveles de afiliación sindical ilustran el carácter absorbente de los principales grupos productores en los pequeños Estados europeos. Entre los grandes Estados industriales sólo Gran Bretaña se acerca a las tasas de sindicación de los pequeños Estados europeos [60]. No disponemos de medidas estadísticas comparables y sistemáticas sobre la «organización de los capitalistas». Pero los datos que tenemos sugieren que las condiciones favorecen la penetración institucional de la comunidad empresarial en los pequeños Estados europeos mucho más que en los grandes. El pequeño tamaño de los mercados internos correlaciona altamente con diferentes grados de concentración industrial. Efectivamente, John Stephens clasifica a los siete pequeños Estados europeos con un alto grado de monopolización económica y a todos los grandes Estados industriales con un bajo nivel de monopolización [61]. Naturalmente, sería arriesgado inferir una estructura institucional centralizada en la comunidad empresarial de una estructura económica centralizada. Pero algunos de estos países dan crédito a la idea de que la estructura económica en estas instancias determina las formas institucionales [62]. Finalmente, toda la literatura sobre políticas corporatistas ha adoptado una simetría en el grado de centralización de los sindicatos, por un lado, y de los empresarios, por otro; midiendo directamente el primero, se dice, estamos midiendo indirectamente el segundo. Resumiendo su análisis comparativo de los Estados indus-

[60] John P. Windmuller, «Concentration Trends in Union Structure: An International Comparison», *Industrial and Labor Relations Review*, 35 (octubre 1981), págs. 43-57, y John D. Stephens, *The Transition from Capitalism to Socialism* (Londres, Macmillan, 1979), pág. 118. Debido al éxodo de trabajadores extranjeros, la proporción de sindicados dentro de la fuerza de trabajo suiza se incrementó considerablemente en los años 70, y para los años 80 era del 38 por 100, en comparación con el 27 por 100 registrado por Stephens a través de las estimaciones de principios de los 70.
[61] Stephens, *Transition from Capitalism to Socialism*, págs. 91-93, 110 y 118-19. Japón no está incluido en este estudio.
[62] Werner Mellis, «Aufgaben und Bedeutung der Handelskammern im Ausland», en Johannes Koren y Manfred Ebner, eds., *Österreich auf Einem Weg: Handelskammern und Sozialpartnerschaft im Wandel der Zeiten* (Graz, Stocker, 1974), págs. 11-26. Véase también Vorort des Schweizerischen Handelsund Industrie-Vereins, «Der Aufbau der Europäischen Industrie-Spitzenverbände (Stand, Ende 1975) - Ergebnisse einer Umfrage», Zurich, mayo 1977.

triales, Stephens concluye así que los países «entran claramente en dos categorías, las pequeñas democracias y las grandes democracias, con un gran vacío entre ellas» [63].

Quizá, el ejemplo más frecuentemente citado sobre la centralización del corporatismo democrático es el sistema de relaciones industriales de los pequeños Estados europeos. La política de rentas y la negociación colectiva estaban íntimamente ligadas en la negociación salarial central y «privada» de Suecia y en la política oficial y «pública» de rentas de Holanda en los años 50 y 60. De hecho, todos los pequeños Estados industriales con la sola excepción de Suiza, tienen sistemas de negociación colectiva altamente centralizados. Incluso Bélgica en el curso de los 70 pasó a una negociación y resolución de conflictos de alto nivel, desplazamiento que quedó claramente ejemplificado por el plan de recuperación económica del gobierno de 1980-81. En palabras de Anne Romanis, para resumir, «en cinco de lo seis Estados europeos más pequeños y abiertos —y en sólo una gran economía, Alemania Occidental— las federaciones coordinadas de empresarios más poderosas están a su vez frente a sindicatos de trabajadores coordinados. Por otra parte, en seis de los siete grandes Estados industriales, los sindicatos de trabajadores descoordinados se encuentran frente a organizaciones de empresarios descoordinadas» [64].

La tercera característica del corportismo democrático es una coordinación voluntaria e informal de los objetivos en conflicto. La coordinación se logra mediante negociaciones políticas sostenidas entre los mayores grupos de productores, las burocracias estatales y los partidos políticos a lo largo de diferentes sectores de la política pública, con relaciones más o menos explícitas [65]. Las transacciones en los mercados y el dominio jerárquico en las burocracias estatales existen, por supuesto, en el corporatismo democrático, pero no pertenecen a su esencia. Por el contrario, los actores sociales importantes están incluidos de forma sistemática en la red política, adquiriendo así un interés en la operación continua de esa red, incluso aunque no estén satisfechos con los resultados políticos concretos. La «interpenetración sectorial» de las burocracias estatales y de los grupos de interés abre el camino a un proceso de «coordinación transectorial» [66]. Los grupos de interés participan en la formulación y

---

[63] Stephens, *Transition from Capitalism to Socialism,* pág. 117.

[64] Anne Romanis, «Cost Inflation and Incomes Policies in Industrial Countries», *IMF Staff Papers,* 14 (marzo 1969), págs. 196.

[65] Gerhard Lehmbruch, *«Liberal Corporatism and Party Government» en* Schmitter y Lehmbruch, *Trends Toward Corporatist Intermediation,* págs. 147-84.

[66] Roland Czada y Gerhnard Lehmbruch, «Economic Policies and Societal Consensus Mobilization: "Sectorial Tripartism" vs. "Corporatist" Integration» (artículo reparado para el seminario sobre Representación de Intereses en los Gobiernos Mixtos, European Consortium for Political Research, Lancaster, 29 de marzo-4 de abril de 1981), págs. 4-5; Lehmbruch, «European Neo-Corporatism: An Export Article?», Woodrow Wilson Center, *Colloquium Paper* (Washington, D. C., abril 1982), págs. 12-19.

puesta en marcha de políticas que van más allá de sus intereses sectoriales específicos, para incluir objetivos políticos tan amplios como el pleno empleo, la estabilidad y el crecimiento económicos o la modernización de la industria. La consecuencia de este modelo de política es claro: las leyes del gobierno representan una parte mayor dentro de las propuestas legislativas en los pequeños Estados europeos que en los grandes países industriales (93 por 100, comparado con el 66 por 100). El grado de éxito de las propuestas legislativas del ejecutivo es también mayor (93 por 100, comparado con un 52 por 100) [67]. Entre los grandes países sólo Gran Bretaña comienza a aproximarse a los datos de los pequeños Estados.

Las expectativas que los actores políticos aportan al proceso de coordinación están formadas no sólo por la sustancia de la materia a resolver, sino también por una aguda conciencia de la forma en que las diferencias sustantivas entre los grupos afectan a las disposiciones corporatistas. Los desacuerdos en cuestiones esenciales son mitigados por fuertes acuerdos en cuanto a los procedimientos, ya que así las diferencias de poder se ven cuidadosamente equilibradas. En la política corporatista no importa sólo la cuestión que está en juego sobre la mesa, sino también la forma misma de la mesa. El mismo proceso de coordinación de objetivos conflictivos crea un clima de previsibilidad política.

Las negociaciones políticas sobre precios y salarios son características de las políticas de rentas de la mayoría de los pequeños Estados europeos y ofrecen un excelente ejemplo de cómo funciona el proceso de una política corporatista. En Austria la política de rentas es informal, protegiendo a los dirigentes de los principales grupos de interés de verse atrapados entre las negociaciones sostenidas en la cumbre y las demandas realizadas por la base. Esto incluye otros sectores de la política —bienestar social, tributación y empleo— y es significativa, en primer lugar, por sus efectos políticos más que por los económicos. Suiza no tiene una política de rentas formal. Allí existe un vínculo menos explícito entre una política del mercado de trabajo que deja la contratación y el despido a la sola discreción de los empresarios y establece una lógica por la que los trabajadores extranjeros, de los que Suiza tiene un gran número, serán despedidos en primer lugar. Esta política ha asegurado virtualmente a los trabajadores suizos el pleno empleo durante los últimos treinta años. Lo que interesa en estos acuerdos corporatistas son los vínculos entre los diferentes actores políticos, los cuales generan expectativas a largo plazo. En comparación con los grandes Estados industriales, la negociación política en los pequeños Estados europeos se asemeja a un intercambio más que al trueque o control.

---

[67] Richard Rose, «Understanding Big Government», capítulo manuscrito 3, pág. 12. Japón, Noruega y Suecia no están incluidos en esta comparación.

¿Es el corporatismo democrático distintivo de los Estados industriales pequeños más que de los grandes? Algunos autores, utilizando una definición de corporatismo democrático, con la que estoy parcialmente en desacuerdo, sugieren que así es. Por ejemplo, Philippe Schmitter ordena los Estados industriales en base a las dimensiones de la eficacia fiscal (medida basada en diferentes indicadores del poder fiscal del gobierno); el corporatismo societal (medida de la centralización organizacional y el monopolio asociativo de las organizaciones de trabajadores), y la aceptación ciudadana (medida de la protesta o resistencia de iniciativa ciudadana en base a la protesta colectiva, las luchas internas o las huelgas) [68]. Estos tres conceptos guardan cierta semejanza con las tres características definitorias del corporatismo que he tratado anteriormente. La eficacia fiscal puede ser interpretada como una medida indirecta de los resultados económicos de la coordinación de objetivos políticos divergentes a lo largo de diferentes sectores políticos; el corporatismo societal es una forma de medir lo que yo identifico como grupos económicos de interés centralizados y concentrados, y la aceptación ciudadana es un indicador de la fuerza de la ideología de interés social y de la cultura del compromiso. En estas tres dimensiones la clasificación de Schmitter separa firmemente a los pequeños Estados europeos de los grandes países industriales. Alemania Occidental y Francia se sitúan por delante de Bélgica en la dimensión de la eficacia fiscal (coordinación intersectorial de la política). Alemania Occidental aventaja a Suiza en la dimensión del corporatismo societal (centralización de la estructura interna) y a Bélgica en la dimensión de la aceptación ciudadana (interés social). Pero sólo cuatro de las ochenta y cuatro comparaciones de posibles parejas (cada uno de los siete pequeños Estados comparado con cada uno de los cuatro grandes Estados) no apoyan el argumento de que las medidas corporatistas sean distintivas de los pequeños Estados europeos.

Otros estudios comparativos también apoyan esta conclusión, ya descansen en juicios sobre el grado de corporatismo o en indicadores numéricos más precisos. Tras una extensa investigación comparativa sobre las estructuras políticas de los Estados industriales avanzados, Manfred Schmidt afirmaba que el grado de corporatismo en los pequeños Estados europeos es aproximadamente el doble del que encontró en los grandes Estados industriales; J. E. Keman y O. Braun llegaron a la misma conclusión, y Gerhard Lehmbruch se halla igualmente de acuerdo [69]. Los da-

---

[68] Philippe C. Schmitter, «Interest Intermediation and Regime Governability in Contemporary Western Europe and North America», en Suzanne Berger, ed., *Organizing Interests in Western Europe: Pluralism, Corporatism and the Transformation of Politics* (Cambridge: Cambridge University Press, 1981), especialmente págs. 304-305 y 307.

[69] Manfred G. Schmidt, «The Role of Parties in Shaping Macroeconomic Policy», en Francis G. Castles, ed., *The Impact of Parties: Politics and Policies in Democratic Capitalist States* (Beverly Hills, Sage, 1982), págs. 97-176; J. E. Keman y O. Braun, «Social Demo-

tos de los estudios comparativos del *welfare state* apoyan nuevos soportes al punto de vista de que, en contraste con los grandes Estados industriales, los pequeños Estados europeos se distinguen por sus acuerdos corporatistas [70].

Por el contrario, las disposiciones corporatistas en los grandes países no muestran las características del corporatismo democrático. Parafraseando a Werner Sombart, los estudiosos de la política estadounidense han planteado repetidamente la cuestión de «¿por qué no existe el corporatismo en Estados Unidos?» [71]. Su respuesta, al igual que la de Sombart, apunta hacia hechos clave de la política americana: instituciones políticas descentralizadas, una fuerte ideología liberal y la prominencia de fuerzas políticas que favorecen las soluciones de mercado más que la concertación de grupo. La ideología y la política británicas, de base clasista, al igual que la estructura descentralizada de su movimiento sindical y grupos de empresarios, hizo fracasar repetidos intentos en los años 60 y 70 por parte de los gobiernos laborista y conservador de construir un orden corporatista. La política japonesa, en realidad, presenta una estrecha integración entre la empresa y el gobierno, bastante cercana a la que el fallecido Andrew Shonfield denominó un ejemplo de política corporatista [72]. En fuerte contraste con los pequeños Estados europeos, sin embargo, esta variante japonesa exhibe un «corporatismo sin mano de obra» que poco tiene que ver con la política distintiva de los pequeños Estados europeos [74].

cracy, Corporatism and the Capitalist State: Economic Crisis, Parliamentary Politics and Policy-Formation in 18 Capitalist Democracies» (artículo presentado al Seminario del ECPR «Modern Theories of State and Society», Lancaster, Inglaterra, marzo-abril 1981), pág. 25; Lehmbruch y Philippe C. Schmitter, eds., *Patterns of Corporatist Policy-Making* (Beverly Hills Sage, 1982), págs. 16-22, y Lehmbruch, «Concertation and the Structure of Corporatist Networks», en Goldthorpe, *Orden and Conflict in Contemporary Capitalism.*

[70] Harold L. Wilensky, *The «New Corporatism» Centralization and the Welfare State* (Beverly Hills, Sage, 1976); Wilensky, «Leftism, Catholicism, and Democratic Corporatism: The Role of Political Parties in Recent Welfare State Development», en Peter J. Flora y Arnold J. Heidenheimer, eds., *The Development of Welfare States in Europe and America* (New Brunswick: Transaction, 1981), págs. 345-82; Castles, *Impact of Parties;* Stephens, *Transition from Capitalism to Socialism,* y David R. Cameron, «Social Democracy, Corporatism, and Labor Quiescence: The Representation of Economic Interest in Advanced Capitalist Society» (artículo presentado a la Conferencia sobre Representación y el Estado: Problemas de Gobernabilidad y Legitimidad en las Democracias Europeas Occidentales, Stanford University, octubre 1982).

[71] Robert H. Salisbury, «Why No Corporatism in America?», en Schmitter y Lehmbruch, *Trends Toward Corporatist Intermediation,* págs. 213-30, y Graham K. Wilson, «Why Is There No Corporatism in the United States?», en Lehmbruch y Schmitter, *Patterns of Corporatist Policy-Making,* págs. 219-36.

[72] Andrew Shonfield, *In Defence of the Mixed Economy* (Oxford, Oxford University Press, 1984).

[73] T. J. Pempel y Keiichi Tsunekawa, «Corporatism without Labor? The Japanese Anomaly», en Schmitter y Lehmbruch, *Trends Toward Corporatist Intermediation,* págs. 231-70.

[74] Peter J. Katzenstein, «Problem or Model? West Germany in the 1980s», *World Politics,* 32 (julio 1980), págs. 577-98.

III. Apertura, corporatismo y sistemas de partidos

En comparación con los grandes países industriales, como muestran las dos primeras secciones de este capítulo, los pequeños Estados europeos están más abiertos a la economía internacional y son más corporatistas en su organización interna. La apertura y el corporatismo están ligados de diversas formas a los partidos políticos. Mi argumento aquí converge con las conclusiones de otro analista de las políticas de renta europeas que en los años 40 y 50 afirmaba: «Los estudiantes del neocorporatismo y las políticas de rentas deben prestar más atención a la dimensión internacional de las economías políticas nacionales» [75].

Los análisis sobre cómo los pequeños Estados europeos *se las arreglan* con la apertura y la dependencia económica, enfatizan generalmente el hecho de que esos países son pequeños y de que los mercados internacionales son grandes. Debido a su tamaño, los pequeños países europeos se contemplan a menudo como manifestaciones armoniosas de la Nueva Atlántida de Bacon —dotados de coherencia, agilidad e inteligencia— [76]. Simon Kuznets, por ejemplo, especula que la homogeneidad y el consenso social, por un lado, y la rapidez y eficacia de los ajustes políticos, por otro, deben ser las principales razones que permiten a los pequeños Estados superar las desventajas asociadas con su apertura y dependencia económicas [77]. En una dirección semejante, un economista húngaro, Béla Kádár, apunta ciertos rasgos característicos de las políticas internas de los pequeños Estados europeos que fomentan las intervenciones políticas en la economía interna y que contrarrestan la relativa debilidad en los mercados internacionales [78]. Incluso la valoración pesimista de David Vital sobre la viabilidad de los pequeños Estados señala que «el factor crucial en casi todos los casos es el humano... Donde la sociedad es coherente y está firmemente dirigida, con frecuencia pueden superarse grandes obstáculos» [79]. De diversas formas, estas evaluaciones coinciden en que los pequeños Estados europeos compensan su apertura y dependencia económicas en los mercados mundiales mediante esfuerzos políticos internos. Pero necesitamos reemplazar las suposiciones místicas sobre la coherencia social y el objetivo común con un análisis de qué

---

[75] Peter Lange, «The Conjunctural Condition for Consensual Wage Regulation: An Initial Examination of Some Hypotheses» (artículo preparado para su presentación al Encuentro Anual de la Asociación Americana de Ciencia Política, Nueva York, septiembre 1981), pág. 66.
[76] Kristensen y Levinsen, *Small Country Squeeze*, pág. 132.
[77] Kuznets, «Economic Growth», págs. 28-30, y Kuznets, *Six Lectures*, págs. 98-99.
[78] Kádár, *Small Countries in World Economy*, págs. 9 y 14.
[79] David Vital, *The Inequality of States: A Study of Small Powers in International Relations* (Oxford: Clarendon, 1967), págs. 190-91, y Lange, «Conjunctural Condition for Consensual Wage Regulation», págs. 62 y 64.

es lo que conforma las estructuras internas y cómo esas estructuras internas condicionan determinadas elecciones políticas.

Según se expone con más detalle en el capítulo 4, las crisis internacionales pasadas y la vulnerabilidad política han fortalecido de forma repetida los acuerdos cooperativos en los pequeños Estados europeos. En el caso de Bélgica tales acuerdos ya existían en los primeros momentos del nuevo Estado; se estableció una coalición entre liberales y católicos durante la secesión del país en 1830. En Holanda la «política de adaptación» [80] sobre las cuestiones fuertemente debatidas de religión y educación se vio fortalecida por el comienzo de la primera guerra mundial. La incorporación del Partido Socialista Suizo en el consejo federal en 1943 fue resultado de una convergencia entre la izquierda y la derecha, una convergencia forzada durante los años 30 y 40 por el fascismo y la guerra y fortalecida por la larga tradición suiza de la representación proporcional lingüística y geográfica de los diferentes sectores de la sociedad. Austria, haciendo frente a la ocupación de los cuatro Aliados, a la vez que a enormes desigualdades económicas, estableció un gobierno con todos los partidos de 1945 [81].

Desde mediados de los años 50 las exigencias de la competitividad internacional, que son resultado de una creciente economía liberal internacional, han contribuido al mantenimiento de un corporatismo democrático. Menos dramáticos y caóticos que los sucesos de los años 30 y 40, los déficits comerciales estructurales de los pequeños Estados europeos han reforzado los modelos corporatistas en los pequeños Estados europeos, ilustra este punto. El control sobre precios y salarios es particularmente urgente en los pequeños Estados europeos, los cuales importan inflación de los mercados mundiales. «En términos generales», señala Lehmbruch, «las políticas de rentas corporatistas han sido casi siempre una especie de gestión de la crisis donde, bajo la tensión económica, las organizaciones han estado dispuestas a cooperar» [82]. La mezcla de limitación de salarios y control de precios es con frecuencia una exigencia de la competitividad internacional, y la necesidad de estabilidad económica se vuelve apremiante si se ha de lograr el equilibrio de la balanza de pagos. En diez ocasiones en la política de rentas de los años 40 y 50, ha señalado Peter Lange, la lógica de la vulnerabilidad económica prevaleció sobre la lógica de la militancia obrera al forzar unos resultados políticos

[80] Arend Lijphart, «Consociational Democracy», *World Politics,* 21 (octubre 1968), pág. 216; Lijphart, *The Politics of Accommodation: Pluralism and Democracy in the Netherlands* (Berkeley, University of California Press, 1968).

[81] Gerhard Lehmbruch, «Konkordanzdemokratien im internationalen System. Ein Paradigma für die Analyse von Internen und Externen Beding-ungen Politischer Systeme», *Politische Vierteljahresschrift,* 10 (1969), número especial, núm. 1, págs. 149-54.

[82] Lehmbruch, «European Neo-Corporatism», pág. 17.

que empujaron a negociaciones salariales consensuales [83]. Ulman y Flanagan llegaron a una conclusión similar para los años 60. Al menos en el corto plazo, para los pequeños Estados europeos «la crisis actual proporciona un ejemplo de la influencia civilizadora de la adversidad común en el comportamiento comunal... Los problemas sociales que no dan lugar a presiones competitivas surgidas de la actividad individual deben abordarse no sólo por parte del Estado, sino también a través de las actividades de los grupos de interés que pueden haberlos provocado en un primer momento» [84].

Enfrentados a la división existente entre los sectores económicos orientados hacia el exterior y los orientados hacia el interior, los pequeños Estados europeos han desarrollado estructuras corporatistas que permiten la previsión política, facilitando la cooperación y el compromiso. Aunque sólo discute el caso noruego, Robert Kvavik caracteriza acertadamente la consecuencia de la centralización para todos los pequeños Estados europeos: «Las decisiones se toman con referencia a algún estándar nacional aceptable... de tal forma que los objetivos de las asociaciones voluntarias se realizan acomodando los interses privados a un aceptado e invisible interés nacional... Todos los participantes (públicos y privados) se ven como responsables de sus circunscripciones tanto privadas como nacionales. Todos los participantes en el sistema se ven como partes del mismo» [85]. Las presiones externas fuerzan la adaptación interna incluso en sociedades, como la suiza, que presentan instituciones y prácticas menos centralizadas: «la gente rechaza las políticas de oposición porque saben, en definitiva, que su seguridad y riqueza dependen de la confianza que inspiren en otros lugares» [86]. Gerhard Lehmbruch llega a una conclusión similar: «Incluso en países donde, en sentido estricto, está ausente un movimiento obrero con conciencia de clase (como en Japón) o donde la clase social es menos importante para la estructura divisoria de la sociedad (como en Suiza), las percepciones de la dependencia internacional pueden empujar a las élites a establecer modelos de coordinación de grupos gubernamentales y de interés con una afinidad funcional con la parte modal del corporatismo. Esto incluye cierto tipo de integración de los trabajadores, pero los mecanismos son diferentes» [87]. Los pequeños Estados europeos presentan, pues, una amplia aceptación del interés nacional y de la adaptación política entre los actores públicos y privados.

---

[83] Lange, «Conjunctural Condition for Consensual Wage Regulation», págs. 62 y 64.

[84] Lloyd Ullman y Robert J. Flanagan, *Wage Restraint: A Study of Incomes Policies of Western Europe* (Berkeley, University of California Press, 1971), págs. 219 y 222-23.

[85] Robert B. Kvavik, *Interest Groups in Norwegian Politics* (Oslo, Universitetsforlaget, 1976), págs. 26-27 y 156-58.

[86] Jane Kramer, «A Reporter in Zurich», New Yorker, 15 de diciembre de 1980, pág. 134.

[87] Lehmbruch, «Introduction: Neo-Corporatism in Comparative Perspective», pág. 25.

¿Cómo podemos analizar de forma sistemática estos diferentes mecanismos de integración de los trabajadores? Michael Shalev ha realizado un útil examen de los estudios más importantes realizados sobre esta materia en los años 70 y 80 [88]. Un rasgo básico de lo que él llama el modelo Socialdemócrata es la integración del movimiento obrero mediante fuertes partidos socialistas y fuertes movimientos laborales en un consenso nacional. El *welfare state* moderno es el resultado del conflicto de clases; su mayor apoyo ha sido la clase trabajadora y los partidos socialdemócratas han sido los principales partidos de la izquierda que han rebatido el cargo público con grandes oportunidades para el éxito. Así, la probabilidad de que los partidos socialdemócratas lleguen al poder e impongan reformas depende del grado de movilización de la clase trabajadora y de su institucionalización en partidos y sindicatos. El carácter de movilización, en cambio, depende de las características legadas históricamente a la sociedad y de las estrategias de las élites políticas. El modelo social demócrata sigue basado fundamentalmente en las clases, aunque permite los efectos independientes de las instituciones y la ideología del Estado en la prevención de la traslación automática del poder de la clase trabajadora a los resultados políticos. El corporatismo no ha sido el garante del ajuste entre intereses de clase divergentes. Pero en Escandinavia, por ejemplo, como señala Francis Castles, «el sistema corporativo pluralista ha constituido el instrumento mediante el cual las organizaciones de la clase trabajadora han estado integradas políticamente en la fábrica o en la sociedad capitalista» [89].

Aunque numerosos estudios apoyan la generalización de Shalev, existen excepciones significativas. Los fuertes acuerdos corporatistas, como señalan Cameron y Wilensky, pueden encontrarse en el contexto de fuertes partidos socialistas y de fuertes partidos católicos —o en la coincidencia de los dos— [90]. El corporatismo, afirman, no está fuertemente asociado a la dominación de un partido o una ideología particulares. Los datos sobre la movilización de la clase trabajadora (en base al porcentaje

---

[88] Michael Shalev, «Class Politics and the Western Welfare State», en Spiro y Yuchtman-Yaar, *Evaluating the Welfare State,* págs. 27-33; Shalev, «The Social Democratic Model and Beyond: Two "Generations" of Comparative Research on the Welfare State», *Comparative Social Research,* 6 (1983), págs. 319-23. Véanse también Gregory M. Luebbert, Harold L. Wilensky, Susan Reed Hahn y Adrienne M. Jamieson, «Comparative Social Policy: Theories, Methods, Findings» (paper prepared for a joint Wissenschaftszentrum Berlin/Stanford University Conference on Cross-National Policy Research, Berlín, 18-21 de diciembre de 1983); Leo Panitch, «Trade Unions and the Capitalist State», *New Left Review,* núm. 125 (enero-febrero 1981), págs. 21-43, y Jonas Pontusson, «Behind and Beyond Social Democracy in Sweden», *New Left Review,* núm. 143 (enero-febrero 1984), págs. 69-96.

[89] Francis G. Castles, *The Social Democratic Image of Society: A Study of the Achievements and Origins of Scandinavian Social Democracy in Comparative Perspective* (Londres, Routledge & Kegan Paul, 1978), pág. 131. Véase también Pontusson, «Behind and Beyond Social Democracy», pág. 90.

[90] Wilensky, «Leftism, Catholicism, and Democratic Corporatism», págs. 359 y *passim.*

de trabajadores sindicados y de la fuerza electoral de los partidos de izquierda) muestra que la movilización de la clase trabajadora es muy alta para el débil corporatismo británico y demasiado baja para los fuertes corporatismos de Holanda y Suiza [91]. El corporatismo, pues, no está firmemente asociado con la movilización de la clase trabajadora. La conclusión de Cameron concuerda con el argumento que expongo aquí: «la apertura de la economía tiene una fuerte repercusión en el crecimiento de la economía pública, mayor incluso que la intervención socialista. Para este crecimiento la dominación izquierdista no era una condición necesaria, dado que algunas naciones experimentaron grandes incrementos a pesar de la ausencia de una fuerte representación izquierdista en el gobierno. Incluidas en este último grupo están Holanda y Bélgica... que comparten, al menos, un rasgo común: sus economías son relativamente abiertas» [92]. Shalev concluye que «estas diversas calificaciones nos llevan a admitir que los mecanismos por los que los intereses y la influencia colectiva de la clase trabajadora están presentes en el Estado e influyen en la política son mucho más variables de lo que podría esperarse de la interpretación de la fuerza de la izquierda simplemente como la extensión del ejercicio de un socialismo democrático por parte del gobierno» [93].

Los Países Bajos son ejemplo de un mecanismo diferente de integrar a los trabajadores en los acuerdos corporatistas de una sociedad capitalista. En ambos países «los intereses de la clase trabajadora son transmitidos al Estado, lo cual les hace sentirse en la esfera política aun en ausencia de un partido de la clase trabajadora en el gobierno. En Holanda, y en menor medida en Bélgica, se observa un nivel de "esfuerzo por el bienestar social" comparable al de los países escandinavos y Austria, donde durante décadas los partidos socialdemócratas han disfrutado de una posición dominante o muy prominente en el gobierno» [94]. Menores niveles de organización de los trabajadores, períodos más cortos de mandatos socialistas y la caída de la política de rentas holandesa desde finales de los 60 hacen de Holanda una anomalía para aquellos estudios comparativos de la política corporatista que ponen el acento en la fuerza de la izquierda como el principal determinante. Stephens, por ejemplo, se vio obligado a denominar a Holanda un «caso desviado» de las políticas corporatistas. «Puede ser que el sistema holandés de centralización de las negociaciones sea resultado de la combinación de una gran dependencia en las exportaciones y de las "políticas de adaptación" más que de la fuerza

---

[91] Gösta Esping-Andersen y Walter Korpi, «From Poor Relief to Institutional Welfare States: The Development of Scandinavian Social Policy», artículo sin publicar, Instituto Sueco para la Investigación Social, septiembre 1981, cuadro 1.

[92] David R. Cameron, «The Expansion of the Public Economy: A Comparative Analysis», *American Political Science Review*, 72 (diciembre 1978), pág. 1253.

[93] Shalev, «Class Politics and the Welfare State», pág. 40.

[94] *Ibid*, pág. 37. Véase también Shalev, «Social Democratic Model», págs. 338-39.

política y económica del movimiento de los trabajadores»[95]. El problema de separar a Holanda como un caso anómalo es obvio; a efectos de pequeño tamaño y de la apertura económica sobre el corporatismo, no son más excepcionales en Holanda que en cualquier otro de los pequeños Estados europeos. Pero el movimiento obrero holandés está integrado, no obstante, en la sociedad en unos términos muy diferentes a los de Escandinavia. En los años 70, por ejemplo, la asociación de empresarios holandesa estaba unificada, mientras que la federación de sindicatos estaba cada vez más descentralizada, aproximándose así al modelo suizo[96]. En términos políticos de partidos, por otra parte,

en un sistema de partidos reorganizado y estructurado en el que la fuerza confesional está reducida a un tercio del voto en vez de a la mitad, el partido laborista, el único gran partido capaz de ofrecer a los sindicatos una oportunidad mayor de ser escuchados, es todavía débil. Con gran frustración por su parte los socialistas, con un tercio del voto popular, permanecen dependientes en coaliciones con el bloque confesional, reagrupados en un único partido, el llamado Democratacristiano. Como reflejo de su postura centrista y su deseo de mantener una amplia base de apoyo, los democratacristianos se muestran receptivos a las preocupaciones de los sindicatos, pero no están dispuestos a aceptar o respaldar reformas fundamentales[97].

A lo largo de los años 70 la polarización e integración en Holanda se mantuvieron en un delicado equilibrio. La crisis económica de los años 70 mantuvo las relaciones industriales holandesas a mitad de camino entre un sistema descentralizado, con sindicatos conflictivos y autónomos, hacia el cual se desplazó a finales de los años 60, y el reestablecido sistema corporativo de los años 50. Como en los 50, la tarea primordial desde 1973 ha sido el limitar el crecimiento de los salarios, pero las formas institucionales y políticas de imponer las restricciones han cambiado. Ya no se asemejan a contratos sociales explícitos, sino que son una serie de medidas específicas coordinadas, destinadas a alcanzar un compromiso entre intereses divergentes. A pesar de esta diferencia en cuanto a la forma, Holanda ha respondido a la crisis económica de los años 70 y de los

---

[95] Stephens, *Transition from Capitalism to Socialism*, pág. 124.

[96] Gerhard Lehmbruch, «Interorganisatorische Verflechtungen im Neojorporatismus», en J. W. Falter, C. Fenner y M. T. Greven, eds., *Politische Willensbildung und Interessenvermittlung* (Opladen, Westedustscher Verlag, forthcoming), manuscrito págs. 11-12. Sobre Suiza véase también T. Michael Clarke, «Is Switzerland an Economic Success? An Empirical Evaluation of the Theories of Mancur Olson and Jean Christian Labelet» (Ginebra, Graduate Institute of International Studies, Center for Empirical Research in International Relations, 1983); Jean Christian Lambelet, «Switzerland's Economy: World Dependence versus Domestic stability», en Dobozi Keller y Metajka, *Small Countries and International Structural Adjustment,* págs. 147-62, y Leonardo Parri, «Svizzera: Áncora un Caso di Neo-corporativismo», *Stato e Mercato,* 10 (abril 1984), págs. 97-130.

[97] Steven B. Wolinetz, «Wage Regulation in the Netherlands: The Rise and Fall of the Postwar Social Contract» (artículo preparado para su presentación al Council for European Studies Conference of Europeanists, Washington, D. C., 13-15 octubre 1983), pág. 48.

80 al igual que en los 50, con unas limitaciones de salarios que están entre las más efectivas del mundo industrial [98]. Fue sintomático de este modelo general que en medio de la primera crisis del petróleo en 1973-74 los ciudadanos holandeses experimentaran una «psicosis de crisis» que aumentó la disposición de las élites políticas a cooperar [99].

Los Países Bajos sugieren que la integración de los trabajadores en los acuerdos corporatistas viene determinada por la necesidad de construir coaliciones gubernamentales en sistemas de partidos muy diversificados [100]. Francis Castles ha prestado atención a la importancia de los partidos de derecha, y concluye que no existen relaciones sistemáticas entre la apertura económica y la frecuencia de la intervención socialdemócrata [101]. Este dato muestra, no obstante, que la influencia de la apertura está mediatizada por los partidos políticos de derecha. La intervención de la derecha tiene una correlación fuertemente negativa con la apertura económica y con los generosos gastos sociales de los años 60 y 70, que señalaron una estrecha integración de los trabajadores en las economías políticas de los Estados industriales avanzados. «Si una economía cerrada es propicia al desarrollo de partidos de derecha fuertes y unificados, una vez desarrollados sería la tendencia ideológica de esos partidos la que determinaría el contenido de la política pública, al menos más que cualquier otro imperativo estructurado por la naturaleza de la economía» [102]. Los partidos unificados de la derecha se encuentran en los cinco grandes Estado industriales, pero sólo en Austria entre los siete pequeños Estados europeos.

«Partidos de la derecha», que en Europa occidental significa catolicismo político, es una etiqueta que significa diferentes cosas en diferentes marcos políticos, como argumenta Shalev:

---

[98] Erwin Zimmermann, «Entwicklungstendenzen des Korporatismus und die Industriepolitik in den Niederlanden»; en University of Constance, *Diskussionsbeitrag*, 1/1983, págs. 107-31. Sobre los años 70 véanse también Norbert Lepszy, *Regierung, Parteien und Gewekschaften in den Niederlanden: Entwicklung und Strukturen* (Dusseldorf, Droste, 1979); Ilja Scholten, «Does Consociationalism Exists? A Critique of the Dutch Experience», en Richard Rose, ed., *Electoral Participation: A Comparative Analysis* (Beverly Hills, Sage, 1980), págs. 329-54, y Ronald A. Kieve, «Pillars of Sand: A Marcist Critique of Consociational Democracy in the Netherlands», *Comparative Politics*, 13 (abril 1981), págs. 313-37.

[99] M. C. P. M. Van Schendelen, «Crisis of the Dutch Welfare State», *Contemporary Crises*, 7 (1983), pág. 227.

[100] Shalev, «Social Democratic Model», págs. 324-25, 327, 331 y 334-35.

[101] Véanse, por ejemplo, Castles, *Social Democratic Image of Society*, págs. 112-13, 131-42; Francis G. Castles, «How Does Politics Matter? Structure or Agency in the Determination of Public Policy Outcomes», *European Journal of Political Research*, 9 (junio 1981), págs. 127-28.

[102] Castles, «How Does Politics Matter?», pág. 126. Véase también «The Impact of Parties on Public Expenditure», en Castles, *Impact of Parties*, págs. 21-96.

«Existe una distinción que hacer entre los partidos católicos que se sitúan a la izquierda de un partido conservador importante, que tienen una deuda especial con los intereses de clase, y aquellos en los que el catolicismo entra en la política en calidad de hecho, si no de nombre, es decir, como un partido de derechas. La primera forma de alineación se encuentra en Bélgica y Holanda, la segunda en Alemania, Italia y Francia... El primer tipo es ideológicamente igualitario, gobierna frecuentemente con los partidos de izquierda y produce un Estado del Bienestar amplio y realmente redistributivo. El segundo tipo de partido, cuando ha sido dominante, ha sido responsable de una expansión considerable del bienestar, pero como una concesión a la izquierda en momentos de movilización de la clase obrera y de debilitamiento capitalista... El coste para los intereses derechistas se minimiza en la medida de lo posible en tales casos enfatizando programas y métodos financieros no redistributivos» [103].

En los Países Bajos los principales partidos laboristas no están excluidos de forma tan sistemática del poder del Estado como sucede en algunos grandes países y no asumen una postura de enfrentamiento con los empresarios y el Estado. De modo que no resulta sorprendente que, en contraste con Italia y Francia, exista en Bélgica y Holanda una tradición de negociaciones conjuntas centralizadas entre los representantes de los trabajadores, de los empresarios y del gobierno en cuestiones de política económica.

Las reglas electorales del juego influyen profundamente no sólo en la dinámica de formación de coaliciones entre partidos de izquierda y de derecha, sino también en cómo se integra la clase trabajadora en los acuerdos corporatistas. La representación proporcional, como ha señalado Stein Rokkan, es un rasgo característico de los pequeños Estados europeos. Entre los grandes países industriales sólo el sistema electoral de Alemania Occidental, descrito a menudo como una mezcla de pluralismo y de representación proporcional, se acerca bastante a las reglas electorales de los Estados pequeños. El principio de la proporcionalidad, que los partidos políticos de los pequeños Estados europeos adoptaron a principios del siglo XX, favorece la división del poder entre los diferentes actores políticos. Pero «¿por qué razón tienden las pequeñas democracias en general a rendirse mucho más rápidamente y con menos pesar a las presiones de poder que las grandes democracias? Para decirlo en los términos abstractos del juego teórico: ¿es teóricamente plausible el asumir que es más probable que los líderes de los partidos en Estados pequeños partan del modelo de suma cero de competición política que sus correspondientes de los grandes países?» [104]. Mi línea de razonamiento en este capítulo y en todo el libro responde a la cuestión de Rokkan de forma afirmativa. Además, con la excepción de Alemania Occidental, los pe-

---

[103] Shalev, «Class Politics», págs. 45-46.
[104] Stein Rokkan, *Citizens, Elections, Parties: Approaches to the Comparative Study of the Processes of Development* (Oslo, Universitetsforlaget, 1970), pág. 89.

queños Estados europeos tienen un número mucho menor de circunscripciones nacionales que los grandes países. Ronald Rogowski argumenta acertadamente que «los distritos uninominales, si eligen mediante el método angloamericano del pluralismo o mediante el sistema francés o el australiano de la mayoría absoluta... los representantes quedan más sometidos a las presiones proteccionistas de los intereses de poder locales... y tienden también a estimular los gastos públicos ineficaces que los americanos denominan familiarmente "pork barrel" (favoritismo)... Ambas tendencias —hacia un mayor proteccionismo y "asaltos" indiscriminados al tesoro público— deben socavar la eficacia competitiva de un Estado comercial avanzado» [105].

Una derecha dividida y la representación proporcional dan lugar a menudo a gobiernos minoritarios. La experiencia de la República de Weimar, así como las de Francia e Italia después de la guerra, marcadas por la oposición radical entre los partidos, ha dejado la impresión de que los gobiernos minoritarios se forman en Estados profundamente divididos y que resultan inestables y conflictivos. Pero los gobiernos minoritarios han tenido también una gran importancia en cinco de los siete pequeños Estados europeos. Entre 1945 y 1982 los gobiernos minoritarios constituían más de la mitad de todos los consejos en Escandinavia y alrededor del 15 por 100 en los Países Bajos [106].

El efecto de un gobierno minoritario en el proceso político es muy marcado en todos los epqueños Estados europeos. «El secreto del gobierno en Dinamarca, una de las sociedades europeas más estables», comentaba el *New York Times,* «no es la creación de una mayoría trabajadora; es el de asegurar que no exista una mayoría trabajando en la oposición» [107]. De forma similar, Hans Daalder escribe que en Holanda «los efectos divisorios de la segmentación quedan suavizados por la circunstancia de que ninguna subcultura tiene muchas oportunidades de conseguir una mayoría independiente, mientras que al mismo tiempo existe una pequeña ventaja para los que formen una coalición duradera en contra de un tercero» [108]. En Suecia, de acuerdo con Nils Stjernquist, «el prin-

---

[105] Ronald Rogowski, «Some Possible Effects of Trade and War on Representative Institutions and Party Systems: Evidence from the OECD States between 1955 and 1980», artículo sin publicar, Center for Advances Study, Stanford, Calif., 1984, págs. 40-41.

[106] Kaare Srom, «Party Goals and Government Performance in Parliamentary Democracies» (artículo preparado para su presentación en 1983 al Encuentro Anual de la American Political Science Association, Chicago, 1-4 de septiembre de 1983), pág. 8. This paper builds on his «Minority Government and Majority Rule» (Ph. D. diss., Stanford University, 1983). Véase también Hans Daalder, «Cabinets and Party Systems in Ten Smaller European Democracies», *Acta Politica,* 6 (1971), págs. 282-303.

[107] *New York Times,* 10 enero 1984, pág. A3.

[108] Hans Daalder, «The Netherlands: Opposition in a Segmented Society», en Dahl, *Political Oppositions,* pág. 219.

cipal objetivo de una oposición en un sistema de este tipo sería influir en el proceso político. Los medios disponibles para la oposición serían los compromisos, sus tácticas, los pactos... [A partir de 1936] la oposición... adoptó una nueva política; en las campañas electorales, el sistema inglés; en el Parlamento y otros lugares, la colaboración con el gobierno, con el fin de influir en la toma de decisiones políticas en la medida de lo posible» [109]. Esta cita sobre Suecia caracteriza también el papel de la oposición tanto en Suiza como en Austria, «gobernados más de la mitad de los años desde 1945 por los gobiernos multipartidistas. Aquí, como en los Países Bajos y en Escandinavia, la victoria electoral es uno de dos importantes premios; el otro es la influencia considerable que ejerce la oposición sobre la política» [110].

Los gobiernos minoritarios son, pues, una respuesta racional de los partidos, que están orientados primeramente a influir en la política más que a acumular votantes. Es la opción preferida de los partidos políticos, especialmente en Estados como Noruega, Dinamarca y Holanda, que vivieron serios aumentos en la inconstancia electoral en los años 60 y 70. En estos tres países la incidencia de los gobiernos minoritarios aumentó casi el triple entre los años 50 y 70 [111]. Un sistema de gobiernos minoritarios combina bien con el sistema de partidos de los pequeños Estados europeos porque, lejos de perjudicar a los partidos de la oposición, ofrece a estos partidos una influencia significativa sobre la política.

El corporatismo de los pequeños Estados europeos está, en suma, ligado a un sistema de partidos distintivo que ofrece fuertes, así como diferentes, mecanismos de integración de la clase trabajadora en un consenso corporatista. El sistema de partidos de los pequeños Estados europeos, comparado con el de los grandes Estados industriales, se distingue por una mayor movilización del electorado, un mayor grado de fragmentación partidista de la legislatura y vínculos más fuertes entre los partidos políticos y los grupos de interés [112]. La tabla 2 presenta datos comparativos sobre esas tres dimensiones, así como sobre las reglas electorales, el número de distritos electorales, el porcentaje de voto para los partidos no derechistas y el número de partidos parlamentarios. En todos los indicadores los pequeños Estados europeos se encuentran por encima de los grandes países industriales. Exceptuando uno de los rangos combinados, 185 de las 210 comparaciones de parejas posibles (cada uno de

---

[109] Nils Stjernquist, «Sweden: Stability or Deadlock?», en Dahl, *Political Oppositions,* págs. 133 y 136.

[110] Katzenstein, *Corporatism and Change.*

[111] Kaare Srom, «Minority Government and Majority Rule», artículo sin publicar, Stanford University, enero 1982, pág. 36.

[112] G. Bingham Powell, Jr., *Contemporary Democracies: Participation, Stability, and Violence* (Cambridge, Harvard University Press, 1982), págs. 14, 81, 90 y 91.

los siete pequeños Estados con cada uno de los grandes por seis columnas diferentes), o el 88 por 100, apoyan la expectativa de que los sistemas de partidos de los pequeños Estados europeos difieren significativamente de los existentes en los grandes países industriales.

El partidismo político en cuestiones de política económica es menos importante en los pequeños Estados europeos que en los grandes países industriales. El «reaganismo», el «thatcherismo» y el nuevo conservadurismo han cambiado drásticamente el enfoque de Estados Unidos y Gran Bretaña en cuestiones de política económica. El contraste con Suecia es notable en este punto. Una coalición encabezada por los conservadores arrebató el control de manos de los socialdemócratas en 1976, tras cuarenta años de gobierno socialdemócrata. En los años siguientes, sin embargo, no se ha producido ninguna reorientación fundamental en la política —excepto en la nacionalización a amplia escala de las empresas privadas enfermas—. Esping-Andersen concluye que «no es del todo falso proclamar que los gobiernos burgueses fueron más socialdemócratas que el SAP» [113].

En los grandes países industriales el efecto del partidismo sobre el tamaño del sector público es bastante pronunciado. En marcado contraste, la gran expansión en la economía pública tanto de Holanda (gobernada la mayor parte de la postguerra por gobiernos de coalición encabezados por conservadores o liberales) como de Suecia (regida por los socialdemócratas) ilustra que en los pequeños Estados europeos generalmente «todos los gobiernos —ya estén formados por partidos izquierdistas o no izquierdistas— se han visto obligados por las exigencias de la economía abierta a extender el papel del Estado... La apertura de la economía es la predicción más simple del crecimiento del Tesoro Público relativo al producto económico de una nación» [114]. Otro observador concluye de forma similar que la «asociación entre unos gastos elevados y el predominio socialdemócrata en el gobierno —característico de los países escandinavos, pero no de Holanda— parece derivarse principalmente del hecho de que ambos son productos del mismo conjunto de factores estructurales...» [115].

Estos factores estructurales incluyen, como ha argumentado Cameron de forma convincente, un alto grado de apertura económica que coincide con una concentración de la propiedad industrial, especialmente en el sec-

---

[113] Gösta Esping-Andersen, «Fifty Years of Social Democratic Rule: Single Party Dominance in Sweden» (artículo preparado para su presentación en la Universidad de Cornell, abril 1984), pág. 9.

[114] Cameron, «Expansion of the Public Economy», págs. 1253-54. Véase también Castles, «How Does Politics Matter?», págs. 119-32.

[115] Rudolf Klein, «Public Expenditures in an Inflationary World», artículo presentado a la conferencia de la Brookings Institution sobre inflación, Washington, D. C., 1978, pág. 46.

tor de la exportación, un pequeño número de asociaciones de empresarios, altos grados de sindicación, escasas pero efectivas federaciones sindicales nacionales, una difusión de los convenios colectivos y un creciente poder de los sindicatos de obreros industriales —en definitiva, con muchas de las condiciones estructurales que facilitan el corporatismo democrático— [116]. La política gubernamental tras la primera crisis del petróleo confirma la importancia de la apertura económica y la elección partidista en el corporatismo [117]. Manfred Schmidt argumenta que mientras la extensión del sector público fue bastante sensible al hecho de que el poder estuviera ejercido por partidos izquierdistas o derechistas, algunos gobiernos socialdemócratas eran fiscalmente conservadores, mientras que algunos gobiernos de la derecha aumentaron sustancialmente la imposición y el gasto. De importancia decisiva en los años 70, señala Schmidt, fue la distribución del poder fuera del Parlamento.

La apertura económica, el corporatismo y un distintivo sistema de partidos sitúan a los pequeños Estados europeos aparte de los grandes países industriales. La correlación entre esas variables es tan alta que los análisis estadísticos tienen pocas posibilidades de ayudarnos mucho más en el descubrimiento de nuevas relaciones. Una explicación funcional de cómo el corporatismo se mantiene y reproduce podría ser, en cambio, sustituida por una explicación histórica en sus orígenes, tarea sobre la que volveré en el capítulo 4.

IV. Corporatismo liberal y social

Las estructuras corporatistas de los pequeños Estados europeos se encuentran también establecidas en los mercados mundiales. Reforzadas mediante sistemas de partidos distintivos, las presiones del mercado han ayudado a integrar a los trabajadores, a las empresas y al gobierno en la firma de acuerdos de colaboración para el desarrollo. Aunque «el corporatismo», señala correctamente Shalev, «es, después de todo, una descripción de ciertos pactos institucionales que difícilmente pueden comprenderse sin referencia a la estructura de clase, al poder y al conflicto» [118]. Existen diferencias sistemáticas entre los pequeños Estados eu-

---

[116] Cameron, «Expansion of the Public Economy». Véase también Michael Wallerstein, «The Structure of Labor Federations, the Growth of Welfare Expenditures, and International Openness», manuscrito sin publicar, University of Chicago, enero 1983.

[117] Schmidt, «Role of Parties». Véanse también Manfred G. Schmidt, «The Welfare State and the Economy in Periods of Economic Crisis: A Comparative Study of Twenty-Three OECD Nations», *European Journal of Political Research*, 11 (marzo 1983), págs. 1-26, y Schmidt, «Arbeitslosigkeit und Vollbeschäftigungspolitik: Ein Internationales Vergleich», *Leviathan*, 11, 4 (1983), págs. 451 y 72.

[118] Shalev, «Class Politics and the Welfare State», pág. 46.

TABLA 2. *Diferencias en el sistema de partidos de pequeños y grandes Estados*

	(1) Sistema electoral	(2) Número de distritos electorales (1974)		(3) Número de partidos parlamentarios (1945-80)		(4) Media de votos para todos los partidos, excluido el principal partido de la derecha (1960-77)		(5) Media de electoral como % de los grupos de edad elegible (1959-77)		(6) Fragmentación de la legislatura por partidos políticos (1960-65)		(7) Clasificación según los vínculos entre grupos y partidos	
		Ranking	*Números absolutos*	*Ranking*	*Números absolutos*	*Ranking*	*Números absolutos*	*Ranking*	*Números absolutos*	*Ranking*	*Números absolutos*	*Ranking*	*Números absolutos*
Suiza	Repres. proporcional	6	25	1	5	6	78	12	53	1	82	6	45
Holanda	Repres. proporcional	1	1	2	4,9	1	88	1	90	3	79	1	64
Bélgica	Repres. proporcional	8	30	4	3,7	3	84	3	88	7	68	2	50
Suecia	Repres. proporcional	7	28	6,5	3,2	2	85	5	86	6	71	5	46
Dinamarca	Repres. proporcional	4	17	3	4,3	4,5	81	4	87	4	74	4	47
Noruega	Repres. proporcional	5	19	6,5	3,2	4,5	81	7	82	5	72	7	40
Austria	Repres. proporcional	2	9	10	2,2	8,5	55	2	89	11	58	3	49
Media de los Estados pequeños		4,7	18	4,7	3,8	4,2	79	4,9	82	5,3	72	4	49

Estados Unidos	Repres. mayoritaria 10	435	12	1,9	11	52	11	59	12	49	12	20
Gran Bretaña	Repres. mayoritaria 12	635	11	2,1	8,5	55	8	74	10	59	8	38
Alemania Occidental	Repres. mayor.-prop. 3	10	9	2,6	10	54	6	84	9	61	9	36
Francia	Voto 11	489	5	3,3	7	65	10	70	2	80	10	34
Japón	Voto 9	124	8	3,1	12	48	9	71	8	62	11	24
Media de los Estados grandes	9	339	9	2,6	9,7	55	8,8	72	8,2	62	10	30

Fuentes: Cols. 1 y 3: Arend Lijphart, *Democracies: Patterns of Majoritarian and Consensus Government in Twenty-One Countries* (New Haven, Yale University Press, 1984), págs. 122, 152 y 155.

Cols. 2: Ronald Rogowski, «Research Note: Does Trade Determine Political Institutions?» (Stanford, Center for Advanced Stuty, 1984), pág. 17.

Col. 4: Gary P. Freeman, «Social Security in One Country? Foreing Economic Policies and Domestic Social Programs», documento preparado para su lectura en el Encuentro Anual de la Asociación Americana de Ciencia Política, Palmer House, Chicago, 1-4 de septiembre de 1983, pág. 6.

Cols. 5-7: G. Bingham Powell Jr., *Comtemporary Democracies: Participation, Stability, and Violence* (Cambridge, Harvard University Press, 1982) págs. 14, 81 y 90-91.

ropeos en la relativa centralización y orientación de las empresas y en el poder y centralización de los trabajadores (en base a las tasas de afiliación, voto de izquierda e intervencionismo socialdemócrata). Suiza tiene una particular afinidad con Holanda y Bélgica. Estos tres países poseen comunidades empresariales centralizadas, políticamente fuertes y de orientación internacional, y movimientos obreros débiles y relativamente descentralizados; constituyen variantes liberales del corporatismo democrático. Austria, Noruega y Dinamarca poseen sindicatos fuertes y centralizados y comunidades de empresarios que son políticamente débiles, con una orientación nacional y una relativa descentralización. Son variantes sociales del corporatismo democrático. Suecia combina estos dos modelos políticos.

La fuerza relativa de empresarios y trabajadores se refleja en las diferentes opciones políticas. Algunos favorecen los programas que conceden las máximas competencias a la iniciativa privada y buscan modificar los resultados del mercado proveyendo un sostenimiento de las rentas suplementario con prestación de bienes tras la comprobación de los medios de vida; otros, programas que favorecen la intervención pública e intentan estructurar o reemplazar procesos de mercado; por ejemplo, mediante la provisión de vivienda pública o salud pública y seguridad social universal, para los cuales la elegibilidad depende no del empleo, sino de la ciudadanía [119]. Esta diferencia se refleja en dónde y cómo se adaptan los pequeños Estados europeos al cambio económico; en términos generales, existen dos grupos de respuestas. La adaptación global y la compensación privada del corporatismo liberal contrasta con la adaptación nacional y la compensación pública del corporatismo social. Esta distinción entre las dos respuestas muestra que el corporatismo puede aparecer en contextos políticos sustancialmente diferentes. Las opciones políticas en una serie de sectores ilustran las diferencias entre los países del grupo I (Suiza, Holanda, Bélgica) y el grupo II (Dinamarca, Noruega, Austria). Suecia podría ejemplificar las opciones políticas de ambos grupos.

Adaptación global vs. adaptación nacional

En los pequeños Estados europeos las empresas pueden variar notablemente en su carácter. En Suiza, Holanda, Bélgica y Suecia la empresa tiene una orientación internacional y está menos centralizada. Los datos de la tabla 3 ilustran este punto. Esta diferencia entre los pequeños Es-

---

[119] Shalev, «Social Democratic Model», págs. 317, 325-26, 332-33, 335-36 y 340. Estas distinciones han sido elaboradas por Gösta Esping-Andersen y Walter Korpi; véase «The State as a System of Stratification: Class Mobilization and the Manufacturing of Solidaristic Policies» (artículo preparado para la Tercera Conferencia Anual del Consejo de Estudios Europeos, Washington, D. C., abril 1982).

TABLA 3. *Las comunidades empresariales de los pequeños Estados europeos en orden a su orientación internacional y su centralización*

	(1) Producción internacional en filiales extranjeras, como % de las exportaciones (1971)		(2) Inversión extranjera directa por trabajador en $ (1971)		(3) Exportaciones por trabajador en $ (1971)		(4) Balance global de la situación de los tres mayores bancos/PNB (1971)		(5) Monopolio asociacional de empresas		(6) Suma de las rangos de las cols. (1)-(5)	
	Ranking	%	Ranking	Números absolutos	Ranking	Números absolutos	Ranking	Números absolutos	Ranking	%	Ranking	Suma
1. Suiza	1,0	236	1,0	3,077	4,0	1.906	1,0	1,07	1,5	10,0	1,0	8,5
2. Holanda	3,5	52	3,0	916	2,0	2.925	2,0	0,46	1,5	10,0	2,0	12,0
3. Bélgica	3,5	52	4,0	822	1,0	3.122	3,0	0,41	3,0	7,0	3,0	14,5
4. Suecia	2,0	92	2,0	1,123	3,0	2.187	4,0	0,31	6,5	3,0	4,0	17,5
5. Dinamarca	5,0	16	5,0	128	6,0	1.527	5,0	0,29	6,5	3,0	5,0	27,5
6. Noruega	6,0	8	6,0	58	5,0	1.646	7,0	0,17	5,0	4,0	6,0	29,0
7. Austria	7,0	3	7,0	13	7,0	1.046	6,0	0,22	4,0	5,0	7,0	31,0
Media (1-3)	2,7	113	2,7	1,605	2,3	2.651	2,0	0,64	2,0	9,0	2,0	11,7
Media (5-7)	6,0	9	6,0	66	6,0	1.406	6,0	0,23	5,2	4,0	6,0	29,2

Fuentes: Cols. 1-2: Naciones Unidas, *Multinacional Corporations in World Development*, ST/ECA/190 (Nueva York, 1973), pág. 159.

Cols. 3-4: Herbert Ammann, Werner Fassbind y Peter C. Meyer, «Multinationale Konzerne der Schweiz und Auswirkungen auf die Arbeiterklasse in der Schweiz», Instituto de Sociología, Universidad de Zurich, 1975, págs. 106-107.

Col. 5: Este indicador varía de 0 a 12 y mide el número de organizaciones empresariales en diferentes sectores económicos que están incluidas en la asociación élite de empresarios. Vorort des Schweizerischen Handels- und Industrievereins, «Der Aufbau der europäischen Industrie - Spitzenverbände: Ergebnisse einer Umfrage (Stand: Ende 1975)», no publicado (Zurich, 1977), pág. 16.

Col. 6: Lista combinada de las columnas (1)-(5).

tados europeos puede trazarse en el contraste entre las estrategias internacional y nacional de adaptación en las áreas de inversión exterior, investigación y desarrollo, comercio exterior y concentración industrial.

Las variaciones en las experiencias de los pequeños Estados europeos explicarían quizá por qué los análisis de todos los pequeños Estados industriales avanzados llegan a diferentes conclusiones sobre la importancia relativa de una comunidad empresarial orientada internacionalmente en general y del papel de corporaciones multinacionales en particular. Apoyándose en la prominencia de firmas tales como Philips, Unilever o Ciba-Geigy, algunos autores han señalado que la gran empresa puede existir sin grandes mercados interiores. Las grandes empresas en los pequeños Estados europeos han triunfado al superar las restricciones que un mercado interior pequeño impone en su crecimiento mediante acciones anticipadas, rápidas y sostenidas de cara a la exportación, primero, y a la internacionalización de la producción, después. No es, por lo tanto, una sorpresa que el grado relativo de internacionalización de las grandes multinacionales en Suiza, Holanda y Suecia sea mayor que en Estados Unidos y que en Bélgica sea sólo ligeramente menor [120]. No obstante, otros analistas de la empresa internacional en los pequeños Estados europeos o no discuten los países del grupo I o subrayan el hecho de que la tendencia hacia la internacionalización es mucho más débil en los pequeños Estados europeos que en los grandes Estados industriales y que las empresas en los pequeños Estados europeos tienden generalmente a ser mucho menores [121].

Las dos formas de ajuste al cambio están gráficamente ilustradas por la extensión con que las empresas de los pequeños Estados europeos localizan instalaciones de producción en el extranjero. A finales de los 60 y principios de los 70 la media para Suiza, Holanda, Bélgica y Suecia superaba las cifras correspondientes al grupo II de países por un factor de 30 en la cantidad total de inversión directa en el extranjero [122], de 16 en el número de empresas entre las 650 mayores corporaciones multinacionales [123], de 15 en el flujo anual de inversión extranjera directa [124] y por un factor de 5 en el número total de empresas multinacionales [125]. Si se mide

[120] Bornschier, *Wachstum, Konzentration und Multinationalisierung*, págs. 457 y 497.
[121] Kristensen y Levinsen, *Small Country Squeeze*, pág. 176, y Lawrence G. Franko, *The European Multinationals: A Renewed Challenged to American and British Big Business* (Stanmford, Greylock, 1976).
[122] Bornschier, *Wachstum, Konzentration und Multinationalisierung*, pág. 342, y United Nations, *Transnational Corporations in World Development: A Re-Examination* (New York, 1978), pág. 212.
[123] Naciones Unidas, *Multinational Corporations in World Development* (Nueva York, 1973); véase también N. U., *Transnational Corporations: A Re-Examination*, pág. 138.
[124] N. U., *Transnational Corporations: A Re-Examination*, pág. 238.
[125] Bornschier, *Wachstum, Konzentration und Multinationalisierung*, pág. 342, y N. U., *Transational Corporations: A Re-Examination*, pág. 212.

en términos del flujo de inversión directa en el extranjero, la brecha entre estos dos grupos de Estados aumentó de forma sustancial durante los años 70 [126]. Entre los Estados que invierten en el extranjero puede dibujarse una nueva distinción en Suiza y Holanda las corporaciones son mayores, tienen una mayor preferencia por la producción extranjera y se expanden en el exterior con mayor rapidez que las de Bélgica o Suecia [127].

La internacionalización de la producción ha jugado un papel central en la estrategia suiza dentro de la economía internacional. La prosperidad de la industria química suiza en los años 60 y 70 contrasta con los grandes problemas que han plagado la industria relojera suiza en los últimos años. Los relojes suizos se fabricaban hasta finales de los 70 sólo en territorio nacional y por eso estas diferentes experiencias son un profundo recuerdo de los beneficios que pueden acompañar a la internacionalización [128]. Las corporaciones multinacionales holandesas juegan un rol central en la vida económica de Holanda. A las corporaciones con más de 500 empleados corresponden la mayoría de los 190.000 puestos de trabajo perdidos en la industria holandesa entre 1970 y 1976. En contraste con la mentalidad económica suiza, la inversión holandesa en el extranjero se realiza a menudo por medio de empresas internacionales muy grandes, bajo propiedad y gestión conjunta; por ejemplo, con Gran Bretaña (Royal Dutch Shell y Unilever) y, durante unos años en los 70, con Alemania Occidental (Hoesch-Hoogovens y UFW-Fokker) [129]. También en contraste con Suiza existen algunos signos de que la inversión holandesa en el exterior se vio estimulada en los años 70, en parte, por el crecimiento del Estado del bienestar dentro de sus fronteras [130].

Los cambios frecuentes en cuanto a la seguridad del gobierno en la producción exterior indican que la inversión exterior se produce de forma menos natural en Bélgica y Suecia que en Suiza y Holanda [131]. Pero a juzgar por la experiencia sueca, al menos, es dudoso que los cambios en la política gubernamental sobre cuestiones de inversión exterior directa hayan tenido consecuencias significativas en los años recientes. Ni las regulaciones gubernamentales que ofrecían seguros contra riesgos en 1968 ni la legislación correspondiente con las consecuencias estructurales y sobre el empleo de la inversión exterior sueca parecen haber tenido un gran

---

[126] Naciones Unidas, *Transnational Corporations in World Development: Third Survey* (1983), págs. 19 y 285-90.
[127] Bornschier, *Wachstum, Konzentration und Multinationalislierung*, págs. 471-474, e *Information über Multinationale Konzerne*, 1/1980, pág. 17.
[128] Seev Hirsch, *Location of Industry and International Competitiveness* (Oxford, Clarendon, 1967), págs. 127-29.
[129] N. U., *Transnational Corporations: A Re-examination*, pág. 163.
[130] Theododre Geiger, *Welfare and Efficiency: Their Interactions in Western Europe and Implications for International Economic Relations* (Washington, D. C., National Planning Association, 1978), pág. 94.
[131] N. U., *Transnational Corporations: A Re-examination*, pág. 179.

efecto en las estrategias corporatistas [132]. Una posible razón es el carácter exportador de las inversiones exteriores suecas, que ha creado una actitud de apoyo hacia las operaciones internacionales de empresas repartidas ampliamente a lo largo del espectro político. A comienzos de los años 80 más de la mitad de los trabajadores de las diez mayores empresas suecas trabajaban en el extranjero. Esas mismas diez empresas vendieron entre el 60 y el 90 por 100 de sus productos en los mercados exteriores [133].

La diferencia entre los dos grupos de pequeños Estados europeos aparece igualmente en el tipo de servicios que venden en los mercados internacionales. Suiza y Holanda dependen fuertemente de los ingresos provenientes de las finanzas y seguros internacionales. En 1976 éstos eran los dos únicos pequeños Estados europeos con bancos (un total de cinco) situados entre los cincuenta mayores del mundo [134]. Suiza se encuentra entre Estados Unidos, Gran Bretaña y Francia como uno de los cuatro países que controlan el 70 por 100 de las empresas de seguros internacionales [135]. Suiza y Holanda, además, exportan el doble de servicios de los que importan [136]. Aunque Bélgica y Suecia son también altamente competitivas en la exportación de servicios, sus ingresos netos son mucho menores [137]. A diferencia de estos cuatro Estados, ninguno de los países del grupo II son importantes exportadores de servicios financieros y de seguros [138]. Por el contrario, Austria recibe sus ingresos por servicios a través del turismo masivo. Noruega, del transporte naval. Estas fuentes de ingresos son más susceptibles que las finanzas y seguros a las variaciones del ciclo económico.

En investigación y desarrollo es igualmente evidente que los pequeños Estados europeos difieren en cómo realizan su adaptación al cambio. Los estudiosos sobre el primer grupo de Estados y Suecia han quedado tan impresionados por las políticas de I + D de los pequeños Estados eu-

---

[132] *Ibid.*, pág. 26; OCDE, *The Industrial Policies of 14 Member Countries* (París, 1971), pág. 306, y C. Fred. Bergsten, Thomas Horst, y Theodore H. Moran, *American Multinational Corporations And American Interests* (Washington, D. C., Brookings, 1978), págs. 38-40 y 112-13.

[133] Sune Carlson, «Company Policies for International Expansion: The Swedish Experience», en Tamir Agmon y Charles P. Kindlegerger, ed., *Multinationals from Small Countries* (Cambridge, MIT Press, 1977), pág. 68, y *Economist*, 10-16 de diciembre de 1983, pág. 74.

[134] N. U., *Transnational Corporations: A Re-examination*, págs. 215-17.

[135] *Ibid.*, pág. 48.

[136] Krul, *Politique Conjoncturelle*, págs. 113-14.

[135] Carlson, «Company Policies», págs. 53-54; *Transnational Corporations: A Re-examination*, pág. 48; European Communities, Statistical Office, *Tableaux Entrees-Sorties 1965* (Bruselas 1965), pág. 69, y Krul, *Politique Conjoncturelle*, pág. 113.

[138] Comisión de Exportaciones Invisibles, *World Invisible Trade*, págs. 3-4. Austria, Dinamarca y Noruega no se encuentran entre los veinte exportadores principales en cuanto a servicios financieros y seguros.

ropeos que las consideran como modelos dignos de la atención de los políticos en los grandes países industriales avanzados [139]. Por otro lado, los estudios sobre los países del grupo II (como de otros países pequeños) señalan generalmente la debilidad y la dependencia. En efecto, uno de los peligros clave al que se enfrenta este segundo grupo de pequeños países europeos, se ha señalado, es el de ser expulsados de los mercados internacionales [140]. Desde la perspectiva del grupo II, Holanda y Suecia tienen «las características de un gran país» en su actividad de I + D.

«El elemento esencial en la actividad innovadora nacional», escriben dos recientes observadores, «es menos el tamaño e intensidad de la demanda nacional de innovación tecnológica que los recursos empresariales organizacionales y tecnologías dentro de un país capaz de identificar y responder a las demandas del mercado en cuanto a innovación tecnológica en cualquier parte del mundo» [141]. Los recursos y cualificaciones necesarios no se encuentran presentes en grado suficiente en las empresas austríacas, danesas y noruegas. A pesar del increíble crecimiento de los gastos en I + D en los años 60 y 70, estos países, a diferencia del grupo I, no tuvieron éxito, en general, en su transformación en activos innovadores [142]. Efectivamente, un estudio de la primera explotación comercial de 110 innovaciones significativas desde 1945 sólo encontró uno como ejemplo en Austria, Noruega y Dinamarca, comparado con los nueve hallados en los otros cuatro Estados [143]. Otro análisis descubrió que entre 1953 y 1971 los países del grupo II encontraron una ventaja comparativa en los bienes de consumo tradicionales y perecederos y en las instalaciones estandarizadas que dependen de la disponibilidad de materias primas interiores, tales como madera, mineral de hierro, cuero y pieles [144].

Suiza y Holanda explotan agresivamente la ventaja comparativa que tienden a tener los pequeños Estados europeos en las primeras fases del desasrrollo de nuevos productos con un alto contenido científico y de in-

---

[139] OCDE, Comisión de Política Científica y Tecnológica, *Science And Technology in the New Socio-Economic Context* (París, 1979), pág. 150. Véase también Science Council of Canada, *Seminar of Science Policies in Small Industrialized Northern Countries, Montevello, Quebec 27-29 november 1977* (Otawa, Minister of Supplies and Services, SS31-4/1978).

[140] K. Pavitt y S. Wald, *The Conditions for Success in Thechonological Innovation* (París: OCDE, 1971), págs. 53 y 144-47. Véase también el diferente estilo de Kristensen y Levinsen, *Small Country Squeeze*, que refleja ambas tendencias sin una resolución eficaz de esta tensión intelectual. Véanse págs. 115, 238-39 y 247-48.

[141] Pavitt y Wald, *Conditions of Success*, pág. 53. El material estadístico que apoya este punto de vista se recoge en págs. 144-45 y en Kristensen y Levinsen, *Small Country Squeeze*, págs. 276-77.

[142] Kristensen y Levinsen, *Small Countru Squeeze*, pág. 147.

[143] OCDE, *Gapgs in Technology: Comparisons Between Member Countries in Education, Research, and Development, Technological Innovation, International Economic Exchanges* (París, 1970), pág. 198.

[144] Balassa, «"Revealed" Comparative Advantage», págs. 334-36. Holanda es la única excepción; Suiza no está incluida en esta muestra.

geniería [145]. Lo hacen con ayuda de un pequeño grupo de corporaciones multinacionales muy grandes, que organizan la investigación básica, el desarrollo del producto y las innovaciones del proceso en sus propios centros de investigación, tanto en el interior como en el extranjero [146]. En una base per cápita, Suiza, por ejemplo, se coloca por encima de todos los países industriales, grandes y pequeños, en cuanto al número de autores científicos y concesión de patentes [147]. La política suiza ha sido constante en el intento de mantener alejado al gobierno de todos los aspectos de I + D, con la única excepción de la energía nuclear. En Holanda, debido a la orientación agrícola del país, anterior a la segunda guerra mundial, se ha desarrollado una política de I + D que favorece la innovación industrial, pero sin desplazar, antes bien, complementando, las actividades de las multinacionales holandesas. Dos tercios de toda la I + D están siendo llevados a cabo por cinco grandes empresas (Philips, Shell, Unilever, Akzo y DSM) [148]. Esta cadena de privatización explica por qué, en palabras de Anthony Scaperlanda, «Holanda no posee una política agresiva de I + D en ningún aspecto» [149].

Bélgica y Suecia también tienen altos gastos en I + D, pero han desarrollado un enfoque bastante más coordinado y planificado de los problemas de investigación y desarrollo [150]. Bélgica tradicionalmente «depende menos de la innovación de sus propios laboratorios de investigación que de las empresas prósperas de planificación y gestión» [151]. Durante las dos últimas décadas Bélgica ha puesto un énfasis especial en la atracción de empresas extranjeras en ramas industriales con alto nivel de investigación, tales como la petroquímica, y ha intentado al mismo tiempo crear una estrategia nacional de investigación a través de una serie de programas respaldados por el gobierno [152]. Suecia, a diferencia de los

[145] Hirsch, *Location of Industry*, págs. v, 32-34, 83-85 y 121-27. Para Holanda véase también OCDE, *Reviews of National Science Policy: Netherlands* (París, 1973).

[146] OCDE, *The Research System: Comparative Survey of the Organization and Financing of Fundamental Research*, vol. 2 (París, 1973), págs. 117 y 128-29; Hirsch, *Location of Industry*, págs. 127-29, y Balassa, «'Revealed' Comparative Advantage», pág. 333.

[147] OCDE, *The Research System*, 2, pág. 33, y Katzenstein, *Corporatism and Change*, págs. 99-101.

[148] OCDE, *Policies for the Stimulation of Industrial Innovation: Country Reports*, vol. 2-2 (París, 1978), pág. 132 y Steven Langdon, «Industrial Restructuring and the Third World: The Case of Dutch Textile Manufacturing, 1965-1979», artículo sin publicar, Otawa, abril 1980, pág. 5.

[149] Anthony Scaperlanda, *Prospects for Eliminating Non-Tariff Distortions* (Leyden, Sijthoff, 1973), pág. 127.

[150] Félix Streichenberg, *Forschung und Volkswirtschaftliches Wachstum Unter Besonderer Berücksichtigung Schweizerischer Verhältnisse* (Berna, Lang, 1968), pág. 129.

[151] Frederick Seitz, «Summary Comments on Government-Science Relationships», en Lawrence W. Bass y Bruce S. Old, eds., *Formulation of Research Policies: Collected Papers From an International Symposium* (Washington, American Academy for the Advancement of Science, 1967), pág. 95.

[152] *Ibid.*, pág. 95 y Scaperlanda, *Prospects for Eliminating Non-Tariff Distoritons*, págs. 145-46.

otros pequeños Estados europeos, ha seguido comprometida a un programa de defensa nacional tecnológicamente independiente. Como resultado, la innovación tecnológica ha recibido un grado de apoyo por parte del gobierno mucho mayor que en Suiza, Holanda o Bélgica [153]. El gobierno sueco tiene también políticas de largo alcance para la estimulación de la innovación [154]. El éxito de su política de apropiación de innovaciones tecnológicas extranjeras se ha ganado entre sus envidiosos vecinos el apodo de «el Japón de Europa» [155].

Los países del grupo II han seguido una estrategia de I + D marcadamente diferente. Austria se ha especializado en industrias básicas y de bienes semielaborados que están caracterizadas por tasas de crecimiento relativamente bajas y cambios moderados en tecnología. En efecto, los intentos austríacos de estimular la innovación industrial datan sólo de finales de los 60, cuando el gobierno austríaco intentó por primera vez emular la proeza tecnológica de su vecina Suiza [156]. En Dinamarca, orientada hacia la agricultura antes de la segunda guerra mundial, también tienen un origen reciente las políticas que fomentan la innovación industrial [157]. Noruega, por otro lado, comenzó a desarrollar una activa política de innovación ya en los años 50 y estableció alrededor de los años 60 un sistema de consejos de investigación nacional como parte de una estrategia más global de desarrollo económico e industrialización [158].

Las diferentes estrategias de adaptación de estos dos grupos se reflejan en una serie de indicadores. Los datos sobre gastos en investigación y desarrollo ofrecen algunos indicios sugerentes [159]. En 1973 los gastos de I + D en el grupo II suponían sólo un 0,9 por 100 del PNB, muy por debajo del 2,1 por 100 para Suiza y Holanda y la media de 1,5 por 100 para Bélgica y Suecia [160]. Estos datos coinciden muy de cerca con otras medidas del esfuerzo nacional en I + D [161]. Los gastos en I + D tien-

---

[153] Robert Gilpin, «Technological Strategies and National Purpose», *Science,* 31 de julio de 1970, pág. 446.

[154] OCDE, *Policies for Industrial Innovation,* 2-2,pág. 184, e Ingemar N. H. Dörfer, «Science and Technology in Sweden», en T. Dixon Long y Christopher Wright, eds., *Science Policies of Industrial Nations* (Nueva York, Praeger, 1975), págs. 178-79.

[155] Carlson, «Company Policies», pág. 68.

[156] OCDE, *Policies for Industrial Innovation,* 2-2, 20 y 23.

[157] *Ibid.,* pág. 33, y Seitz, «Summary Comments», págs. 95-96.

[158] OCDE, *Policies for Industrial Innovation,* 2-2, págs. 105-108 y 121, y Seitz, «Summary Comments», pág. 94.

[159] La validez y confianza de los indicadores fiscales son discutidas por Ernst Jürgen Horn, *Technologische Neuerungen und Internationale Arbeitsteilung: Die Bundesrepublik Deutschland im Internationalem Vergleich* (Tübingen, Mohr, 1976), págs. 56-61.

[160] Kristensen y Levinsen, *Small Country Squeeze,* pág. 146. Para Suiza la cifra es de 2,2 por100, no de 1,2 por 100.

[161] Horn, *Technologische Neuerungen,* pág. 138; B. R. Williams, *Science and Technology in Economic Growth* (Nueva York, Wiley, 1973), pág. 7, y Kristensen y Levinsen, *Small Country Squeeze,* pág. 146. Los restos que aparecen en el análisis estadístico apoyan

den, además, a servir a diferentes propósitos en cada uno de los grupos. En Holanda su principal objetivo es incrementar la competitividad de los sectores de alta tecnología y alto crecimiento. En Noruega, en cambio, su propósito es intensificar el desarrollo económico e industrial concebido de forma más global [162]. Las diferencias en la distribución de los gastos en I + D surgen también en la comparación entre Suecia y Bélgica, que se sitúan ligeramente por debajo de Suiza y Holanda, pero que encabezan el grupo II. Bélgica y Suecia invirtieron el 60 por 100 del I + D industrial total en sectores industriales de base científica, muy por encima del 46 por 100 de Austria y Noruega. En las industrias mecánicas, por otro lado, el dato porcentual de inversión para Bélgica y Suecia era del 29 por 100, muy por debajo del 40 por 100 de Austria y Noruega [163].

Los datos de las publicaciones científicas y estadísticas de patentes ofrecen nuevas pruebas de las diferencias significativas que existen entre los dos grupos de pequeños Estados europeos. En 1963 el número medio de patentes concedidas en países extranjeros a Suiza, Holanda, Suecia y Bélgica fue de 5.400, comparadas con las 1.000 del grupo II [164]. En comparación, la proporción de patentes obtenidas por demandantes extranjeros en los años 1957-61 y en 1974 fue menor en el grupo I y Suecia que en Austria, Dinamarca y Noruega [165]. Con estos datos en la mano no es sorprendente que la razón entre pagos e ingresos por licencias extranjeras de Austria y Noruega sea tres veces mayor que para Bélgica y Suecia [166]. Mientras Suiza, Holanda y, en menor medida, Suecia intentan deliberadamente atraer a investigadores extranjeros, Austria y Noruega pierden una significativa proporción de sus investigadores nacionales, que van especialmente a países vecinos. En el intercambio internacional de científicos sólo Suiza, Holanda, Bélgica y Suecia, entre los pequeños Estados europeos, pueden registrar beneficios netos [167].

---

también este *ranking* de los esfuerzos de los pequeños Estados en investigación y desarrollo. Véase Yoram Ben-Porath, «Some Implications of Economic Size and Level of Investment in R and D», *Economic Development and Cultural Change,* 21 (octubre 1972), 99.

[162] OCDE, *Policies of Industrial Innovation,* 1, pág. 16. Véase también Balassa, «"Revealed" Comparative Advantage», pág. 337.

[163] M. Carmi, «Science and Technology Policy in Small States: First Report», manuscrito sin publicar, Jerusalem Group for National Planning, abril 1975, págs. 10-11. Pavitt Wald, *Conditions Sucess,* pág. 122, ofrece datos más desagregados que apoyan el mismo aspecto.

[164] OCDE, *GAPS in Technology,* pág. 205.

[165] C. Freeman y A. Young, *The Research and Development Effort in Western Europe, North America and the Soviete Union: An Experimental International Comparison of Research Expenditures and Manpowers in 1962* (París, OCDE, 1965), pág. 75, y Kristensen y Levinsen, *Small Country Squeeze,* págs. 281-82.

[166] Las razones son 3;6 comparadas con 1;2. Véanse Christof Gaspari y Hans Millendorfer, *Prognosen für Österreich: Fakten und Formeln der Entwicklung* (Viena, Geschicte un Politik, 1973), pág. 86.

[167] OCDE, *The Research System,* 2, pág. 31; Kristensen y Levinsen, *Small Country Squeeze,* págs. 183-84, y OCDE, *GAPS in Technology,* pág. 63.

Los pequeños Estados europeos han adoptado la liberalización en la economía internacional a lo largo de los años de la posguerra con diferentes grados de entusiasmo. Los países del grupo II no han abierto sus economías al comercio exterior tanto como los otros cuatro pequeños Estados europeos Noruega, Austria y Dinamarca habían liberalizado, respectivamente, sólo el 65, 75 y 77 por 100 de su comercio en 1958, año en el que los otros cuatro países habían logrado una total liberalización [168]. Comparado con Suiza, Holanda, Bélgica y Suecia, el grupo II confió fuertemente en la limitación de cupo a las importaciones industriales [169]. En 1960-61 estos tres países se opusieron inicialmente a la aceleración de las medidas de liberalización comercial con la EFTA propuestas por Gran Bretaña, Suecia y Suiza y estuvieron subvencionados de forma temporal, aunque con exenciones en su mayoría simbólicas [170]. En 1962 Austria y Noruega fueron los últimos Estados europeos pequeños en retirar las restricciones comerciales debido a consideraciones referentes a la balanza de pagos [171]. Entre 1969 y 1977, sólo Dinamarca (dos veces) y Noruega (tres veces) entre los pequeños Estados europeos que llevaron casos de anti-dumping al GATT [172]. En la ronda de negociaciones comerciales de Tokio, Austria y Noruega mostraron tendencias relativamente proteccionistas: la profundidad de los recortes lineales acordados, en principio, por todas las partes negociadoras y la oferta que realizaron de reducción de tarifas fueron mayores que las de ningún país del grupo I [173]. En los años 60 sólo Austria y Dinamarca mantuvieron restricciones de cupo sobre las importaciones de manufacturas o semimanufacturas de países menos desarrollados [174]. Y en 1974 Austria y Noruega tuvieron las menores cifras entre todas las economías de mercado en cuanto a importaciones totales de países menos desarrollados [175].

---

[168] Gerad Curzon, *Multilateral Commercial Diplomacy: The General Agreement on Tariffs and Trade and its Impact on National Commercial Policies and Techniques* (Londres, Joseph, 1965), pág. 161. Véase también Hans Mayrzedt, *Multilaterale Wirtschaftsdiplomatie Zwischen Westlichen Industiestaaten als Instrument zur Stärkung der Multilateralen und Liberalen Handelspolitik* (Berna, Lang, 1979), págs. 325-380.

[169] Congreso de EE.UU., Comité Económico Conjunto, *Trade Restraints in the Western Community: With Tariff Comparison and Selected Statistical Tables Pertinent to Foreign Economic Policy.* (Washington D. C., 1961), págs. 11-12.

[170] Victoria Cuzzon, *The Essentials of Economic Integration: Lessons of EFTA Experience* (Londres: MacMillan, 1974), págs. 69, 70, 71 y 73.

[171] Acuerdo General sobre Aranceles y Comercio (GATT) *Basic Instruments and Selected Documents,* Suplemento 10 (marzo 1962), pág. 114.

[172] *Ibid.,* Suplementos 18 (abril 1972), 24 (junio 1978).

[173] Congreso y Senado de EE.UU., Comité de Finanzas, Subcomité de Comercio Internacional, *Un Economic Analysis of the Effects of the Tokyo Round of Multilateral Trade Negotiations on the United Satates and Other Major Industrializad Countries, MTN Studies, n.º 5* (Washington, D. C., 1979), pág. 48, cálculos del autor.

[174] Cuzzon, *Multilateral Commercial Diplomacy,* pág. 240. Están excluidas las restricciones sobre el comercio de tejidos de algodón.

[175] UNCTAD, Oficina de Comercio y Desarrollo, Comisión de Fabricantes, *International Trade in Textiles and Developing Countries,* TD/B/C. 2/174 (Ginebra, 1977), pág. 2.

Por el contrario, los países del grupo II destacan por su ausencia entre los principales exportadores de la OCDE en veinticinco sectores industriales. Dinamarca está registrada dos veces (muebles y construcción naval) y Noruega una (construcción naval); Austria no aparece ni una vez. Holanda, con un gran contraste, está registrada once veces, Bélgica diez y Suecia y Suiza seis veces cada una [176]. Comparados con el valor total de su comercio de exportación, los gastos de Austria y Dinamarca en la promoción de la exportación en 1972 fueron tres veces mayores que los de Suiza, Holanda, Bélgica y Suecia [177]. Incluso entre 1960 y 1977 no hubo ni un solo año en el que Austria, Noruega y Dinamarca tuvieran un balance comercial positivo, mientras que, en general, los otros cuatro Estados pequeños se mantuvieron en equilibrio [178].

La orientación relativamente proteccionista del grupo II se refleja en el tipo de aranceles que quedan consecuentemente por encima de los de Suiza y Suecia. (Debido a su pertenencia a las Comunidades Europeas, Holanda y Bélgica no producen datos nacionales.) En 1960, por ejemplo, los aranceles sobre bienes manufacturados fueron alrededor de dos veces mayores en Austria (20 por 100) que en Suiza (9 por 100) y Suecia (11 por 100) [179]. La media ponderada de los aranceles tras la Ronda de Kennedy fue del 7 por 100 para Suiza y Suecia y casi del 12 por 100 para el grupo II [180]. En efecto, al concluir las Negociaciones Kennedy, los aranceles austríacos, daneses y noruegos en los quince productos manufacturados principales fueron, sin excepción, mayores que los aranceles de los otros pequeños Estados europeos. Si distinguimos grupos de productos por las fases en el proceso obtenemos resultados similares. Mientras que no existen diferencias estadísticas señalables en los niveles arancelarios para materias primas, son evidentes las disparidades sistemáticas de tarifas entre los dos grupos en lo referente a los bienes semimanufacturados y manufacturados. En catorce de veinte categorías de bienes semifacturados y en dieciséis de diecisiete categorías de bienes ma-

---

[176] OCDE, *Policy Perspectives for International Trade and Economic Relations* (París, 1982), pág. 149.

[177] La proporción de promoción a la exportación (en millones de dólares) sobre el valor del comercio de exportación (en billones de dólares) multiplicado por 100 es 0,15 para Austria y Dinamarca y 0,5 para Suiza, Holanda, Bélgica y Suecia. Véanse *Botschaft des Bundesrates and Die Bundesversammlung Über Einen Beitrag and Die Schweizerische Zentrale für Handelsförderung* (Berna, 1975), pág. 11, y *United Nations Statistical Yearbook*, 1972 (Nueva York, 1973).

[178] OCDE, *Balances of Payments of OECD Countries, 1960-1977* (Nueva York, 1979), pág. 48.

[179] Österreichisches Institut für Wirtschaftsforschung, *Monatsberichte*, 34 (octubre 1961), pág. 431.

[180] Wilbur F. Monroe, *International Trade Policy in Transition* (Lexington, Heath, 1975), pág. 23.

nufacturados Austria, Dinamarca y Noruega tienen niveles arancelarios más altos que Suiza y Suecia [181].

La adaptación nacional en Austria, Noruega y Dinamarca y, en ocasiones, Suecia ofrece una vía para contrarrestar algunos de los efectos del liberalismo económico en la economía internacional. La propiedad extranjera del capital, por ejemplo, puede minar el control sobre los recursos y limitar las opciones políticas. A veces esa pérdida de control es evidente en los ingresos previstos del gobierno. Las prácticas de transferencia de precios de las compañías de petróleo estadounidenses fueron tales que sus filiales danesas sólo experimentaron déficit en los años 60 [182]. Por la misma razón, las primeras declaraciones del gobierno sueco sobre concentración industrial fijaban su atención exclusivamente en la industria del petróleo [183]. En otros momentos la pérdida de control es debida simplemente a los imperativos de las estructuras del mercado. En el aluminio, una industria marcada por la integración vertical, el gobierno noruego se vio obligado en 1967 a conseguir esa integración vertical con el fin de asegurar las fuentes de materias primas y mercados formales. No eligió la arriesgada vía de desarrollar una empresa noruega, Ardal, en una producción de aluminio integrada e independiente, sino que jugó sobre seguro permitiendo a Ardal asociarse con Alcan, una gran corporación multinacional y a la vez su principal proveedor de aluminio [184]. De forma similar, aunque por diferentes motivos, el gobierno austríaco decidió a finales de los años 50 privatizar la industria de ingeniería eléctrica (la cual había sido nacionalizada en 1945). A finales de los 60 permitió la adquisición de la industria por parte de Siemens, una empresa alemana que había dominado el sector durante el período de entreguerras.

Los pequeños Estados europeos que se adhieren a una estrategia de adaptación nacional no tienen problemas con las restricciones impuestas al libre movimiento de capital. Existen excepciones ocasionales, tales como el conflicto entre el gobierno noruego y la ITT en los años 60 y la defensa del gobierno sueco de una empresa secundaria de electrónica contra un intento italiano de declarar su adquisición en 1969 [185]. Pero la respuesta típica en el grupo II de Estados ha sido la concentración industrial y la construcción de líderes nacionales. Estas políticas son dignas de men-

---

[181] Calculado de las partes contratantes en el GATT, *Basic Documentation for Tariff Study*, 3 vols. (Ginebra, julio 1970).

[182] Günter Zenk, *Konzentrationspolitik in Dänemark, Norwegen und Finnland* (Tübingen, Mohr, 1971), pág. 95.

[183] Günter Zenk, *Konzentrationspolitik in Schweden* (Tübingen, Mohr, 1971), págs. 24-25.

[184] Zenk, *Konzentrationspolitik in Dänemark*, págs. 147-48, y Zuhayr Mikdashi, «Aluminum», en Raymond Vernon, ed., *Big Business and the State: Changing Relations in Western Europe* (Cambridge, Harvard University Press, 1974), págs. 174-75.

[185] Mikdashi, «Aluminium», pág. 137, y Zenk, *Konzentrationspolitik in Dänemark*, págs. 142-43.

ción no porque sean exclusivas de los pequeños Estados europeos, sino porque la concentración industrial en estos países tiende ya a ser sustancialmente mayor que en los grandes países industriales avanzados. A finales de los 60 la concentración industrial en Suecia y Austria era alrededor de un 40 por 100 más alta que la concentración media de la industria en los grandes países industriales [186]. Debido a que la concentración de empresas es vista como una necesidad para contrarrestar la competición exterior, la legislación *antitrust* tiende a ser bastante imprecisa en estos pequeños Estados europeos [187].

Noruega ha estado a la cabeza en el desarrollo de primeras firmas nacionales como una defensa contra las corporaciones extranjeras. La nacionalización a gran escala de finales de los 40 y los 50 fue diseñada para fomentar las exportaciones tradicionales noruegas de acero, aluminio, mineral de hierro y tratamiento del carbón. En los años 60, sin embargo, la política gubernamental experimentó un cambio sutil, y desde 1968 el gobierno noruego ha elegido explícitamente la vía de desarrollar líderes nacionales como una defensa contra las multinacionales de base sueca y estadounidense y como una forma de favorecer la competitividad internacional de la industria noruega [189]. El desarrollo de las reservas petrolíferas noruegas del Mar del Norte en los años 70 incrementaron aún más la influencia del gobierno en la industria. Aunque la política de Dinamarca persigue objetivos similares, se ha mostrado más precavida.

Informado por los estudios patrocinados por él mismo, el gobierno sueco comenzó a realizar una concentración «ética» a través del fomento activo de las fusiones desde mediados y finales de los 60, es decir, durante el período de mayor liberalización en la economía internacional [190]. En los años de la posguerra cuatro quintas partes de las fusiones suecas eran uniones horizontales «defensivas» dentro de una industria, mientras que sólo una quinta parte implicaban fusiones verticales o de tipo conglomerado y «ofensivas» [191]. Incluso a mediados de los 70 las mayores empresas suecas se hallaban fuertemente concentradas en los sectores en crecimiento de la economía. Esta política de concentración coincidió con un creciente debate sueco sobre ciencia política y con la tendencia hacia una

---

[186] Bornschier, *Wachstum, Konzentration und Multinationalisiemrung*, pág. 206. Japón ha quedado excluido en este cálculo.

[187] Christian Franck, «Die ordnungsplitische Neugestaltung in Belgien: Einflussgrössen und Lösungsversuche» (Ph. D. diss., University of Cologne, 1966), pág. 33; y OCDE, *Export Cartels. Report of the Committee of Experts on Restrictive Business Practice* (París, 1974), pág. 8.

[188] OCDE, *Industrial Policies of 14 Member Countries*, pág. 242.

[189] Zenk, *Konzentrationspolitik in Dänermark*, págs. 108, 142 y 147.

[190] Göran Ohlin, «Sweden», en Vernon, *Big Bussiness and the State*, págs. 139-40, y Zenk, *Konzentrationspolitik in Schweden*, págs. 12 y 26-36.

[191] Jan Olof Edberg y Bengt Ryden, «*Large Mergers in Sweden, 1962-1976*» (Berlín, International Institute of Management, dp/78, 14 febrero 1978).

política industrial más activa. Construida a imitación de la mayor corporación estatal italiana (IRI) y comparable con un desarrollo similar en Austria, se fundó en 1971 un *holding* estatal *(statsföretag)* que agrupaba a veinticinco empresas con alrededor de 34.000 trabajadores y ventas de unos 800 millones de dólares [192]. Aunque la economía del sector público sueca era relativamente pequeña a finales de los 70, el papel de las empresas del Estado en la política industrial y regional se ha incrementado [193]. La política de concentración se convierte en un arma para evitar las influencias no deseables de las corporaciones multinacionales y, a finales de los 70 y primeros 80, para rescatar a las empresas duramente golpeadas por la prolongada recesión [194].

Compensación privada vs. compensación pública

Los movimientos obreros varían considerablemente en los pequeños Estados europeos. En Austria, Noruega, Dinamarca y Suecia los movimientos obreros son más fuertes y están más centralizados que en los países del grupo I (ver tabla 4). Esta diferencia puede trazarse en base a la dependencia de las estrategias públicas o privadas de compensación en las áreas de planificación económica, gasto público, desarrollo regional, bienestar social y diplomacia económica internacional.

Las políticas de planificación económica de los pequeños Estados europeos ofrecen un ejemplo de la diferencia característica entre la compensación interior, que descansa, en primer término, en las fuerzas del mercado, en el grupo I y en la supervisión estatal en el grupo II. Aplicada a los pequeños Estados industriales, «la planificación económica» describe, pues, políticas profundamente diferentes. Esta abarca la planificación pasiva, las previsiones de contingencias holandesas, así como la planificación financiera activa a medio plazo del sector público en Noruega.

Aunque la oficina de Planificación Central holandesa ha ganado fama internacional por su virtuosidad, los adornos de la cualificación técnica y de la imaginación no deben confundirse con la sustancia del poder político. Por cinco razones diferentes, los planificadores holandeses son relativamente impotentes. Primera, la planificación económica holandesa está basada en la política gubernamental más que en cualquier otra vía cercana; las decisiones sobre el presupuesto preceden a la publicación y a los debates sobre los planes económicos [195]. Ni los planes a largo plazo ni

---

[192] Ohlin, «Sweden», págs. 138-39.

[193] OCDE, *Industrial Policies of 14 Member Countries,* págs. 315-16.

[194] Dörfer, «Science and Tecnology Policy in Sweden», págs. 179-80, y Zenk, *Konzentrationspolitik in Schweden,* pág. 110.

[195] James G. Abert, *Economic Policy and Planning in the Netherlanden* (Colonia, Deutsches Industrieinstitut, 1965), págs. 96-97.

TABLA 4. *Fuerza y centralización de los movimientos obreros en los pequeños Estados europeos, 1965-80*

	(1) Media % de la fuerza de trabajo total sindicada		(2) Unidad organizacional del movimiento obrero		(3) Poder de confederación en los convenios colectivos		(4) Alcance de los convenios colectivos		(5) Comités de empresa y codeterminación		(6) Voto socialdemócrata años 70		(7) Presencia socialdemócrata en el gobierno, 1965-81		(8) Suma de rangos de las cols. (1)-(7)	
	Rango	%	Rango	Indice	Rango	Indice	Rango	Indice	Rango	Indice	Rango	Indice	Rango	Indice	Rango	Suma
1. Suiza	7,0	24	5,5	0,7	7,0	0,4	7,0	0,8	7,0	0,3	7,0	26	6,0	29	7,0	46,5
2. Holanda	6,0	28	5,5	0,7	4,5	0,6	5,0	0,9	3,0	1,0	5,0	34	7,0	22	5,0	36,0
3. Bélgica	3,0	55	7,0	0,6	4,5	0,6	5,0	0,9	6,0	0,5	6,0	30	5,0	30	6,0	36,5
4. Suecia	1,0	70	3,0	0,8	2,5	0,7	2,0	1,0	3,0	1,0	2,0	49	2,5	69	2,0	16,0
5. Dinamarca	4,0	54	3,0	0,8	6,0	0,5	5,0	0,9	3,0	1,0	4,0	39	2,5	69	4,0	27,5
6. Noruega	2,0	65	3,0	0,8	2,5	0,7	2,0	1,0	3,0	1,0	3,0	47	4,0	61	3,0	19,5
7. Austria	5,0	50	1,0	1,0	1,0	0,8	2,0	1,0	3,0	1,0	1,0	51	1,0	73	1,0	14,0
Media (1-3)	5,3	36	6,0	0,7	5,3	0,5	5,7	0,9	5,3	0,6	6,0	30	6,0	27	6,0	39,7
Media (5,7)	3,7	56	2,3	0,9	3,2	0,7	3,0	1,0	3,0	1,0	2,7	46	2,5	68	2,7	20,3

Fuentes: Cols. 1-5 y 7: David R. Cameron, «Social Democracy, Corporatism and Labor Quiescence: The Representation of Economic Interest in Advanced Capitalist Society», documento presentado a la Conference on Representation and the State: Problems of Governability and Legitimacy in Western European Democracies, Universidad de Stanford, octubre de 1982, cuadro 6. Habría que señalar que el dato de sindicación de Suiza se ha incrementado fuertemente a un 38 por 100 desde que salieron un gran número de trabajadores extranjeros a mediados de los '70.

Col. 6: Manfred G. Schmidt, «Die Regulierung des Kapitalismus unter bürgerlichen und sozialdemokratischen Regierungen», Universidad de Constance, Fachbereich Politische Wissenschaft/Verwaltungswissenschaft, Diskussionsbeitrang 8/79, pág. 58. El dato para Dinamarca incluye los votos para el Social Peo-ple's party; la media de votos para los socialdemócratas fue de 34 por 100. Este dato menor no afecta los rangos de la columna 8.

los de corto plazo son obligatorios en ningún sentido para ningún sector del gobierno. Segundo, la oficina está separada de la burocracia estatal; su integración administrativa en la rama ejecutiva del gobierno es una mera formalidad [196]. Al mismo tiempo, sin embargo, posee unos vínculos muy débiles con el sector privado; su comité tripartito de planificación no es un comité de gobierno, sino meramente un fórum de discusión. El trabajo de los planificadores económicos no se acompaña de directrices gubernamentales ni de consultas con las asociaciones de élite holandesas [197]. Tercero, mientras que las publicaciones de la oficina deben ser aprobadas por el gobierno antes de ponerlas a disposición del público, los criterios para ello tienden a ser apolíticos. El carácter semipúblico de los proyectos y declaraciones se deriva del papel coordinador de la oficina de planificación más que del apoyo recibido del gobierno [198]. Cuarto, mientras que la estrecha atención que mantienen los planificadores noruegos sobre las conocidas variables instrumentales ha sido anunciada con un gran avance en la teoría y en la práctica de la planificación económica, la única variable sobre la cual, de acuerdo con el trabajo de la oficina misma, el gobierno ha tenido un control efectivo durante los últimos treinta años ha sido la emigración. Ya en los años 50, cuando el gobierno todavía fomentaba la emigración debido al extendido terror ante el paro, Holanda, al igual que muchos otros países europeos, comenzó a atraer trabajadores extranjeros [199]. Finalmente, a diferencia de las prácticas japonesas y francesas, la planificación económica holandesa ha operado mayormente a nivel macro más que a nivel sectorial [200].

El enfoque noruego de la planificación, ilustrativo del grupo II, ofrece un enorme contraste con la experiencia holandesa. Los planificadores económicos noruegos han sido menos ambiciosos teórica y técnicamente que sus colegas holandeses. Los planificadores noruegos no se han apoyado en análisis econométricos de gran alcance o en una especificación precisa de las variables instrumentales, sino en la planificación mediante ensayo y error de aproximaciones interactivas sucesivas durante el ciclo económico [201]. Y el gobierno noruego se ha apoyado en la influencia política más que en la virtuosidad técnica para hacer funcionar sus políticas de planificación. En contraste con la diversidad holandesa, la planifica-

[196] Graebner, *Langfristige Planung*, pág. 84.

[197] *Ibid.*, págs. 84-85.

[198] *Ibid.*, pág. 85; *Nationalbudget und Wirtschaftspolitik* (Hannover Literatur un Zeitgeschehen, 1962), págs. 19 y 21, y OCDE, *Reviews of National Science Policy: Netherlands*, pág. 272.

[199] Cornelius Westrate, *Economic Policy in Practice: The Netherlands, 1950-1957* (Leiden, Kroese, 1959), pág. 45, y Graebner, *Langfristige Planung*, págs. 86 y 114-16.

[200] Graebner, *Langfristige Planung*, pág. 124.

[201] *Ibid.*, pág. 12; Leif Johansen y Harald Hallaraker, *Economic Planning in Norway* (Oslo, Universitetsforlaget, 1970), pág. 10, y Petter Jakob Bjerve, *Trends in Quantitative Economic Planning in Norway* (Oslo, Statistical Sentralbyra, 1968).

ción noruega está incorporada en el gobierno en vez de estar confiada a una agencia o instituto de investigación independientes. Además, los planes noruegos están incluidos en el gasto del sector público.

Como la explotación supervisada por el gobierno del petróleo del mar del Norte comenzó a generar unos ingresos importantes a finales de los 70, la importancia política del sector público se incrementó todavía más [202]. A pesar de un notable cambio en los controles económicos directos de los años 50, el carácter programático (más que pragmático) de los planes noruegos se endureció. De forma comprensible, el plan quinquenal está menos vinculado al Parlamento o al gobierno que el presupuesto anual; sin embargo, sus objetivos y líneas maestras son importantes determinantes de la política [203]. Además, los presupuestos, a todos los niveles, del gobierno están integrados en un plan nacional [204]. La importancia de ese plan es mayor porque el ministro de las Finanzas asegura que la dirección del plan sigue a lo largo de todo el sector público. El secretariado permanente, que en 1966 sustituyó a grupos *ad hoc,* aumentó también la continuidad en los esfuerzos de Noruega por hacer más flexible la planificación. Hoy, cambios exógenos imprevistos, como el embargo del petróleo de 1973, pueden ser incorporados en un plan revisado. Finalmente, a diferencia de Holanda, el secretariado noruego de planificación prestó una atención cada vez mayor en los años 70 a sectores claves de la economía con una fuerte implicación gubernamental en el aluminio, la energía hidroeléctrica, minería y, lo más importante, al desarrollo del petróleo del mar del Norte [205]. Las políticas de planificación económica noruegas, en suma, difieren de las políticas holandesas en la mayor prominencia que dan al ejercicio del poder estatal.

La diferencia entre métodos privados y públicos de compensación ante el cambio puede verse también en la forma en que Holanda y Dinamarca han desplegado sus grandes sectores públicos. Durante las dos últimas décadas ambos países han alcanzado un asombroso crecimiento en el gasto público. Medido como proporción del PIB, sus economías públicas están entre las más grandes de los pequeños Estados europeos. En Dinamarca el gasto público aumentó de un 26 por 100 del PIB en 1955-57 a un 46 por 100 en 1974-76. Los datos correspondientes para Holanda fueron de 31 y 54 por 100 [206]. Pero estos datos agregados ocultan de forma impor-

---

[202] *Nationalbudget und Wirtschaftspolitik,* pág. 96; Graebner, *Langfristige Planung,* págs. 15-16; Johansen y Hallaraker, *Economic Planning,* págs. 22-24, y Eiving Erichsen, «Economic Planning and Policies in Norway», *Challenge,* enero-febrero 1978, pág. 6.
[203] *Nationalbudget und Wirtschaftspolitik,* pág. 10.
[204] Johansen y Hallaraker, *Economic Planning,* pág. 4; *Nationalbudget und Wirtschaftspolitik,* págs. 97 y 115, y Per Kleppe, *Main Aspects of Economic Policy in Norway since the War* (Oslo, Universitetsforlaget, 1966), págs. 5 y 12.
[205] Graebner, Langfristige Plammg, págs. 33 y 35.
[206] OCDE, *Public Expenditure Trends* (París, 1978), págs. 14-15.

tante relevantes diferencias que afectan a las posiciones danesa y holandesa en la economía internacional. A mediados de los años 70 Dinamarca empleó un 24 por 100 de su gasto público en consumo final y sólo un 17 por 100 en pagos por transferencias. A pesar de los grandes gastos públicos, Holanda, en marcado contraste, gasta sólo el 18 por 100 en consumo y el 27 por 100 en pagos por transferencias. En base a los precios constantes (1970), entre 1962-64 y 1974-76 la parte de gasto público en consumo final del PIB se incrementó en un 3,3 por 100, mientras que descendió en más de un 4 por 100 en Holanda [207]. Estas marcadas diferencias no tienen de ninguna forma implicaciones triviales para la salud económica. Sondeando un tema cada vez más familiar, un estudio estadístico descubrió que el nivel de formación bruta del capital se veía afectado negativamente por el aumento del consumo público [208]. Entre los pequeños Estados europeos entre 1961 y 1972, por ejemplo, los incrementos en el gasto público de Dinamarca se situaban entre los más altos, mientras que la media anual de la formación bruta de capital fijo nacional estaba entre las más bajas. En Suiza estas relaciones se dan a la inversa. De los pequeños Estados europeos con grandes gastos públicos, Holanda se aproxima al caso suizo [209]. En contraste con Dinamarca, Holanda impone virtualmente todos los costes de seguridad social sobre los ingresos de los trabajadores. Un gran sector público en Holanda refleja primeramente grandes pagos por transferencias; lo cual va dirigido a apoyar el crecimiento económico y la inversión privada, porque ello no erosiona la base productiva de la economía. El gran consumo público en Dinamarca indica, por otro lado, un cambio de los recursos productivos en el lento crecimiento y en algunas partes relativamente «improductivas» de la economía. Como muestra el caso danés, el cambio debilita eventualmente tanto la habilidad del gobierno para extraer los impuestos necesarios como la postura económicamente competitiva en los mercados nacionales e internacionales. El tamaño relativo del empleo en el sector público ilustra también la diferencia gráficamente: en 1975 era alrededor de dos veces mayor en Dinamarca que en Holanda [210]. Los 60 fueron la década con una más rápida expansión de la economía pública en ambos países, pero entre los doce Estados miembros de la OCDE. Holanda experimentó el más alto crecimiento de la participación del mercado en un sector crucial para la salud económica —los productos de ingeniería— en esta década, mientras que Dinamarca experimentó las mayores pérdidas [211].

---

[207] *Ibid.*, pág. 18.
[208] David Smith, «Public Consumption and Economic Performance», *National Westiminster Bank Quarterly Review,* noviembre 1975, págs. 17 y 28-29.
[209] *Ibid.*, pág. 23.
[210] Las cifras reales eran 24,3 por 100 vs. 13,5 por 100. Véase OCDE, *Public Expenditure Trends,* pág. 19.
[211] Gross y Keating, «Analysis of Competitition in Export and Domestic Markets», págs. 7-8 y 11. Es posible que la sobre e infravaloración de las monedas nacionales a finales de los 60 tengan alguna influencia en la diferencia.

Las posturas belga y sueca ante los problemas del desarrollo regional y creación de empleo ilustran la diferencia entre los grupos I y II. Los esfuerzos concertados belgas por atraer capital privado extranjero contrasta decididamente con el énfasis que pone Suecia en una política activa de la fuerza de trabajo basada en los fondos públicos. El ímpetu original de la política regional belga fue la recesión de 1958, la crisis estructural en las minas de carbón belgas y el declive de la industria textil Flemish [212]. Las leyes sobre desarrollo regional establecidas en 1959 y 1966 crearon fuertes incentivos para la inversión a las empresas. En los años 60 la inversión extranjera directa en Bélgica creció más rápidamente que en ningún otro país de la Europa occidental, y alrededor de un tercio de la inversión extranjera se vio beneficiada por los incentivos financieros del gobierno. En 1965-66, por ejemplo, el 20 por 100 del capital industrial bruto fue, según una estimación, invertido por extranjeros. En 1967-68 dos tercios de las nuevas inversiones estaban localizados en regiones definidas como deprimidas en la legislación de 1966. Hacia 1975 el 90 por 100 de la industria farmacéutica belga estaba bajo control extranjero, en comparación con el 45 por 100 de Suecia [213]. Sin embargo, la inversión en áreas relativamente atrasadas no ocurre generalmente en las nuevas industrias. Como resultado, el intento legislativo —mejorar la estructura económica de las provincias débiles y de los factores de producción cambiantes fuera de los sectores industriales en declive— ha tenido sólo éxitos variables [214]. La especificidad política de la política regional belga, cualquiera que sea su récord económico de éxito, descansa en el uso de capital extranjero como el principal instrumento con el que el gobierno ha intentado lograr los objetivos belgas de empleo regional.

Suecia, por el contrario, intenta realizar sus objetivos de desarrollo regional y pleno empleo a través de una activa política de mano de obra. Las políticas suecas se orientan más que las de cualquier otro pequeño Estado europeo a la creación de empleo a través de la formación profesional o de reciclaje y de obras públicas [215] —de hecho, una de las contribuciones suecas, ampliamente conocida, más importantes y originales a la teoría y la práctica de la moderna política económica—. Recurriendo a diversos fondos públicos, el presupuesto de los dos consejos de la fuer-

[212] G. Richard Thoman, *Foreign Investment and Regional Development: The Theory and Practice of Investment Inventives, with a Case Study of Belgium* (Nueva York, Praeger, 1973), págs. 3, 7, 18-19, 32, 52 y 164; *Regional Problems and Policies in OECD Countries,* vol. 2 (París, 1976), págs. 44-61.

[213] N. U., *Transnational Corporations: A Re-examination,* págs. 272-74.

[214] Thoman, *Foreign Investment and Regional Development,* págs. 64-66. Monroe, *International Trade Policy,* págs. 49-50, ofrece una estimación más optimista.

[215] OCDE, *Regional Problems and Policies in OECD Countries,* vol. 1 (París, 1976), págs. 91-104; OCDE, *Selected Industrial Policy Instruments: Objetives and Scope* (París, 1978), págs. 14-15, y Harol G. Jones, *Planning and Productivity in Sweden* (Londres, Croom Helm, 1976), págs. 202-203.

za de trabajo suecos supone el 2 o el 3 por 100 del PNB y se distribuye en gran parte con vistas a fomentar la adaptación industrial y el desarrollo de regiones pobres o en declive [216]. Estas políticas regionales y de fuerza de trabajo son mecanismos de adaptación diseñados para hacer frente al cambio tecnológico y estructural, interesadas en el incremento de la productividad y la prosperidad [217]. Novecientos mil trabajadores suecos fueron reconvertidos entre 1960 y 1975, con una proporción del total de la fuerza de trabajo afectada cada año variando entre el 0,5 y el 1,5 por 100 [218]. Debido a estos programas especiales de empleo, la tasa oficial de desempleo sueca no ha llegado en ningún momento desde 1973 a más de un tercio de la tasa de Bélgica [219]. Incluso si el gobierno belga hubiera deseado reducir el desempleo drásticamente (lo cual no está nada claro), la opción estaba limitada a una política regional que se apoyaba predominantemente en fondos extranjeros y privados más que en los públicos. Por el contrario, si el gobierno sueco hubiera querido diversificar apoyando el relanzamiento industrial y el desarrollo regional con la ayuda de capital extranjero, se habría probado que es imposible. La corriente de fondos se incrementó sólo de forma gradual, de 86 millones de dólares en 1972-72 a 145 millones de dólares en 1978-80, en comparación con un crecimiento increíble en las cifras belgas correspondientes, de 384 a 1.371 millones de dólares [220].

Los sistemas de bienestar social de Suecia y Suiza ilustran otra diferencia entre los grupos I y II. Suecia, más que cualquier otro de sus vecinos escandinavos, encarna para muchos observadores a un generoso *welfare state* consolidado de forma pública. Suiza, en cambio, se suele dejar de lado en el análisis político del *welfare state,* porque sus disposiciones públicas sobre bienestar social han sido tradicionalmente insignificantes. De ahí que el índice de la cobertura de la seguridad social en los Estados industriales avanzados señale a Suecia cerca de los niveles más altos, mientras que Suiza queda en los más bajos [221]. Las comparaciones entre los gastos nos llevan a confirmar a Suecia como «líder» y a Suiza como

---

[216] Malcom MacLenna, Murray Forsyth, y Geoffrey Denton, *Economic Planning and Policies in Britain, France, and Germany* (Nueva York, Praeger, 1968), págs. 286-88.

[217] Ohlin, «Sweden», pág. 133, OCDE, *Industrial Policies of 14 Members Countries,* págs. 301-302.

[218] Kenneth Hanf, Benny Hjern y Davidad O. Porter, *Networks of Implementation and Administration for Manpower Policies at the Local Level in the Federal Republic of Germany and Sweden* (Berlín, International Institute of Management, dp/77-16, 1977), pág. 17.

[219] Michele Salvati y Giorgo Brosio, «The Rise of Market Policies: Industrial Relation in the Seventies», *Daedalus,* primavera 1979, págs. 55, y Geiger, *Welfare and Efficiency,* pág. 65.

[220] N. U., *Transnational Corporations: Third Survey,* pág. 19.

[221] Peter Flora y Jens Alber, «Modernization, Democratization, and the Development of Welfare States in Western Europe», en Flora y Arnold J. Heidenheimer, eds., *The Development of Welfare States in Europe and America* (New Brunswick, Transaction, 1981), pág. 55.

«rezagada» en cuanto a programas de bienestar social subvencionados públicamente. Suecia destina el 23,8 por 100 de su PNB a seguridad social, mientras que Suiza gasta sólo el 11,8 por 100 [222]. Ni siquiera los cambios sustanciales introducidos en el sistema suizo de seguridad social subvencionado públicamente a principios de los 70, que redujeron la distancia entre éste y otros pequeños Estados europeos, afectaron a la posición relativa de Suiza como rezagada.

Las reformas suizas del bienestar de 1972 ofrecen un contraste importante a la tan duramente rebatida reforma de las pensiones suecas a finales de los años 50. En ambos episodios figuraban niveles de apoyo más generosos. Pero la Pensión General Suplementaria sueca estaba designada como un instrumento de formación de capital en el sector público [223]. La reforma suiza, por el contrario, se vanagloriaba por continuar con una porción sustancial, aunque en disminución, del bienestar a través de pensiones privadas y programas de seguros obligatorios [224]. Esta diferencia en el balance entre organización pública y privada del bienestar social queda también reflejada en el papel predominante que juegan los planes privados de pensiones profesionales en Suiza; de acuerdo con un estudio realizado a finales de los 60, tales planes eran seis veces más importantes en términos financieros en Suiza que en Suecia [225]. El énfasis de Suecia en los programas de bienestar de subvención pública ha dado lugar a que posean una cobertura casi universal: en Suiza sólo cuatro de cada cinco trabajadores están cubiertos por los programas obligatorios públicos y privados [226]. La política sueca fomenta más que restringe la movilidad laboral, y ha obtenido efectos muchos mayores en la formación del capital [227].

---

[222] Wilensky, «New Corporatism», pág. 11.

[223] Hugh Heclo, Moder Social Politics in Britain And Sweden: from Relief to Income Maintenance (New Haven, Yale University Press, 1974); Albert H. Rosenthal, The Social Programas of Sweden: a Search for Security in a Free Society (Minneapolis, University of Minnesota Press, 1967); Carl G. Uhr, Sweden's Social Security System: An Appraisal of its Economic Impact in the Postwar Period, Department of Health, Education, and Welfare, Social Security Administration, Office of Research and Statistics, Research Report núm. 14 (Washington, D. C., 1966), pág. 146, y Norman Furniss y Timothy Tilton, The Case for the Welfare State: from Social Security to Social Equality (Bloomington, Indiana University Press, 1977), págs. 122-52.

[224] Katzenstein, Corporatism and Change, págs. 109-12.

[225] Oficina Internacional del Trabajo, The Cost of Social Security: Eight International Inquiry, 1967-1971 (Ginebra 1971), págs. 170-71.

[226] OCDE, Old Age Pension Schemes (París, 1977), pág. 89; Jeans Alber, «Social Security (I): Participants in Social Insurance Systems in Western Europe», Historical Indicators of The Western European Democracies, 4 (Mannheim, julio 1976), pág. 88; Max Frischknecht, «Der Entwurf zu einem Bundesgesetz über die obligatorische berufliche Vorsorge», Schweizerische Zeitschrift für Sozialversicherung, 112, 2 (1976), págs. 73-98, y H. P. Tschudi, «Die Entwicklung der shcweizerischen Sozialversicherung seith dem zweiten Weltkrieg», Schweizerische Zeitschrift für Volwirtschaft und Statistik, 112, 3 (1976), pág. 323.

[227] Ernst Heissman, Blick Über Die Grenzen: Die Betriebliche und Staatliche Altersver-

En 1972-73 el fondo de pensiones representaba el 7 por 100 del PNB y el 30 por 100 de los ahorros totales [228].

Mientras que el seguro voluntario para pensiones es casi desconocido en Suecia, algo menos de un tercio de las primas de seguros totales en Suiza se generan a través de programas voluntarios [229]. El nivel tradicional suizo de ahorro individual esta promovido deliberadamente por una política que mantiene unos impuestos más bajos que en cualquier otro pequeño Estado europeo. Mientras que entre 1972 y 1976 el trabajador casado medio con dos hijos pagaba sólo un 7 por 100 de sus ingresos brutos en impuestos suizos, en Suecia tenía que pagar el 35 por 100, más que en cualquier otro pequeño Estado europeo [230]. Es notablemente difícil estimar el total combinado de contribuciones obligatorias que se pagan en programas tanto públicos como privados. En términos aproximados, sin embargo, Suiza parece quedar algo por detrás, aunque no mucho, de Suecia en el gasto total en concepto de planes de pensiones obligatorias públicas y privadas. Cualquier diferencia que exista en los datos probablemente desaparecería si los ahorros privados quedaran incluidos en la comparación [232]. En definitiva, Suiza difiere de Suecia no tanto en la magnitud del gasto total en bienestar social como en su método de financiamiento.

Esta diferencia entre Suiza y Suecia puede encontrarse también en las respuestas de ambos países ante las demandas de los países menos desarrollados. Antes de la primera conferencia de la UNCTAD de 1964 ambos países se opusieron a la concesión de preferencias comerciales; temían que cualquier forma de discriminación constituiría una amenaza a la economía liberal internacional, en la cual ellos estaban prosperando. Si se hubieran concedido las preferencias, entonces, en palabras de Gardner Patterson, ellos habrían sido subvencionados sólo «como una especie de anticipo de la ayuda en una reducción general de obligaciones para las

---

sorgung in 20 Ländern (Wiesbaden: Arbeit & Alter, 1963), págs. 50, 54; Uhr, Sweden' Social Security, pág. 68. En Suecia en 1962 sólo el 2 por 100 de los 771.000 internos asegurados tenía una cobertura privada. Para Suiza véanse, «Cost of Non Statutory Social Security Schemes», International Labour Review, 78 (octubre 1958), pág. 339, y Peter J. Katzenstein, Capitalism in One Country? Switzerland in the International Economy, Cornell University Western Societies Program, Occasional Papers núm. 13 (Ithaca, enero 1980), pág. 42.

[230] OCDE, The Tax/Benefit Position of Selected Income Groups in OECD Member Countries, 1972-76 (París, 1978), pág. 94. No queda claro cómo analiza esta publicación la imposición cantonal en Suiza.

[231] OCDE, Old Age Pensions, págs. 63-66; Frederic L. Pryor, Public Expenditures in Communist and Capitalist Nations (Londres, Allen & Unwin, 1968), págs. 130-150.

[232] Social Security in Ten Industrial Nations (Zurich, Union Bank of Switzerland, 1977). Esta comparación se halla influida en favor de Suiza debido a que los datos que se recogen en este estudio provienen sólo del rico cantón de Zurich. La renta per cápita en este cantón es alrededor del 20 por 100 por encima de la media suiza. Véase OCDE, Regional Problems and Policies, 2, pág. 198.

naciones más favorecidas» [233]. Suiza y Suecia fueron dos de los ocho países que votaron contra las resoluciones finales de la conferencia.

En años más recientes han surgido dos enfoques fundamentalmente diferentes de las relaciones Norte-Sur entre los pequeños Estados europeos. Estos enfoques expresan diferentes actitudes hacia los métodos de ajuste públicos y privados. La política suiza de cara a los países menos desarrollados refleja una mezcla de liberalismo *laissez-faire* y de promoción de las exportaciones basada en la creencia empresarial en las virtudes de la iniciativa privada y las soluciones de mercado. Por el contrario, la política sueca ha evolucionado desde finales de los 60 hacia una especie de política del bienestar socialdemócrata a nivel global. Los suecos intentan contrarrestar algunos de los efectos perjudiciales que las soluciones de mercado conllevan para los países menos desarrollados. La inversión privada en los países menos desarrollados provoca también reacciones generalmente diferentes. Desde 1970, inspirada por la Reunión Inicial sobre la Protección de la Propiedad Privada de la OCDE, Suiza (junto con Holanda, Estados Unidos, Gran Bretaña y Alemania Occidental) ha estado intentando reducir la inseguridad en la inversión internacional a través de una serie de acuerdos de inversión bilaterales [234]. Suecia, por el contrario, garantizaría la inversión extranjera sólo si las empresas suecas se ajustaran a un código de buena conducta con respecto a los trabajadores en los países en desarrollo. Este código de conducta incluye la concesión de derechos de negociación colectiva a los sindicatos; la extensión de los beneficios para pérdidas de salarios durante enfermedad, perjuicios o despidos involuntarios; reservas para pensiones, salud y bienestar, y el asegurar prácticas de empleo no discriminatorias [235]. Para ofrecer otro ejemplo típico en política comercial, Suiza se opone a la concesión de cualquier tratamiento preferencial a las importaciones provenientes de países menos desarrollados. Suecia, mientras tanto, ha abierto una oficina especial de importación para ayudar a superar las presiones del mercado a los PMD [236].

Por razones ideológicas, Suiza y Suecia difieren ampliamente en la mayor o menor medida en que se subvencionan públicamente sus programas de ayuda para los países menos desarrollados. El récord suizo en cuanto a falta de participación en las ayudas internacionales expresa la aversión a la intervención del gobierno en la economía. En 1977 la ayuda pública representó un 0,19 por 100 del PNB suizo, muy por debajo de la

---

[233] Gardner C. Patterson, *Discrimination in International Trade: The Policy Issues, 1945-1965* (Princeton: Princeton University Press, 1966), págs. 352 y 371.
[234] N. U., *Transnational Corporations: A Re-examination*, pág. 27.
[235] C. Fred Bergsten, *Toward a New World Trade Policy: The Maidenhead Papers* (Lexington: Heath, 1975), págs. 168-69.
[236] *Nachrichten für Aussenhandel*, núm. 138, 22 de julio de 1974.

media de 0,31 para la OCDE y el objetivo de 0,7 por 100 marcado por ésta [237]. El gobierno sueco, por otro lado, se había comprometido en 1968 a aumentar fuertemente la ayuda pública a los PMD y en 1974 era el primer Estado industrial avanzado que superaba los objetivos de la OCDE. En el año siguiente también fue el primer país que sobrepasó la meta del 1 por 100 de la década de desarrollo de las Naciones Unidas. Además, a mediados de los 70 los suizos destinaron una proporción de ayuda menor a sus propias exportaciones de lo que lo hicieron los suecos [238].

En cuanto al flujo neto total de recursos desde los países ricos a los países pobres, lo cual incluye la ayuda privada, préstamos e inversiones, Suiza va, sin embargo, por delante de Suecia [239]. Las estrategias que defendían Suiza y Suecia en la Ronda de Conversaciones de París entre Norte y Sur eran características de los dos países. La prudencia impidió cualquier apoyo manifiesto por parte de Suiza a la fuerte oposición inicial encabezada por Estados Unidos y Alemania Occidental a las demandas de los países menos desarrollados, pero existe una ligera duda de que los suizos estuvieran plenamente de acuerdo con una defensa del liberalismo de mercado [240]. Suecia adoptó la posición contraria. En cuestiones clave tales como el aligeramiento de las deudas, Suecia se encontró sola entre los países desarrollados, grandes o pequeños, al respaldar la demanda de diecinueve países menos desarrollados de una moratoria de la deuda. En efecto, en octubre de 1977 el gobierno sueco anunció la anulación oficial unilateral de 200 millones de dólares en deudas. En el compromiso final de los países menos desarrollados con los países desarrollados Suiza accedió a la anulación de 69 millones de dólares [241].

Los pequeños Estados europeos responden de formas diferentes al cambio económico. Suiza comparte con Holanda y Bélgica una estrategia ofensiva en los mercados mundiales basada en bajas tarifas arancelarias, intensidades de exportación muy altas y altos gastos en I + D destinados a las innovaciones de productos en las industrias modernas. Austria, Di-

---

[237] Katzenstein, *Capitalism in One Country?*, págs. 19-20, J. Stephen Hoadley, «Small States as Aid Donors», *International Organization*, 34 (invierno 1980), pág. 130.

[238] *Nachrichten für Aussenhandel*, núm. 92, 12 de mayo de 1976; Deutsch-Schwedische Handelskammer, *Stockholm Information*, núm. 10, octubre 1975; *Neue Zürcher Zeitung*, 16 de marzo de 1972 y 29 de abril de 1973, y Hoadley, «Small States», pág. 133.

[239] Hoadley, «Small States», pág. 127.

[240] Neue Zürcher Zeitung, 9 de mayo de 1976 y 12 de agosto de 1976, y Katzenstein, *Capitalism in One Country?*, págs. 18-19.

[241] *Die Zeit*, 23 de julio de 1976; *International Herald Tribune*, 6 de junio de 1977; *Süddeutsche Zeitung*, 18 de septiembre de 1976; *Handelsblatt*, 27 de septiembre de 1976; *New York Times*, 13 de octubre de 1977, pág. 1, y Aselm Skuhra, «Austria and the New International Economic Order: A Survey» (artículo preparado para el seminario de la C.E.P.R. celebrado sobre la Respuesta Internacional al Nuevo Orden Económico Internacional, Florencia, 24-29 de marzo de 1980), pág. 10.

namarca y Noruega, por el contrario, se apoyan en una estrategia defensiva basada en niveles arancelarios bastante más altos, una intensidad de exportación bastante más baja y menores gastos en I + D destinados a innovaciones de proceso en industrias más tradicionales. La adaptación ofensiva tiene un alcance internacional y está basada generalmente en la actividad del sector privado. La adaptación defensiva es de alcance nacional y descansa fuertemente en el sector público. Estas dos estrategias de adaptación señalan la existencia de importantes diferencias en la fuerza y el carácter de la empresa y los trabajadores, diferencias que contienen las dos variantes del corporatismo que yo denomino liberal y social. Un país que se desvía claramente de este modelo doble es Suecia. Debido a que tiene una poderosa comunidad empresarial de orientación internacional y un movimiento obrero centralizado y fuerte, Suecia se apoya en un sector público amplio y activo para su adaptación ofensiva.

Sería insensato negar que el mundo real es más complejo de lo que sugiere esta serie limitada de comparaciones. Holanda, por ejemplo, tiene un gran gasto en bienestar público y se ha mostrado generosa en la asistencia a los países menos desarrollados; Suiza no. Austria tiene un gran sector nacionalizado y un pago público de impuestos condescendiente; Dinamarca no. Y Bélgica tiene una comunidad empresarial de orientación internacional y sindicatos relativamente combativos. El centro de este argumento no es unir a la fuerza todas las experiencias políticas de los pequeños Estados europeos en una, y sólo una, con dos categorías descriptivas. Es más bien el sugerir que, en términos generales, las respuestas políticas de los pequeños Estados europeos varían de forma sistemática y no de forma azarosa.

V. Variaciones por países en el tema corporatista

Las variantes liberal y social del corporatismo dan lugar a diferencias sustanciales en cuanto al espacio y la forma en que los pequeños Estados europeos realizan el ajuste al cambio económico. Pero es fácil exagerar las similitudes de los países agrupados bajo esas dos etiquetas. A pesar de sus similitudes en cuanto a estrategia y estructura, los Países Bajos difieren entre ellos, al igual que ocurre con los tres países escandinavos en el período de postguerra; los Países Bajos, por ejemplo, han estado marcados por profundas divisiones sociales y por la estabilidad política [242].

[242] Arthur F. P. Wassenberg, «Neo-Corporatism and the Quest for Control: The Cuckoo Gamme», en Lehmbruch y Scmitter, *Patterns of Corporatist Policy-making*, págs. 83-108; Lepszy, *Regierung, Parteien und Gewerkschaften in den Niederlanden;* Kieve, «Pillars of Sand»; Scholten, «Does Consociationalism Exist?»; Erwin Zimmerman, «Entwicklungstendenzen des Korporatismus»; Van Schendelen, «Crisis of the Welfare State», *Acta Política* 19, I (1984); Arend Lijphart, ed., *Conflict and coexistence in Belgium: The Dynamics of a*

Pero en Holanda un factor de división social, como es la religión, ha disminuido, mientras que otro, el de las clases, ha crecido. En los años 70 los sindicatos católicos y socialistas unieron sus fuerzas justo cuando la negociación colectiva se hacía más descentralizada. Aumentó la militancia sindical, y con ella la resistencia empresarial a las demandas de los trabajadores. Lo que es sorprendente, concluye Wolinetz, es la «relativa debilidad del movimiento sindical y las dificultades que encuentran los sindicatos a la hora de hacer valer sus prioridades» [243]. Recientemente, al igual que en los años 50, el Estado ha entrado directamente en la arena económica. Así, Holanda ha desarrollado una política más abiertamente competitiva en el marco de sus estructuras corporatistas. En Bélgica el cambio social no ha desplazado, sino que ha reforzado la vieja distinción ligüística entre flamencos y valones. La adversidad económica ha intensificado el conflicto de lenguas. Es inevitable la disminución de la enferma industria del acero valona, a la vez que la desinversión de las multinacionales extranjeras está creando nuevos problemas en Flandes. En 1978 incluso el partido socialista belga quedó dividido en diferentes líneas lingüísticas. Pero así como se han producido los reajustes belgas a las realidades económicas de los años 80 y 90, lo harán las estructuras corporatistas que han coexistido con la cuestión disgregadora del lenguaje a lo largo de la era postbélica.

Diferencias sustanciales separan de forma similar a Dinamarca de sus dos vecinos escandinavos [244]. La historia del siglo XIX legó a Dinamarca un sistema de sindicatos artesanales horizontales, una fuerte clase media y una frágil alianza entre el movimiento obrero y los socialdemócratas. Por el contrario, Suecia y Noruega tienen sindicatos industriales de organización vertical, clases medias relativamente más débiles y partidos socialdemócratas vinculados estrechamente con el movimiento obrero. Desde que se construyó el Estado social del bienestar en Dinamarca antes de

---

Culturally Divides Society (Berkeley, University of California, Institute of International Studies, 1981), y John Fitzmaurice, *The Politics of Belgium: Crisis and Compromise in a Plura Society* (Londres, Hurst, 1983).

[243] Wolinetz, «Wage Regulation in the Netherlands», pág. 47.

[244] Gösta Esping-Andersen, *The Social Democratic Road to Power* (Princeton University Press, forthcoming). Este libro resume y amplía los artículos siguientes: «Social Class, Social Democracy, and the State: Party Policy and Party Descomposition in Denmark and Sweden», *Comparative Politics*, 11 (octubre 1978), págs. 42-58; «Comparative Social Policy and Political Conflict in Advanced Welfare States: Denmark and Sweden», *International Journal of Heath Services*, 9, 2 (1979), págs. 269-93, y «From Welfare State to Democratic Socialism: The Politics of Economy Democracy in Denmark and Sweden», *Political Power and Social Theory*, 2 (1981), págs. 111-40. Véanse también los ensayos aparecidos en dos números de *Daedalus* (invierno y primavera 1984) dedicado a Escandinavia; Johan P. Olsen, *Organized Democracy: Political Institutions in a Welfare State - The Case of norway* (Oslo, Universitetsforlaget, 1983), y Henrik J, Madsen, «Social Democracy in Poswar Scandinavia: Macroeconomic Management, Electoral Support, and the Fading Legacy of Prosperity» (Ph. D. diss., Harvard University, 1984).

la segunda guerra mundial con la activa cooperación de los principales sectores de la sociedad, el partido socialdemócrata danés ha desarrollado su política a lo largo de la postguerra dentro de una estructura fundamentalmente liberal. En Suecia, y en menor medida en Noruega, los socialdemócratas juegan un papel mucho mayor en la construcción del Estado del bienestar, a veces contra la oposición activa de los partidos políticos de centro y de derecha. Después de 1945 las políticas sociales se desarrollaron así en estructuras que expresaban principios socialdemócratas más que liberales. Además, como señala Gösta Esping-Andersen, los partidos socialdemócratas en Suecia y en Noruega utilizan políticas sociales y económicas para reconstruir su base social. Esto no ocurre en Dinamarca. El resultado es que una coalición entre trabajadores *blue* y *white-collar* está reemplazando gradualmente la alianza verde y roja (granjeros-trabajadores) de los años 30 en Suecia y Noruega. En Dinamarca, sin embargo, la socialdemocracia está sufriendo la descomposición avanzada de su base política.

Estas diferencias entre Holanda y Bélgica y entre los países escandinavos son bastante considerables. En la tabla 5 se resumen doce indicadores del carácter de empresarios y trabajadores de los pequeños Estados europeos. Estos sugieren que existen dos variantes diferentes del corporatismo. El corporatismo liberal en Suiza, Holanda y Bélgica se distingue por una comunidad empresarial de orientación internacional; el corporatismo social en Austria, Noruega y Dinamarca, por un movimiento obrero fuerte y centralizado. Lo distintivo de Suecia es la combinación de una comunidad de empresarios de orientación internacional con un movimiento obrero fuerte y centralizado. Esta interpretación de la política sueca encaja con la de Jonas Pontusson. Este ha afirmado que, «concebida en términos organizacionales», la «fuerza de los trabajadores» no conlleva de ninguna manera la «debilidad del capital». El caso sueco sugiere que la fuerza organizacional de una de las partes refuerza, en efecto, la de la otra [245]. La internacionalización de las empresas suecas es un aspecto frecuentemente olvidado de este proceso. Una comparación por parejas más detallada de Suiza, Holanda y Bélgica con Austria, Noruega y Dinamarca da lugar a un total de 108 comparaciones (nueve por cada uno de los doce indicadores de las tablas 3 y 4). Omitiendo cinco rangos combinados, en 99 de las 103 comparaciones (o más del 96 por 100) concuerda con la clasificación aquí sugerida. Además, los datos de la tabla 5 señalan que Suiza y Austria podrían ser consideradas como los ejemplos más típicos del corporatismo liberal y social, respectivamente.

---

[245] Pontusson, «Beyond and Behing Social Democracy», pág. 82.

Suiza y Austria

Suiza y Austria difieren de forma más marcada en el carácter de sus coaliciones sociales y en la sustancia de las estrategias que adoptan en respuesta al cambio económico. La poderosa comunidad de empresarios suiza, de orientación internacional, se opone a un movimiento sindical menos poderoso y relativamente descentralizado. Por su política liberal de comercio exterior, su fuerte inversión exterior directa e importación de mano de obra extranjera a gran escala, la estrategia suiza puede considerarse de adaptación global al cambio económico. Por su limitado gasto público, su sistema privatizado de bienestar social y las políticas de I + D, desarrolladas principalmente por las grandes corporaciones, la estrategia suiza es de compensación privada del cambio económico. Por el contrario, la comunidad empresarial austríaca, altamente nacionalizada, se halla frente a un movimiento sindical poderoso y centralizado. La búsqueda en Austria de una cautelosa política liberal de comercio exterior, los fuertes subsidios a la inversión inferior, su compromiso de pleno empleo y una política activa del mercado de trabajo apuntan hacia una estrategia de adaptación nacional. Por su gran gasto público, su sistema públicamente subvencionado de bienestar social y su política de rentas, en la que concuerdan tanto los sindicatos como los empresarios, la estrategia austríaca es de compensación pública del cambio económico.

Aunque las instituciones en Suiza y Austria son centralizadas en comparación con las de los grandes Estados industriales, los dos países difieren uno del otro en el grado de centralización. Las instituciones suizas tienden a la centralización; evocan la imagen de un convoy de camiones guiados por muchos conductores en una misma carretera. Las instituciones austríacas están más centralizadas; recuerdan a un tren manejado por un solo maquinista. Pero en ambos países las instituciones políticas son muy estables e igualmente efectivas en la protección del proceso político contra los choques exógenos.

Un análisis de las redes políticas que vinculan a los grupos de interés con las burocracias estatales en Suiza y Austria sugiere que la demarcación de los límites entre Estado y sociedad es casi imposible de identificar. Los grupos de productores y las burocracias estatales están inextricablemente unidos mediante las instituciones. Ambos países tienen asociaciones de élite generalmente centralizadas, bien organizadas y globalizadoras. La construcción de un consenso duradero que cubre puntos de vista con frecuencia divergentes dentro de estos grupos es una de las claves de la estabilidad de las redes políticas y de la previsibilidad del proceso político en ambos países. Al mismo tiempo el grado de centralización en los dos países es bastante mayor en el bloque social dominante, empresarios suizos y trabajadores austríacos, que en el bloque subordinado. La burocracia estatal es pequeña y descentralizada en Suiza, y grande y centralizada en Austria. Pero en ambos países el Estado es relativamente pasivo y carece de autonomía con respecto a los grandes grupos productores. Las presiones políticas bajo las que funcionan ambas burocracias estatales están compensadas por la búsqueda elaborada del consenso tanto dentro como entre las asociaciones de élite.

La búsqueda del consenso también se refleja en los sistema de partidos. En Suiza los diferentes partidos políticos «se funden» en un sistema de coalición de todos los partidos. La ejecutiva federal intenta formar acuerdos aceptables tanto para los poderosos grupos de interés como para unos ciudadanos que disfrutan de los derechos de la democracia directa. Cuando terminó en 1966 la «Gran Coalición» austríaca entre los partidos políticos dominantes, la coalición reapareció casi instantáneamente en medio de unos intereses sociales y económicos que situaban a todos los ministerios en un sistema de equilibrio bipartidista. Esta comunidad de intereses requiere la creación de un consenso entre los partidos políticos dominantes en Austria, los grupos de interés que se hallan en sus órbitas y la base social a la que esos grupos representan. La fusión de poder entre Estado y sociedad y entre gobierno y oposición se da, por tanto, en Suiza y Austria. Pero las diferentes constelaciones de fuerzas sociales en los dos países conducen a un corporatismo liberal despolitizado, privado y descentralizado en Suiza y a un corporatismo social politizado, público y centralizado en Austria.

Finalmente, el proceso político refleja la realidad social subyacente al capitalismo liberal en Suiza y al socialismo democrático en Austria. En Suiza la negociación se extiende a asuntos no económicos, pero excluye la inversión y el empleo; en Austria, la negociación está estrictamente restringida a los asuntos económicos pero está centrada en la inversión y el empleo. Debido a que el Estado está menos implicado en la economía en Suiza que en Austria, la forma de negociación política tiende hacia el bilateralismo en Suiza y al trilateralismo en Austria. En Suiza la industria y las finanzas gestionan entre ellas las cuestiones de inversión, y la empresa y los trabajadores, las cuestiones de salarios y empleo. El Estado interviene, en última instancia, sólo en situaciones de grave crisis. En Austria los empresarios, el Estado y los sindicatos dirigen las cuestiones de inversión, mientras que los empresarios, los sindicatos e, indirectamente, el Estado gestionan los salarios y el empleo. El Estado está así profundamente inmerso en la negociación política entre empresarios y sindicatos de forma cotidiana. El resultado es que las transacciones a lo largo de los diferentes sectores de la política tienden a ser más implícitos en Suiza que en Austria.

El significado del proceso político en ambos países, aunque adopta una forma despolitizada en Suiza y una forma politizada en Austria, descansa en su recreación y reafirmación del consenso entre los principales actores políticos sobre la legitimidad de las instituciones políticas y la elección de estrategias políticas. A través de su proceso político, Austria y Suiza llenan el vacío que divide al Estado de la sociedad y al gobierno de la oposición. Los pasillos interconectados del poder ofrecen un sustituto a los instrumentos políticos de los que carece a menudo el Estado en Suiza y que raramente utiliza Austria por iniciativa propia. El resultado en ambos países es una forma políticamente efectiva, aunque raramente eficiente, de elegir una postura en la economía mundial. A lo largo de los 70 la estrategia suiza de adaptación global y de compensación privada no encontró serios desafíos políticos. El proceso político en Suiza y Austria triunfó en la integración de todas las fuentes importantes de oposición potencial en un consenso.

TABLA 5.   *Empresarios y trabajadores en los pequeños Estados europeos*

		(1) Comunidad de empresarios por su orientación internacional y su centralización	(2) Fuerza y centralización de los movimientos obreros, 1965-80
1.	Suiza	1,0	7,0
2.	Holanda	2,0	5,0
3.	Bélgica	3,0	6,0
4.	Suecia	4,0	2,0
5.	Dinamarca	5,0	4,0
6.	Noruega	6,0	3,0
7.	Austria	7,0	1,0
	Media (1-3)	2,0	6,0
	Media (5-7)	6,0	2,7

Fuentes: Col. 1: cuadro 3.
     Col. 2: cuadro 4.

A pesar de las muchas diferencias entre Suiza y Austria, el proceso político en los dos países difiere más en la forma política (el alcance y la forma de la negociación) que en las consecuencias políticas. Los conflictos en torno a las cuestiones surgidas con el cambio industrial implican la negociación no sólo sobre un tema sustantivo particular, sino sobre la serie completa de acuerdos corporatistas mediante los cuales las élites políticas de esas dos sociedades se han adaptado al cambio económico durante algunas décadas. Analizar la respuesta del corporatismo democrático al cambio económico implica el analizar la forma en que actores políticos diferentes se relacionan entre ellos en un proceso que aumenta el poder de los débiles en Suiza y limita el poder de los fuertes en Austria. Las políticas organizadas en las líneas corporatistas unen estrechamente la reflexión política a largo plazo con los cálculos económicos a corto plazo. Debido a que no se producen distinciones tajantes entre los grupos de interés exigentes y las vagas nociones del bien público, el proceso político no crea «ganadores y vencidos», sino «participantes». En definitiva, en ambos Estados la política tiende hacia una reducción de las desigualdades políticas entre los actores políticos, una reducción que facilita sus disposiciones corporatistas. La tabla 6 resume las formas características de los acuerdos corporatistas liberal y social [246].

El corporatismo y los grandes países

Todos los Estados industriales avanzados, sean grandes o pequeños deben adaptarse al cambio económico interior y exteriormente. En países como Suiza y Holanda, que conceden un lugar de honor al funcionamiento de los mercados, las políticas de ajuste corporativas asumen un significado político mayor que en países como Austria y Noruega, que desconfían más de las instituciones de mercado. Además, esos países que han localizado una gran parte de su capacidad productiva en el extranjero (es decir, Estados Unidos, Gran Bretaña, Suiza y Holanda) dependen fuertemente de las operaciones globales de las grandes empresas y tienen una desventaja distintiva en la creación de una política industrial nacional. Las corporaciones y los gobiernos tienen un incentivo para ajustarse a los cambios de forma internacionales antes que en el contexto de la economía nacional. Las políticas que favorecen la inversión extranjera directa dejan todas las grandes decisiones sobre relanzamiento industrial que afectan al empleo, al desarrollo regional, combinación de productos e investigación y desarrollo en manos de las grandes corporaciones privadas. La hostilidad que existe en Suiza hacia las políticas industriales y la tensión que originan en Gran Bretaña resuenan en el creciente debate en América en los años 80. Pero mientras los grandes países industriales, como Gran Bretaña, juegan con la exportación de los costes del cambio mediante la protección arancelaria, los estados de corporatismo liberal, como Suiza, están dispuestos a tolerar los costes del cambio que impone el libre comercio.

Existe un ingrediente político esencial en el intento de implantar una política industrial activa para la transformación estructural: una izquierda débil y excluida de la política a nivel nacional. Desde finales de los años 40 los dos países que han adoptado una estrategia deliberada de transformación sectorial, Japón y Francia, han experimentado este hecho. Las suyas no son la clase de política de ajuste industrial favorecida por los Es-

---

[246] Para un mayor detalle véase Katzenstein, *Corporatism and Change,* especialmente los capítulos 4-6.

tados corporatistas, como Austria o Noruega, donde existe una política industrial reactiva y flexible que persigue ajustes crecientes en la estructura, localización, empleo, investigación y desarrollo y *marketing* de las empresas en las industrias nacionales.

Aunque los Estados de corporatismo liberal y social difieren en dónde y cómo se adaptan al cambio, ambos grupos muestran un grado destacable de flexibilidad en la política. Una comparación con los Estados industriales más grandes nos puede ayudar a reforzar este punto. Entre los grandes países, al menos en apariencia, Estados Unidos es, quizá, el que converge más de cerca, tanto en estrategia como en estructura, con Suiza, un país que ejemplifica de la forma más clara los rasgos característicos del corporatismo liberal. Estos son los dos bastiones capitalistas del federalismo, del liberalismo y de la democracia. Ambos países fomentan una adaptación global al cambio, que proporciona al gobierno federal un papel comparativamente débil en la política y en las medidas de compensación organizadas de forma privada; por ejemplo, en el área de las pensiones. Además, Suiza y Estados Unidos poseen una comunidad empresarial de orientación internacional que tiene una gran influencia sobre la política económica exterior, mientras que poseen un movimiento obrero descentralizado que padece una gran debilidad política. Tales similitudes se ven contrarrestadas, sin embargo, por dos importantes diferencias. El rol hegemónico que Estados Unidos ha jugado en la economía internacional de la segunda guerra mundial ha elevado en ocasiones los objetivos del liberalismo internacional desde el terreno del simple interés al terreno de la ideología, dando así a la rama ejecutiva del gobierno un papel en el área de la política económica exterior mayor del que posee en Suiza [247]. La coherencia que a veces impone la hegemonía en la política americana, en Suiza se crea a veces por un espíritu del colectivismo. En Suiza la tensión entre la libertad individual y la necesidad colectiva no se resuelve únicamente, como en América, mediante una acumulación de preferencias individuales en una *volonté des tous;* a veces, tal resolución se produce también mediante su sublimación en una *volonté générale.* No es casual que la Constitución suiza hable del «bienestar general», mientras que la Declaración de Independencia de los Estados Unidos alabe la «búsqueda de libertad» individualista [248]. Además, el tejido político de Suiza ha estado tradicionalmente más integrado y fundado en una base más amplia que el americano, lo cual ha facilitado el desarrollo de políticas consistentes con las que Suiza puede hacer frente a la economía internacional.

---

[247] Franz Schurmann, *The Logic of World Power: An Inquiry into the Origins, Currents and Contradictions of World Politics* (Nueva York, Random, 1974).

[248] Irirangi Coates Bloomfield, «Public Policy, Technology, and the Environment: A Comparative Inquiry into Agricultural Policy Approaches and Environmental Outcomes in the United States and Switzerland» (Ph. D. diss., Boston University, 1981), pág. 235, nota 18.

Paradójicamente, se pueden encontrar también grandes similitudes entre este ejemplo de corporatismo liberal y el aparentemente opuesto a los Estados Unidos: Japón. Los sistemas paternalistas de Suiza y Japón convergen en tres puntos: primero, ambos países actúan resueltamente en la persecución de objetivos económicos: ambos juegan ocasionalmente el papel de *free riders* en la economía internacional, trasladando sus costes al exterior, bien mediante la repatriación de trabajadores extranjeros, como Suiza, o mediante restricciones informales a las importaciones, como Japón. Segundo, tanto Suiza como Japón comparten la privatización de los aspectos del bienestar de sus políticas de compensación [249]. Finalmente, en ambos países una comunidad empresarial fuerte y políticamente unida disfruta de una posición privilegiada en la marcha de la política y se enfrenta con una izquierda descentralizada y políticamente débil.

Sin embargo, una gran diferencia separa a los dos países: esto es, el papel predominante que la burocracia estatal japonesa juega en la definición y puesta en marcha de la política. De forma vacilante y tardía, Japón adoptó las premisas liberales de la economía internacional postbélica, y en su política industrial es la burocracia estatal la que dirige el ajuste al cambio. Además, en Suiza los sindicatos y la izquierda política están integrados políticamente y a nivel nacional en los dos acuerdos corporatistas; en Japón se hallan excluidos.

A primera vista, la estrategia y estructura del corporatismo social austríaco se asemejan de forma sorprendente a las de Francia. Dado que desconfían de las instituciones de mercado, ambos países afrontaron la creciente liberalización de la economía internacional de postguerra con vacilación y demora. En ambos países el Estado, en términos de sus objetivos e instrumentos políticos, parecía destinado a desempeñar un importante papel en la estructuración de la sociedad. Además, ambos países han elegido adaptarse al cambio económico primeramente en el plano nacional antes que en los mercados internacionales. En efecto, en su triunfante campaña electoral para la presidencia, François Mitterrand señaló repetidamente a Austria como un modelo de lo que debía conseguir en Francia una izquierda democrática. Sin embargo, estas similitudes son engañosas. El Estado austríaco se halla presionado de formas bastante diferentes por Francia. Los estudiosos de la burocracia francesa han enfatizado la cuestión de cómo sus divisiones internas y los vínculos con la co-

---

[249] T. J. Pempel, «Japanese Foreign Economic Policy: The Domestic Bases for Intrnational Behavior», en Peter J. Katzenstein, ed., *Between Power and Plenty: Foreign Economic Policies of Adavances Industrial States* (Madison, University of Wisconsin Press, 1978), págs. 139-90, y Pempel y Keiichi Tsunekawa, «Corporatism without Labor? The Japanese Anomaly», en Schmitter y Lehmbruch, *Trends Toward Corporatist Intermediation*, págs. 231-70.

munidad empresarial conforman sus opciones políticas; los burócratas austríacos, sin embargo, experimentan una ausencia virtual de opciones políticas. La fortuna del gobierno de Mitterrand elegido en 1987 depende, sobre todo, de cómo conjugue sus promesas electorales de imitar el modelo austríaco con las tentativas de construir un socialismo sin los trabajadores. En este aspecto, los primeros tres años de la presidencia de Mitterrand han tenido un efecto sombrío. Existe un mundo de diferencia entre la izquierda francesa radical, profundamente dividida, ausente del gobierno en los años 70, por un lado, y una izquierda austríaca en el gobierno, moderada y unificada, por otro. El tejido político en Austria ha sido más globalizador e integrador que el de Francia, fomentando la consistencia en las políticas con las que los austríacos han confluido a la economía internacional durante las dos últimas décadas.

TABLA 6.   *Dos variantes del corporatismo democrático*

	Corporatismo liberal en Suiza	Corporatismo social en Austria
1. Coalición social:		
a) Empresarios.	Internacional; más fuerte.	Nacional; más débil.
b) Sindicatos.	Descentralizada; más débil. Adaptación global y	Centralizada; más fuerte.
c) Estrategia política.	compensación privada.	Adaptación nacional y compensación pública.
2. Tejido político:		
a) Estructura de las instituciones.	Menos descentralizada; estable; efectiva.	Más centralizada; estable; efectiva.
b) Proceso político: Alcance de la negociación corporatista.	Amplio, pero excluye las cuestiones de la inversión y el empleo.	Más reducido, pero incluye las cuestiones de inversión y empleo.
Forma de negociación.	Bilateral; intercambios más implícitos.	Trilateral; intercambios más explícitos.
Consecuencias para la política.	Reduce las desigualdades políticas entre los actores.	Reduce las desigualdades políticas entre los actores.

Es interesante resaltar que el corporatismo social austríaco parece asemejarse también a importantes rasgos de la política británica, aunque se considere a menudo a Gran Bretaña lo opuesto al estatismo continental [250]. La política en Gran Bretaña, como en Austria, se corresponde fuertemente con la clase política. Ambos países ejemplifican el poder del movimiento obrero organizado hasta tal punto que con frecuencia son apodados como «estados sindicales». Este poder se refleja no sólo en el

---

[250] Karl-Heinz Nassmacher, *Das Österreichische Regierungssystem: Grosse Koalition oder Alternierende Riegierung?* (Colonia Westdeutscher, 1968), págs. 158-73.

lugar de trabajo, sino también, en grados diferentes, en las relaciones de los sindicatos con el partido de la clase trabajadora. También se refleja en el crecimiento de un Estado del bienestar público que ha inspirado la emulación entre rezagados en términos relativos, tales como Escandinavia y los Países Bajos. De nuevo aquí, sin embargo, las similitudes en las apariencias se muestran engañosas. Mientras los poderosos sindicatos austríacos ejercen su poder firmemente integrado con el tejido político nacional, duradero y flexible, los sindicatos británicos han sido participantes y blanco de los fracasados intentos de hacer realidad tales redes políticas. La política de rentas y la política industrial, por ejemplo, han ofrecido la oportunidad, repetidas veces, de legitimar las instituciones existentes y las prácticas políticas en Austria; en Gran Bretaña han ofrecido arenas en las que las instituciones y las prácticas existentes se han deslegitimado progresivamente mediante una perpetua lucha, a la vez que se ha impedido el surgimiento de otras nuevas. Finalmente, ambos países se han desplazado rápidamente en direcciones opuestas en la división internacional del trabajo. Mientras Gran Bretaña vuelve de forma creciente al proteccionismo y se acostumbra a los niveles de vida y estructuras de producción de la periferia europea, el milagro económico en Austria está impulsando al país hacia la liberalización internacional y hacia los stándares y estructuras de la Europa central.

Por su ideología, sus grupos de interés y su negociación política, el corporatismo democrático en ambas variantes compensa a aquellos que padecen debilidad política y problemas económicos. El corporatismo social tiende hacia una negociación económica amplia y depende, sólo de forma limitada, de la segmentación social de su fuerza de trabajo. El corporatismo liberal tiende hacia una negociación a nivel de empresa o de sector y descansa más fuertemente en la segmentación económica y social, como lo ilustra el papel de los trabajadores extranjeros y las mujeres. Pero dadas sus posiciones de apertura a los mercados internacionales, ambas variantes comparten características corporatistas que son menos típicas de los grandes Estados industriales. Algunos análisis, centrados en el rol de la izquierda política y de los sindicatos, clasifican a Austria, los Países Bajos, Escandinavia, Gran Bretaña y Alemania Occidental como «incluyentes» y a Suiza, Estados Unidos, Japón, Italia y Francia antes de los años 80 como «excluyentes» [251]. Pero un análisis que se centra en las estructuras internas y olvida los diferentes contextos internacionales en los que se mueven los Estados industriales grandes y pequeños produce una serie de anomalías. Sitúa en un mismo grupo a sociedades con sistemas centralizados y descentralizados de negociación colectiva (Alemania Oc-

---

[251] Aunque a menudo de manera implícita, esta taxonomía influye en una parte de los escritos actuales sobre corporatismo. Esto es evidente en Stephens, *Transition for Capitalism*.

cidental y Gran Bretaña) y con Estados fuertes y débiles (Japón y Estados Unidos). Distingue entre sociedades que difieren sólo en grado en cuanto a su dependencia de trabajadores extranjeros, mujeres y ancianos (Alemania Occidental y Francia) y en la integración política de la izquierda y del movimiento sindical (Suiza y Holanda). Este libro presenta un argumento diferente. Los pequeños Estados europeos se distinguen por su política corporatista y su política industrial del resto de los países industriales mayores y, por ello, se encuentran más protegidos ante la economía internacional.

Las afinidades paradójicas de Suiza y Austria con las manifestaciones políticas del liberalismo y el estatismo entre los grandes Estados industriales sugiere que aquéllos han desarrollado una tercera variante del capitalismo, una que combina elementos del mercado y del Estado. Lo que han desarrollado es el corporatismo democrático.

El corporatismo democrático tiene una consecuencia política central. Con la incorporación de todos los principales actores políticos y grupos de productores está creando una coherencia política en la estructura interna y una flexibilidad en la estrategia política. Los pequeños Estados europeos son economías de libre mercado; su antiliberalismo consiste en la sustitución, cuando es necesario, de mecanismos políticos de compromiso por los dictados del mercado. Por el contrario, los pequeños Estados europeos son estatistas al otorgar a sus burocracias estatales un importante lugar en la política; su antiestatismo se refleja en su neutralización de las instituciones del Estado, que padecen una falta relativa de autonomía e intereses políticos propios.

El argumento de los dos últimos capítulos se basa en una diferenciación acumulativa entre las estrategias y estructuras de los pequeños y grandes Estados, así como entre los pequeños Estados europeos. Lo que unifica la experiencia de los pequeños Estados europeos, y que los separa de los grandes Estados industriales, es su flexibilidad al enfrentarse al cambio económico. Los principales actores políticos ven el cambio político como un estilo de vida, como una oportunidad, más que como una anormalidad o una amenaza. El corporatismo democrático está marcado por una serie de estrategias políticas particulares. Debido a la apertura y vulnerabilidad económica de los pequeños Estados europeos, las políticas proteccionistas no constituyen una opción política viable. Por el contrario, estos Estados pueden contarse entre los más fuertes defensores de la liberalización internacional. Aunque el corporatismo democrático no surge hasta los años 30 y 40, los pequeños Estados europeos han favorecido la liberalización internacional a lo largo de todo el siglo XX. El factor decisivo ha sido la apertura económica más que el corporatismo. Pero la apertura económica ayuda a mantener los acuerdos corporatistas. Las exigencias políticas del corporatismo democrático cuentan a la hora de adoptar políticas de compensación interior de amplio alcance por parte de los pequeños Estados europeos. La compensación interna, en mi opinión, responde primeramente a la lógica de las políticas nacionales; no es una respuesta deliberada a la lógica de la economía internacional [252]. Las políticas de compensación nacional, en cambio, refuerzan y modifican la política del corporatismo.

La liberalización internacional y la compensación interna se combinan para producir las políticas flexibles de ajuste industrial con las que los pequeños Estados europeos responden a las limitaciones y las oportunidades que conllevan las estructuras nacional e internacional. Dado que el proteccionismo no constituye una opción, la estrategia de los pequeños Estados corporatistas difiere de la estrategia de los grandes países industriales, tales como Estados Unidos o Gran Bretaña, que generalmente intentan exportar los costes del cambio mediante una protección selectiva. Por el contrario, las políticas que requieren una unidad de objetivos y un acrecentamiento del poder contradicen las exigencias políticas de la negociación política intersectorial, distinguiendo a los pequeños Estados europeos de la estrategia política de Japón o Francia. Se ha desarrollado un enfoque estadístico en torno a la apropiación de los costes del cambio mediante políticas de intervención y protección selectivas realizadas en nombre de la transformación estructural. Tal como concluye un análisis comparativo de las respuestas políticas de cuatro Estados socialdemócratas (Gran Bretaña, Alemania Occidental, Suecia y Austria) a la crisis económica de los 70, «Austria y Suecia parecen estar mejor situadas institucionalmente que Gran Bretaña o Alemania para explorar el amplio abanico de opciones políticas potencialmente disponibles para la actuación conjunta del gobierno y el sistema de relaciones industriales. Y parecen ser también plenamente capaces de llevar a cabo conjuntamente esas políticas, las cuales se han acordado a nivel nacional» [253]. Los pequeños Estados europeos han aprendido a convivir con los costes del cambio.

El ajuste industrial flexible no es una respuesta unidimensional a las cambiantes condiciones del mercado o las presiones políticas. Como ya he señalado, el corporatismo democrático tiene dos variantes, una liberal y otra social. Ambas variantes responden a los requerimientos económi-

---

[252] Basada en el análisis que he avanzado en *Corporatismo y cambio*, la explicación funcional que ofrezco en los capítulos 2 y 3 difiere, pues, del análisis estadístico de David Cameron en «The Expansion of the Public Economy». La explicación histórica del capítulo 4, por el contrario, argumenta que los regímenes corporatistas constituyeron una respuesta a la apertura económica y vulnerabilidad internacional. La diferencia entre los análisis funcional e histórico, así como entre la correlación y la causalidad, es el centro de atención de Dankwart A. Rustow, «Transitions to Democracy: Toward a Dinamic Model», *Comparative Politics*, 2 (abril 1970), págs. 337-64.

[253] Fritz W. Scharpf, «The Political Economy of Inflation and Unemployment in Western Europe: An Outline» (Berlín, International Institute for Management, 1981), pág. 46.

cos, así como a los políticos, del ajuste. El corporatismo liberal acepta el cambio bajo la dirección del mercado, pero realiza las gestiones políticas necesarias para mantener a los segmentos de la industria, empresas o regiones desventajadas integradas en un consenso general. El corporatismo social intenta amortiguar el cambio dentro de los límites que el mercado permite. Los suizos, holandeses y belgas conceden tanto valor a la institución del mercado que encontrarían imprudente hacer caso omiso de las exigencias políticas de un ajuste industrial flexible. Los austríacos, noruegos y daneses valoran altamente la institución del Estado y considerarían igualmente descabellado desatender las necesidades económicas de un ajuste flexible.

Distintivo de ambas variantes del corporatismo es el equilibrio de las exigencias de la flexibilidad económica con las de la legitimidad política. La política o bien no impide el cambio en los factores de producción o bien lo hace de manera tal que contribuye políticamente al ajuste flexible a largo plazo. Digno de mención en circunstancias económicas adversas es, por lo tanto, lo que es menos aparente: las intervenciones políticas del corporatismo liberal en los mercados y la tolerancia política de las consecuencias del mercado en el corporatismo social. Aunque el corporatismo liberal estima más importante la eficacia que la equidad y el corporatismo social prefiere la equidad a la eficiencia, ambas preferencias se encuentran oprimidas por las trabas del corporatismo democrático y la lógica de los mercados.

CAPÍTULO 4

LOS ORIGENES HISTORICOS DEL CORPORATISMO DEMOCRATICO

Si explicamos las estrategias industriales de los pequeños Estados europeos como resultado de la estructura y funcionamiento del corporatismo democrático, estamos resolviendo un *puzzle* a la vez que planteamos otro nuevo. ¿Por qué el corporatismo democrático surgió en su forma más pura sólo en los países europeos? La respuesta a esta cuestión se halla en una disgresión histórica, pero requiere primero una simplificación en nuestra definición de corporatismo. En este capítulo me centraré en el hecho que jugó el papel de comadrona en la cuna del corporatismo democrático en los años 70: la colaboración interclasista. Dejaré aparte las otras dos características definitorias del corporatismo democrático. La centralización de la política, que es el resultado del reducido tamaño, existía antes de los años 30 al igual que después, y por ello parece ser de importancia menos decisiva. La coordinación de objetivos en conflicto en las diferentes materias, ya evidente en los años 30, se convirtió en un rasgo prominente sólo con el crecimiento del Estado del bienestar después de la segunda guerra mundial. Existen también razones programáticas para la simplificación que refuerzan las razones intelectuales. La respuesta histórica que ofrezco se presenta a grandes líneas, y nos transporta desde los años 30 hasta el siglo XII. Esta clase de macrohistoria proporciona los mejores resultados cuando no está dirigida a materias de compleja definición, sino a cuestiones simples y amplias. Nuestra cuestión es ésta: ¿Por qué en los años 30 surgió la colaboración interclasista en los pequeños Estados europeos pero no en los grandes países industriales?

Mi intención no es distinguir entre las condiciones necesarias y suficientes en un estricto análisis causal. Por el contrario, espero trazar los antecedentes históricos que hicieron posible los diferentes resultados de los años 30. El pequeño tamaño, por tanto, no está tratado como una variable que fuerza, de alguna manera, una solución política —la relación entre el pequeño tamaño y el corporatismo democrático es históricamente contingente antes que lógicamente necesaria—. Lo que importa es un modelo de desarrollo histórico que ha dado lugar a diferentes tipos de política democrática en el siglo XX.

El compromiso corporatista que distingue a los pequeños Estados europeos estaba, en mi opinión, establecido ya en los años 30. Este es un punto de bastante controversia. Los estudiosos del corporatismo europeo han intentado en su mayoría explicar o describir el corporatismo como parte y parcela de un sistema consensual de negociación salarial en los años 60 y 60 [1]. Aunque la evolución del corporatismo democrático desde 1945, como ya señalé en el capítulo 3, es esencial en cualquier explicación funcional de cómo este régimen político recrea las condiciones de su existencia, no nos dice nada sobre las razones que dieron lugar a las estructuras corporatistas en un primer momento. Alternativamente, los estudios históricos del Estado del bienestar y de los sistemas democráticos de partidos se centran en la intersección de la extensión del sufragio con la introducción de las primeras medidas del Estado del bienestar en torno al cambio de siglo [2]. Mientras que mi análisis reconoce en la segunda sección de este capítulo la importancia del «acuerdo electoral» sobre la representación proporcional, la esencia del corporatismo democrático depende en su alineación de un sistema de representación parlamentario con base territorial en una representación funcional particular de grupos de interés. Tal sistema de representación surgió plenamente en los años 30 y 40.

¿Qué antecedentes históricos hicieron posible el compromiso político de los años 30 y el acuerdo electoral sobre la representación proporcional? La tercera sección argumenta que la respuesta se halla en la coincidencia de dos condiciones diferentes. Primero, la derecha era más débil y se hallaba más dividida en los pequeños Estados europeos que en los países más grandes, creando así las condiciones políticas favorables para el compromiso. Segundo, la especialización de las exportaciones creó vínculos entre diferentes sectores económicos y sociales en los pequeños Estados europeos, vínculos más estrechos que los que se encuentran en países más grandes. La apertura económica distintiva de los pequeños Es-

---

[1] Véanse las referencias citadas más arriba en el capítulo 1, nota 16, y en el capítulo 3, nota 47.

[2] Jens Alber, *Vom Armenhaus zum Wohlfahrtsstaat: Analysen zur Entwicklung der Sozialverschierung in Westeuropa* (Frankfurt, Campus, 1983); Peter Flora *et al., State, Economy and Society in Western Europe, 1815-1975: A Data Handbook in two Volumes,* vol. 1: *The Growth of Mass Democracies and Welfare States* (Frankfurt, Campus, 1983), y Seymour Martin Lipset y Stein Rokkan, «Cleavage Structure, Party Systems and Voter Alignments: An Introduction», en Lipset y Rokkan, eds., *Party Systems and Voter Alignments* (Nueva York, Free, 1967), págs. 1-64.

tados europeos juega así un importante rol dual. Los intereses urbanos y las oportunidades económicas internacionales contribuyeron a crear un feudalismo relativamente débil en los pequeños Estados europeos; la especialización de las exportaciones respondía a las oportunidades de los crecientes mercados internacionales en el siglo XIX, creando con ello estrechos vínculos entre los sectores sociales y económicos.

A pesar de estas experiencias comunes en la evolución histórica, la adaptación política de los años 30 se consiguió en diferentes términos. El resultado fueron las evidentes diferencias entre el corporatismo liberal y social, tanto en la estrategia de ajuste de los pequeños Estados europeos como en el carácter de sus acuerdos corporatistas. La cuarta sección trata de cómo tres variables —el *timing* de la industrialización, la política internacional y la estructura social— han conformado el carácter de capital y trabajo. En los pequeños Estados europeos se refuerzan mutuamente. El corporatismo liberal se encuentra en países, culturalmente heterogéneos que se industrializaron pronto y que se vieron favorecidos por los desarrollos en la política internacional. El corporatismo social surge en países culturalmente homogéneos que se industrializaron tarde y se vieron menos favorecidos por la política internacional.

Finalmente, remito este análisis histórico al libro que lo inspiró, *Social Origins of Dictatorship and Democracy,* de Barrington Moore [3]. El análisis establece importantes similitudes en los orígenes históricos del corporatismo democrático en los pequeños Estados europeos y de la democracia liberal en algunos de los grandes países. Pero apunta a una diferencia fundamental. Los pequeños Estados europeos no experimentaron un corte revolucionario con el pasado; los grandes países que eventualmente se dirigieron hacia el gobierno democrático, sí lo hicieron. El compromiso corporatista de estos mismos años y el corporatismo democrático de los años 30 que se ha desarrollado a partir de él permitieron así un modelo más amplio de evolución histórica —un modelo que diferencia a los pequeños países europeos de los más grandes.

Todos los análisis que manejan pocos casos y muchas variables se enfrentan con el grave problema de la generalización. Aunque son cualitativamente distintos, una serie de factores con consecuencias presumiblemente iguales se dan juntos, sin que nosotros podamos desenmarañarlos. Análisis como éste, pues, no pueden alcanzarlos stándares rigurosos de un test de ciencia social capaz de obtener una distinción de las condiciones necesarias y suficientes, una valoración de la importancia relativa de las variables y, si es posible, una prueba de causalidad. En este capítulo, así como a lo largo de todo el libro, me he preocupado menos de la comprobación que de incrementar la plausibilidad del argumento mediante la

---

[3] Barrington Moore, Jr., *Social Origins of Dictatorship and Democracy: Lord and Peasant in the Making of the Modern World* (Boston, Beacon, 1967).

comparación, donde era relevante, de los pequeños países europeos con los grandes. No obstante, la quinta sección ofrece un test indirecto más profundo.

Austria experimentó en los años 30 una guerra civil más que un compromiso corporatista. En la mayor parte de este capítulo, por tanto, trataré sólo seis de los siete pequeños Estados europeos. La evolución histórica austríaca contrasta con la de los otros seis pequeños Estados europeos, en mi opinión, en que el Imperio de los Habsburgos favoreció el cierre económico, una fuerte aristocracia terrateniente, débiles intereses urbanos y una derecha política unida. Como resultado, para la izquierda fue difícil consolidar alianzas políticas con otras clases y moderar así su combatividad. Con el fin del Imperio de los Habsburgos en 1919, Austria, la única entre los pequeños Estados europeos, atravesó un corte revolucionario con su pasado. Adoptó la representación proporcional sin debate, como un método de despersonalización de los encarnizados conflictos políticos. Además, en el siglo XIX la estrategia austríaca de ajuste industrial fomentó, con pocas excepciones, el proteccionismo sobre el comercio; tentados por los resultados del Imperio, los productores austríacos en general evitaron la especialización de las exportaciones típicas de otros pequeños Estados europeos. Su estrategia industrial, pues, hizo poco por reforzar los vínculos entre los diferentes sectores sociales. Incluso si excluyéramos los efectos adversos que la pérdida de la primera guerra mundial y la caída del Imperio tuvieron sobre la primer República, la probabilidad de establecer un acuerdo corporatista en los años 30 fue debida a los avances políticos anteriores, significativamente menores en Austria que en cualquier lugar de Europa. En Austria todos los antecedentes históricos apuntan hacia el alejamiento más que hacia el acercamiento a un compromiso corporatista en los años 30.

I. El compromiso corporatista de los años 30 y 40

La Depresión de los años 30 desencadenó una profunda crisis en todos los Estados industriales avanzados. El liberalismo democrático liberal se vio enfrentado al rápido crecimiento de los movimientos radicales, tanto en la derecha como en la izquierda. Los pequeños Estados europeos registraron tasas de desempleo que eran sorprendentes incluso para los niveles del período de entreguerras. En el momento de mayor depresión en Escandinavia, entre un tercio y la mitad de la fuerza de trabajo industrial estaba desempleada; un tercio de los campesinos, endeudados, y alrededor de un cuarto de la población tuvo que solicitar una ayuda en un momento u otro [4]. En Holanda y en Bélgica el desempleo entre los traba-

---

[4] Karl-Gustav Hildebran, «Economic Policy in Scandinavia during the Inter-War Period», *Scandinavian Economic History Review*, 23, 2 (1975), pág. 105. En términos más ge-

jadores industriales variaba entre el 15 y el 35 por 100 [5]. Sólo Suiza registró tasas de desempleo menores, aunque todavía sustanciales. Los graves efectos de la Depresión en los pequeños Estados europeos, con sus economías abiertas, no es sorprendente. Dado que los países más grandes se lanzaron hacia la protección, los pequeños Estados europeos, orientados hacia la exportación, se encontraron en una situación verdaderamente difícil.

A pesar de las grandes desigualdades, los pequeños Estados europeos triunfaron en la reconstrucción de las bases políticas de sus regímenes dentro de las líneas corporatistas. Lo hicieron a trompicones más que de acuerdo a algún programa consciente. La experimentación prevaleció sobre los grandiosos planes políticos o déficits del gasto deliberados. En efecto, lo que es sorprendente de los debates políticos de la época es que, en general, no forzaron las opciones económicas a las categorías opuestas de mercado y planificación. En unos comentarios en torno a Escandinavia en los años 30 un crítico señalaba que

«la política (o al menos aquellos aspectos que son de interés desde el punto de vista de la "nueva" economía) no tiene repercusiones importantes... Es extremadamente dudoso si la política ha jugado un papel importante en la superación de la crisis en algún país escandinavo... los gobiernos socialdemócratas de estos tres países a finales de los años 30 ni lo hicieron, ni pudieron perseguir políticas que fueran socialistas o socialdemócratas en ningún sentido especial. Eran más alguna versión de políticas nacionales ampliamente fundadas que tuvieron que prestar una seria atención a los intereses de otros grupos» [7].

De forma similar se produjo una experimentación considerable con la política en Bélgica, Holanda y Suiza. Aunque la izquierda no imperó como en Escandinavia, la gestión de la economía se convirtió en cuestión política en un grado inimaginable en los años 20.

---

nerales, véase Ekkart Zimmermann, «The World Economic Crisis of the Thirties in Six European Countries: Causes of Political Inestability and Reactions to Crisis: A First Report» (artículo preparado para el ciclo de seminario del Consorcio Europeo para la Investigación Política, Universidad de Salzburgo, Austria, 13-18 de abril de 1984).

[5] Erik Hansen, «Depression Decade Crisis: Social Democracy and Planisme in Belgium and the Netherlands, 1929-1939», *Journal of Contemporary History*, 16 (1981), págs. 301-302.

[6] Hansjörg Siegenthaler, «Switzerland in the Twentieth Century: The Economy», en J. Murray Luck, ed., *Modern Switzerland* (Palo Alto, SPOSS, 1978), pág. 99, y Charbel Ackermann y Water Steinmann, *Historische Aspekte der Trennung und Verflechtung von Staat und Gesellschaft in er Schweiz: Die Genese der Verschränkung,* Forschungsprojekt Parastaatliche Verwaltung, Projektbericht 14, Institut für Orts-, Regional- und Landesplanung, ETH-Hönggerberg, Zurich, julio 1981, pág. 63.

[7] Hildebrand, «Economic Policy in Scandinavia», págs. 101, 106 y 114. Véase también Tore Hanish, «The Economic Crisis in Norway in the 1930s: A Tentative Analysis of Its Causes», *Scandinavian Economic History Review,* 26, 2 (1978), págs. 145-55.

Las medidas adoptadas, cualesquiera que fueran sus repercusiones en la economía de los pequeños Estados, tuvieron una profunda repercusión en la política. Las nuevas medidas creaban nuevas posibilidades políticas de forjar alianzas entre los diferentes sectores de la sociedad: entre agricultores y obreros, entre obreros y católicos y entre trabajadores *blue-collar* y *white-collar*. Como reacción a la Depresión, al extremismo político y a la amenaza de la guerra, las fuerzas políticas en los pequeños Estados europeos se amoldaron a la necesidad de revisar más que de defender o de derribar la sociedad capitalista. Tal adaptación ofreció el fundamento político para un corporatismo democrático que surgió plenamente a partir de 1945.

La alianza política entre agricultores y obreros, típica de los tres Estados escandinavos, se formó en Suecia en 1932. Sólo cuatro años antes la socialdemocracia sueca había sufrido una dolorosa derrota electoral. La derrota había impulsado una reevaluación fundamental de la estrategia del partido por parte de Gunnar Myrdal y Richard Lindstrom. Ambos sugierieron la ampliación de la base del partido más allá de la fuerza de trabajo industrial, idea que ya había surgido primero en el programa del partido de 1911 [9]. Myrdal abogaba por una sindicación dirigida entre los agricultores que habían votado por los conservadores y los liberales en 1928. Lindstrom apoyaba un cambio en el atractivo ideológico del partido hacia lo que Otto Kirchheimer llamó en los años 50 un *catch-all party*. El gobierno de coalición conservadores-liberales, que había sido elegido en 1928, fue debilitándose progresivamente por el comienzo de la Depresión de 1929, por el incidente Adalen de 1931 (en el que grupos gubernamentales entraron en la defensa de los esquiroles y terminaron matando a cuatro huelguistas e hiriendo a montones de personas) y por el escándalo de corrupción de 1932, que implicaba a un industrial prominente, Ivar Kreuger, y al primer ministro Ekman.

En 1932 los socialdemócratas presentaron un programa que resaltaba la necesidad de trabajos públicos y apoyos a la agricultura, porque los obreros y los campesinos dependían de la compra del poder de unos y otros [10]. El año que siguió a su impresionante victoria electoral en 1932, el primer ministro Hansson negoció un acuerdo con el partido agrario.

---

[8] O. Fritiof Ander, *The Building of Modern Sweden: The Reign of Gustav V, 1907-1950* (Rock Island, III, Augustana Book Concern, 1959); Ingvar Anderson, *A History of Sweden* (Londres, Weidenfeld & Nicolson, 1956); Kurt Samuelsson, *From Great Power to Welfare State: Three Hundred Years of Swedish Social Development* (Londres, Allen & Unwin, 1969); Steven Koblik, ed., *Sweden's Development from Poverty to Affluence, 1750-1970* (Minneapolis, University of Minnesota Press, 1975), y A. S. Kan, *Geschichte der Skandinavischen Länder* (Berlín Este, Deutscher Verlag der Wissenschaften, 1978).
[9] Sven Anders Söderpalm, «The Crisis Agreement and the Social Democratic Road to Power», en Koblik, *Sweden's Development*, pág. 259.
[10] *Ibid.*, pág. 267.

Las luchas en materia de defensa y pensiones en la primavera de 1936 condujeron a un breve declive de agrarios y socialdemócratas, pero las elecciones de 1936 cimentaron la alianza roja y verde (obreros y campesinos) en un gobierno de coalición que llevaría a la socialdemocracia al poder durante los cuarenta años siguientes. Este acuerdo, o *cow trade,* como fue denominado por sus oponentes, dio lugar a una atmósfera de crisis; muchos estudiosos han establecido una conexión entre el poder creciente de Hitler y el acuerdo en plena crisis. La descripción de Rustow de la situación en Suecia es válida para los pequeños Estados europeos de forma más general: «la caída del régimen de Weimar a principios de 1933, en medio de una crisis económica, convenció aún más a los líderes suecos de la necesidad de una acción rápida y decisiva» [12]. La consolidación de la alianza roja y verde de 1936 preparó el terreno para la paz industrial en el acuerdo de Saltsjøbaden de 1938, firmado entre el mundo central de los negocios y el movimiento obrero. La comunidad de empresarios sueca consintió en un gobierno socialdemócrata, mayores cortes laborales, una política fiscal relativamente expansiva y un crecimiento de los servicios sociales —a cambio de la paz laboral, la continuidad del control privado sobre la propiedad y los mercados del capital y la apertura a la economía mundial— [13]. Este fue un «compromiso histórico», al estilo sueco, entre el capital y el trabajo.

Aunque los socialdemócratas llegaron al poder en Dinamarca antes que en Suecia, los avances políticos daneses fueron en general bastante similares [14]. La breve experiencia de poder de los socialdemócratas daneses entre 1924 y 1926 fue seguido en 1929 por una coalición con los radicales; esto mantuvo al primer ministro Stauning en el gabinete durante los siguientes once años. La Depresión llevó a la agricultura danesa al borde del colapso e incrementó el desempleo entre los trabajadores industriales en más de un 40 por 100 en 1933. El gobierno respondió con una devaluación en septiembre de 1931, controles al intercambio exterior en enero del 32 y obras públicas, así como ayudas para los agricultores. La política del gobierno fue, evidentemente, afortunada, y la comunidad em-

---

[11] *Ibid.*, pág. 271. Véase también Samuelsson, *From Great Power to Welfare State*, pág. 235.

[12] Dankwart A. Rustow, *The Politics of Compromise* (Princeton, Princeton University Press, 1955), págs. 104-105. Véase también Rustow, «Sweden's Transition to Democracy: Some Notes toward a Genetic Theory», *Scandinavian Political Studies,* 6 (1979), págs. 9-26.

[13] Peter Alexis Gourevitch, «Breaking with Orthodoxy: The Politics of Economic Policy Responses to the Depression of the 1930s», *International Organization,* 38 (invierno 1984), pág. 117.

[14] Stewart Oakley, *A Short History of Denmark* (Nueva York, Praeger, 1972); W. Glyn Jones, *Denmark* (Nueva York, Praeger 1970); Kenneth E. Miller, *Government and Politics in Denmark* (Boston, Houghton Mifflin, 1968), y Palle Svensson, «Suport for the Danish Social Democratic Party, 1924-39: Growth and Response», *Scandinavian Political Studies,* 9 (1974), págs. 127-46.

presarial presionó por un recorte salarial del 20 por 100, con la inflexible oposición de sindicatos y del partido socialdemócrata. El gobierno propuso una legislación que congelaba los salarios durante un año, pero el apoyo a la legislación propuesta requería que el primer ministro Stauning hiciera concesiones políticas a algunos de sus oponentes políticos. Las negociaciones en la residencia del primer ministro concluyeron con el «Acuerdo de Kanslergade» de enero de 1933 entre los socialdemócratas, el *Venstre,* entonces el segundo partido importante en el parlamento, y los radicales. El acuerdo incluía una nueva devaluación del 10 por 100, una serie de políticas diseñadas para ayudar a la agricultura, como pedía el *Venstre,* y apoyo a la legislación salarial de los socialdemócratas, así como una serie de nuevos programas sociales que fomentaban los subsidios y las obras públicas [15].

Este acuerdo entre agricultores y obreros fue dirigido contra los conservadores y sus seguidores en la comunidad empresarial. Esto aseguró el poder de los socialdemócratas, quienes consiguieron victorias electorales en ambas cámaras en 1935 y 1936. Como en Suecia, la combatividad industrial habría ahora el camino para la paz industrial, ya que los socialdemócratas y los sindicatos cooperaban en el desarrollo de sistemas de negociación y arbitraje colectivos que evitaban la acción violenta. Las nuevas alianzas políticas y la magnitud de la victoria socialdemócrata en 1935-36 estuvieron influidas no sólo por la Depresión, sino también por el miedo al fascismo. Dinamarca tenía un pequeño partido nazi. Incitada por la crisis continuada de la agricultura danesa, la agitación política derechista provocada por la unión con Alemania era cada vez mayor, especialmente en el norte de Schleswig. La victoria electoral del partido socialdemócrata en 1936 triunfó con el eslogan «Stauning o el caos»; como señala Esping-Andersen, «la nueva alineación de los socialdemócratas fue más un producto del espectro surgido del fascismo sobre la derecha y de la movilización comunista en la izquierda. En respuesta a la inclinación protofascista entre la juventud del partido conservador y al desplazamiento de jóvenes trabajadores desempleados hacia los comunistas, el partido socialdemócrata puso un énfasis especial en el fortalecimiento de su movimiento juvenil» [16].

La socialdemocracia en Noruega fue mucho más radical que en Dinamarca [17]. Sin embargo, su éxito en la formación de una nueva alianza po-

---

[15] Ulrich Menzel, *Der Entwicklungsweg Dänemarks (1880-1940): Ein Beitrag zum Konzept Autozentrierter Entwicklung,* Projekt Untersuchung zur Grundlegung einer praxisorientierten Theorie autozentrierter Entwicklung, Universidad de Bremen, Forscungsbericht 8, mayo 1980, págs. 123-24.

[16] Gösta Esping-Andersen, *The Social Democratic Road to Power,* capítulo manuscrito 3, pág. 10.

[17] Karen Larsen, *A History of Norway* (Princeton, Princeton University Press, 1948); Natalie R. Ramsøy, ed., *Norwegian Society* (Londres, Hurst, 1974); Esping-Andersen, *So-*

lítica con los agricultores fue destacadamente similar. La victoria de los reformistas sobre los radicales se produjo con el agudizamiento de la Depresión entre 1930 y 1933. Siguiendo el ejemplo danés, los socialdemócratas noruegos adoptaron un programa que impulsara la creación de empleo, las reformas sociales y los subsidios a la agricultura. El partido se presentó a la campaña electoral en 1933 con el eslogan «Trabajo para todos» [18]. Su programa obtuvo los mejores resultados jamás obtenidos por el partido en las votaciones. La respuesta de los sindicatos no se hizo esperar: disminuyeron las huelgas para dar a las nuevas medidas una oportunidad de éxito. El movimiento sindical reconoció que sus miembros estaban a merced, en parte, de los impuestos que recaían sobre la clase media, en los cuales se fundaban los programas de reforma del gobierno. En 1935 los socialdemócratas realizaron un acuerdo formal con el Partido Agrario, con el fin de apoyar el programa de reforma, con lo que el pragmatismo llegó a estar a la orden del día.

Este acuerdo dio a Noruega su primer gobierno mayoritario desde 1918 y afianzó los cimientos del dominio socialdemócrata en las décadas siguientes. En el mismo año los sindicatos y los empresarios firmaron un «Acuerdo Básico» que cubría acuerdos salariales y laborales en trescientas industrias a lo largo de 1940, mientras que los detalles de la determinación precisa de salarios se dejaban para subsiguientes rondas rutinarias de negociación colectiva [19]. La rápida transformación del radicalismo obrero al reformismo y el deseo de formar una alianza duradera con los agricultores recibió un poderoso estímulo por parte de las tendencias fascistas de los agricultores, que apoyaban al partido conservador, y por parte del apoyo de los movimientos de extrema derecha, entre ellos el partido nazi Quisling, que a principios de los años 30 parecía que podía resultar vencedor. En Noruega, como en otros pequeños Estados europeos, el deterioro de las condiciones internacionales y nacionales reforzó fuertemente los impulsos para la cooperación.

En Bélgica, Holanda y Suiza aparecieron también nuevas alianzas políticas. En estos tres países los movimientos obreros, aunque más débiles que los de Escandinavia a mediados de los años 30, también presionaron fuertemente por la adopción de planes concertados por la crisis. Como señala Erik Harsen, «en cierto modo, la planificación... fue tomada más seriamente y tuvo un mayor impacto sobre la izquierda socialdemócrata en Bélgica y Holanda que en cualquier otro lugar de Europa, con la posible excepción de las experiencias checoslovaca y suiza» [21]. El de-

cial Democratic road to Power, capítulo manuscrito 3, págs. 15-18, y Edward Bull, Sozialgeschichte der Norwegischen Demokratie (Stuttgart, Klett, 1969).
[18] T. K. Derry, A History of Modern Norway, 1814-1972 (Oxford, Clarendon, 1973).
[19] Cf. Fritz Hodne, An Economic History of Norway, 1815-1970 (Trondheim, Tapir, 1975), págs. 443-44.
[20] Hildebrand, «Economic Policy in Schandinavia», pág. 105.
[21] Hansen, «Depression Decade Crisis», pág. 296.

bate sobre las opciones políticas y la puesta en marcha de medidas concretas para la crisis dieron el mismo resultado que en Escandinavia: nuevas alianzas políticas entre diferentes sectores sociales —alianzas, por otra parte, que ofrecían el fundamento político por el corporatismo democrático del período postbélico.

El partido socialdemócrata belga (BWP) era, en términos de sus miembros, alrededor del doble en tamaño que las fuerzas combinadas del movimiento socialdemócrata alemán. Su porcentaje en cuanto al voto popular fue también sustancialmente mayor (un tercio, frente a un quinto) [22]. La socialdemocracia belga ocupó una importante posición de liderazgo ideológico para la izquierda democrática tanto en Holanda como en Suiza. El partido había ya participado en un gobierno de unión nacional durante la primera guerra mundial y en cinco gabinetes de coalición en los años 20 antes de pasar a la oposición en 1927 [23]. Con el agravamiento de la Depresión, el partido estaba deseoso de volver a formar una coalición gubernamental con los democratacristianos y las fuerzas católico-romanas, socialmente progresistas. Los dramáticos aumentos del desempleo, de 28.000 en 1929 a 350.000 en 1932, y el brusco descenso de los niveles salariales (una disminución del 30 por 100 estimada para los mineros del carbón valones entre 1930 y 1934) favorecieron la adopción de un plan para la crisis económica. En 1931 el partido contraatacó el conservadurismo fiscal del gobierno proponiendo medidas que aliviaran el desempleo y mantuvieran los precios agrícolas. Las propuestas generaron escaso entusiasmo; éste se aferró a la fuerza intelectual de Hendrik de Man, que volvió de Alemania a Bélgica en 1933 para elaborar el *Plan van der Arbeid*. Resaltaba el déficit del gasto, las obras públicas, la nacionalización parcial, las nuevas instituciones de crédito y la mayor implicación del gobierno en la economía.

En el año en que apareció el plan, 1935, los socialdemócratas se integraron en un gabinete tripartito encabezado por un banquero católico progresista, Paul van Zeeland. Este gabinete acabó con las políticas deflacionarias de la década anterior y estableció las bases para la recuperación económica de Bélgica. De Meeüs afirmaba que «fueron la organización y reforma del trabajo de Paul van Zeeland las responsables en gran medida de sacar a Bélgica del viejo sistema de capitalismo incontrolado hacia un nuevo equilibrio que le permita salir sana y salva de la guerra y

---

[22] *Ibid.*, pág. 299. Véanse también Johan de Vries, «Benelux, 1920-1970», en Carlo M. Cipolla, ed., *The Fontana Economic History of Europe*, vol. 6, pt. 1: *Contemporary Economies* (Glasgow, Collins, 1976), págs. 1-71; Wilhelm Verkade, *Democratic Parties in the Low Countries and Germany: Origins and Historical Developments* (Leiden, Universitaire pers Leiden, 1965), págs. 86-106, y Val R. Lorwin, «Belgium: Religion, Class, and Language in National Politics», en Robert A. Dahl, ed., *Political Oppositions in Western Democracies* (New Haven, Yale University Press, 1966), págs. 161-65.

[23] Hansen, «Depression Decade Crisis», págs. 301-304.

del período postbélico» [24]. La coalición de católicos, liberales y socialdemócratas combatió con éxito contra la amenaza fascista de los rexistas, encabezados por Léon Degrelle [25]. Una elección parcial forzada por Degrelle en 1937 lo enfrentó contra Van Zeeland, cuya candidatura fue respaldada por los tres partidos y la iglesia católica. En lo que equivaía a un plebiscito nacional, Van Zeeland recibió el 80 por 100 de los votos.

La socialdemocracia participó, pues, de forma activa en la reorganización de la política belga a partir de 1935, pero De Man, el ministro de obras públicas desde 1935, no triunfó en la puesta en marcha de la esencia del *Plan Van der Arbeid*. La mayoría burguesa en la coalición se negó a continuar. Aunque los socialdemócratas estuvieron representados en seis gabinetes consecutivos entre 1935 y 1940, carecían de la fuerza política para conseguir que su programa se adoptara como legislación gubernamental. Ese programa apuntaba no hacia una sociedad socialista, sino a una sociedad capitalista reformada, consciente de la necesidad de una recuperación económica antes que de la deflación. En palabras de De Man, «nosotros no somos un partido revolucionario, sino un partido popular democrático, un partido de un gobierno mayoritario, un partido nacional» [26]. Las mejoras económicas y la estabilización política desde 1935 redujeron la importancia del plan para los miembros y funcionarios del partido. Como en Escandinavia, fue la experimentación política la que a partir de 1935 creó nuevas alianzas políticas.

En Holanda una coalición encabezada por el partido católico estatal comenzó en julio de 1931 a apoyar los precios agrícolas [27]. Las cuotas a la importación se impusieron en diciembre del 31 y se adoptó una política de austeridad. Estas medidas constituyen lo que el historiador económico Brugmans ha llamado «el gran cambio» en la política económica holandesa [28]. El gobierno se opuso a la devaluación hasta 1936; aspiraba a bajar los precios y salarios nacionales al mismo tiempo que ofrecía apoyo a los sectores con problemas [29]. Los gabinetes subsiguientes, encabezados por el primer ministro Colijn, se adhirieron al patrón oro hasta 1936,

---

[24] Adrien de Meeüs, *History of the Belgians* (Nueva York, Praeger, 1962), pág. 360.
[25] Lorwin, «Belgium», págs. 162-63.
[26] Quoted in Verkade, *Democratic Parties,* pág. 105.
[27] Hansen, «Depression Decade Crisis», pág. 315; Verkade, *Democratic Parties,* págs. 107-21; De Vries, «Benelux»; Hans Daalder, «The Netherlands: Opposition in a Segmented Society», en Dahl, *Political Oppositions,* págs. 211-12; P. W. Klein, «Depression and Policy in the Thirties», *Acta Historiae Neelandicae,* 8 (1975), págs. 123-58; Steven B. Wolinetz, «Wage Regulation in the Netherlands: The Rise and Fall of the Postwar Social Contract» (artículo preparado para su presentación al Council of European Studies Conference of Europeanists, Washington, D. C., 13-15 de octubre de 1983), págs. 5-12.
[28] Quoted in Klein, «Depression and Policy», pág. 125. Véase también Johan de Vries, *The Netherlands Economy in the Twentieth Century: An Examination of the Most Characteristic Features in the Period 1900-1970* (Assen, Van Gorcum, 1978), págs. 86-95.
[29] De Vries, *Netherlands Economy,* pág. 88.

a la austeridad fiscal y a la política monetaria deflacionaria a lo largo de toda la década.

A diferencia de sus colegas belgas, el partido socialdemócrata holandés (SDAP) no había participado en el gobierno desde hacía dos décadas. Pero en los años 20 el partido se había mostrado receptivo al llamamiento de De Man por un socialismo ético, humanista y democrático y había asumido un carácter parlamentario y democrático. Cuando el ala izquierda radical del partido fue expulsada en 1932, los reformistas ganaron nuevas fuerzas. Animados por la gran derrota electoral del partido en 1933 e influenciados por el debate político que se desarrollaba en Bélgica, los socialdemócratas holandeses comenzaron a formular su propio *Plan Van der Arbeid*, el cual fue adoptado oficialmente por el partido en 1935. En palabras de uno de sus autores principales, «el plan se basaba parcialmente en la concepción de que la mala situación económica era un campo abonado para el nacionalsocialismo y el fascismo y por esa razón era también deseable efectuar ciertas mejoras» [30]. Durante un período de dos años se mantuvo una campaña propagandista dirigida a las elecciones parlamentarias de 1937. Como en Bélgica, el plan se presentó como una alternativa anticomunista, antirrevolucionaria y antifascista a un capitalismo liberal desacreditado por los sucesos de principios de los años 30. También igual que en Bélgica, la campaña propagandística iba dirigida a la nueva clase media de empleados asalariados, es decir, a los *white-collar,* al personal técnico, a los mandos inferiores e intermedios y a los profesionales [31].

Las elecciones de 1937 mostraron que la política del partido socialdemócrata había fracasado y, como en Bélgica, el plan desapareció rápidamente de la vida pública y del partido. Sin embargo, su mensaje de compromiso de clase y de rehabilitación de la economía existente sobrevivió. La amenaza nazi erosionó las tendencias pacifistas de los socialdemócratas y les hizo aceptar la necesidad de una defensa nacional y símbolos tales como el de la monarquía. Cuando la coalición conservadora se disolvió en 1939, los socialdemócratas fueron invitados a compartir el gabinete (pronto, para ser un gobierno en el exilio). Tras un angustioso debate, el partido había rechazado una oferta similar en 1913; esta vez aceptó con prontitud con la esperanza de atraer votos de los partidos religiosos y seculares para la causa socialdemócrata [32]. Como en Bélgica, había surgido una nueva alianza política.

Los avances en Suiza fueron paralelos a la incorporación de los partidos socialdemócratas en las mayorías burguesas en Bélgica y Holanda,

[30] H. Vos, uno de los principales autores del *Plan Van de Arbeid,* como viene citado en Kein, «Depression and Policy», pág. 124.
[31] Hansen, «Depression Decade Crisis», pág. 308.
[32] Verkade, *Democratic Parties,* págs. 120-21.

así como a la conclusión de los acuerdos de paz social en Noruega y Suecia [33]. Con el rápido deterioro de la situación económica suiza en 1930-31, el Consejo Federal adoptó amplios decretos de emergencia en apoyo a las exportaciones, sectores particulares y a los desempleados. El gobierno restringió asimismo las importaciones. Durante la década de los 30 el gobierno intervino directamente en sectores tan diferentes como el de los relojes, el calzado, el comercio al por menor, la hostelería, los bordados, la agricultura y las finanzas. Y allí donde el gobierno no intervino directamente se organizaron cártels en crisis por mandato gubernamental y en número creciente [34]. Al igual que en los Países Bajos, el partido socialdemócrata suizo participó en una alianza con elementos progresistas de los partidos conservador, liberal y agrario. Iba dirigida a sustituir la vigencia del decreto de emergencia por una enmienda constitucional de iniciativa popular. La enmienda habría concedido al gobierno federal la competencia legal para desarrollar una política económica. Además, como en los Países Bajos y Escandinavia, la iniciativa proponía numerosas medidas que hubieran incrementado el poder adquisitivo de los obreros, los agricultores y los empleados asalariados.

Tras un intenso debate, esta iniciativa fue derrotada en las elecciones en la primavera de 1935 por un margen de tres a dos. Pero, como en los Países Bajos, la derrota no impidió la adaptación de la socialdemocracia suiza al orden político establecido. La experiencia positiva de cooperación con otros grupos políticos y el empeoramiento de la crisis económica y política por toda Europa impulsó al partido socialdemócrata en 1935 a eliminar de sus estatutos la demanda programática por la lucha de clases y apoyar los crecientes gastos en la defensa nacional. La experiencia de la socialdemocracia suiza en 1934-35 se asemeja así a la de Dinamarca, caracterizada por Esping-Andersen en los siguientes términos: «El polarizado clima ideológico de los años 30 obligó a la moderación política de los socialdemócratas y a la sustitución ideológica de "democracia" en vez de "socialismo" y de "pueblo" por "clase trabajadora" [35].

La integración de los sindicatos suizos en su nuevo consenso nacional se produjo en 1937. El ala derecha del movimiento obrero se había opuesto a contemplar el inicio de la crisis de 1935 en un contexto partidista, y en 1937 estaba preparada, pues, para adoptar el «Acuerdo de Paz» firmado entre los trabajadores del metal, los sindicatos de relojeros y las asociaciones de empresarios [36]. La causa inmediata del acuerdo fue una

---

[33] Ackermann y Steinmann, *Historische Aspekte,* Luck, *Modern Switzerland.*
[34] Ackermann y Steinmann, *Historische Aspekte,* págs. 63-85.
[35] Esping-Andersen, *Social Democratic Road to Power,* capítulo manuscrito 3, pág. 10.
[36] Lukas F. Burckhardt, «Industry-Labor Relations: Industrial Peace», en Luck, *Modern Switzerland,* págs. 173-98, y Dieter Berwinkel, «Das Friedensabkommen in der schweizer Maschinen- und Metallindustrie und die Möglichkeit seiner Übertragung auf die BRD» (Ph. D. diss., Universidad de Friburgo/Bresigau, 1962).

congelación de precios impuesta por el gobierno y la posibilidad de un severo arbitraje salarial obligatorio sancionado por el gobierno federal sobre la devaluación suiza, favoreciendo la competitividad de las exportaciones. Para anticiparse a nuevas intrusiones del gobierno en el sector privado, los empresarios no estaban dispuestos (como no lo habían estado en 1929) a reconocer a los sindicatos como una parte esencialmente igual en cuestiones de mercado de trabajo y política social. En cambio, los sindicatos estaban dispuestos a sustituir el derecho incondicional a la huelga con un sistema de mediación de las injusticias en la industria y de su tratamiento mediante arbitraje.

En los años 30 se formaron en todos los pequeños países europeos nuevas alianzas políticas. Esta reconstrucción de los fundamentos políticos se reflejó en nuevas relaciones entre los partidos políticos y en unas relaciones también diferentes entre los hombres de negocios y los sindicatos. Suecia y Suiza, por ejemplo, respondieron de idéntica forma a las presiones económicas y políticas de los años 30, firmando sus acuerdos de paz social en 1937-38. En los siete pequeños Estados el agudo descenso en el volumen de huelgas industriales entre 1948 y 1967 desde los altos niveles registrados entre 1927 y 1937 reflejan estas nuevas alianzas [37].

Según todos los datos históricos, la segunda guerra mundial, la ocupación alemana y la experiencia de un gobierno en el exilio consolidaron los cambios forjados por la Depresión en los años 30. Entre 1940 y 1945 el gobierno noruego en el exilio, por ejemplo, fue un gobierno de todos los partidos [38]. Aunque Dinamarca, a diferencia de Noruega, no resistió la ocupación alemana, en 1944 el Consejo para la Libertad de Dinamarca había organizado con éxito una huelga contra las fuerzas alemanas con un final satisfactorio, en contra de las expectativas de los líderes políticos más cautos [39]. La situación en Bélgica era comparable. Según Val Lorwin, «bajo la ocupación nazi los contactos personales clandestinos entre los líderes de la industria y los sindicalistas católicos, socialistas y liberales produjeron un "pacto de solidaridad social" de importancia simbólica y práctica. El pacto fue llevado a la práctica después de la Liberación mediante amplios avances en la legislación social y la negociación colecti-

---

[37] Michael Shalev, «Lies, Damned Lies, and Strike Statistics: The Measurement of Trends in Industrial Conflict», en Colin Crouch y Alessandro Pizzorno, eds., *The Resurgence of Class Conflict in Western Europe since 1968,* vol. 1: *National Studies* (Nueva York, Holmes & Meier, 1978), pág. 15.

[38] Harry Eckstein, *Division and Cohesion in Democracy: A Study of Norway* (Princeton, Princeton University Press, 1966), pág. 109. Sobre la génesis de este libro sobre Noruega, así como sobre el amplio contexto intelectual en el que habría que situarlo, véase Harry Eckstein, «The Natural History of Congruence Theory», *Monograph Series in World Affairs,* 18, 2 (Denver, 1980), págs. 14-18. Véase también Stein Rokkan, «Norway: Numerical Democracy and Corporate Pluralism», en Dahl, *Political Oppositions,* pág. 73.

[39] Palle Lauring, *A History of the Kingdom of Denmark* (Copenhague, Host, 1960), págs. 248-51.

va» [40]. En Holanda se produjo un acercamiento similar. Análogo al «pacto de solidaridad social» belga, en Holanda se produjo un acuerdo en tiempo de guerra entre los sindicatos y los negocios que dio lugar al establecimiento de la corporatista Fundación del Trabajo después de 1945. La Fundación reflejaba el acercamiento entre socialistas y católicos que había ofrecido las bases políticas para las coaliciones «rojos-vaticanistas» entre 1946 y 1958 [41]. La situación no era diferente en las neutrales Suiza y Suecia. El partido suizo socialdemócrata apoyó los créditos militares y ofreció sólo una oposición simbólica a la prohibición legal del partido comunista. En 1943 vio elegido a su primer miembro para el Consejo Federal. De forma similar, tras el comienzo de la Guerra rusa final, el gobierno socialdemócrata sueco comenzó a formar un gobierno de todos los partidos en tiempo de guerra, el cual excluía sólo a los comunistas. Los partidos conservador y centrista querían que esta coalición continuara después de la guerra, cuestión que, según el primer ministro Hansson, ha quedado abierta [42].

Los avances en los cinco grandes países industriales diferían considerablemente en los años 30 [43]. Ninguno de ellos experimentó la formación de acuerdos duraderos entre los diferentes sectores sociales. Alemania y Japón eligieron el fascismo, el militarismo y la represión política de la izquierda. Las alianzas políticas en Gran Bretaña permanecieron básicamente intactas, porque la fuerza política de los intereses financieros en la *City* favorecieron la ortodoxia fiscal más que los experimentos políticos trascendentales. El pequeño tamaño del modernizado sector agrícola británico eliminó una de las partes de una alianza potencial tanto para la izquierda como para los sectores de los negocios descontentos con la ortodoxia fiscal. Esto habría supuesto un golpe de la economía internacional bastante más serio que la actividad económica decepcionante para transformar los tradicionales sentimientos colectivistas en un trato corporatista [44]. Los líderes políticos británicos continuaron favoreciendo la au-

---

[40] Lorwin, «Belgium», pág. 165; sobre el caso holandés véase Arend Lijphart, *The Politics of Accommodation: Pluralism and Democracy in the Netherlands* (Berkeley, University of California Press, 1968), pág. 182.

[41] Wolinetz, «Wage Regulation in the Netherlands», págs. 6-7; cf. Burckhardt, «Industry-Labor Relations», pág. 174.

[42] Nils Stjernquist, «Sweden: Stability or Deadlock?», en Dahl, *Political Oppositions,* pág. 137, y Esping-Andersen, *Social Democratic Road to Power,* capítulo manuscrito 3, pág. 28.

[43] Gourevitch, «Breaking with Orthodoxy»; Charles S. Maier, «Preconditions for Corporatism», en John Goldthorpe, ed., *Order and Conflict in Contemporary Capitalism: Studies in the Political Economy of Western European Nations* (Oxford, Clarendon, 1984), y Thomas Ferguson, «From Normalcy to New Deal: Industrial Structure, Party Competition, and american Public Policy in the Great Depression», *International Organization,* 28 (invierno 1984), págs. 41-94.

[44] Samuel H. Beer, *British Politics in the Collectivist Age* (Nueva York, Random, 1969).

tonomía de grupo por encima de la negociación de acuerdos políticos globales.

Al otro lado del Canal la política francesa fue testigo de la formación de nuevas alianzas políticas. Esas nuevas alianzas eran, sin embargo, inestables, carecían del apoyo institucional (por ejemplo, en el área de la negociación colectiva) y eran sólo temporales. La ocupación alemana, las políticas del gobierno de Vichy y la Liberación eliminaron las tenues raíces del corporatismo democrático y dejaron a los líderes políticos franceses libertad para construir la Cuarta y la Quinta Repúblicas sobre unas premisas políticas diferentes. Durante un breve tiempo, sin embargo, el poder pasó de una coalición conservadora respaldada por el mundo de los negocios, los agricultores y algunos sectores de la clase obrera católica al Frente Popular, que comminaba a los sindicatos con partes de los agricultores y de la clase media liberal. Léon Blum probó políticas económicas de estilo keynesiano, mayores salarios, seguridad social. Pero Blum fue derrotado un año después de su victoria electoral de 1936 por la intrusión de otras cuestiones, por la heterogeneidad de su base política y por la ausencia de un importante sector de los negocios políticamente liberal.

Entre los grandes países industriales sólo los Estados Unidos vieron el surgimiento de una nueva alianza duradera en los años 30, que tenía un parecido superficial con la negociación corporatista alcanzada en los pequeños Estados europeos. La necesidad de ayuda gubernamental en tiempos de crisis económica alejó a los obreros y agricultores de la coalición proteccionista que el partido republicano había formado en 1896. El primer *New Deal* intentaba satisfacer nuevas demandas con políticas interiores que, en líneas generales, combinaban el corporatismo con el proteccionismo. Estados Unidos abandonó el patrón oro y disolvió la conferencia de Londres. Al mismo tiempo, la Ley de Regulación Agrícola *(Agricultural Adjustment Act)* y la Ley de Recuperación Nacional *(National Recovery Act)* fueron elaboradas para proteger a la agricultura y a la industria de la incontrolada competición de mercado. Mucho antes de que la Corte Suprema hubiera declarado inconstitucional a la NRA en 1935 las profundas divisiones dentro de esta nueva alianza se habían hecho, como en Francia, muy aparentes. El enfoque característico de la NRA creó una fuerte oposición incluso entre los defensores de la reforma. Tras 1935, el segundo *New Deal* incluyó a los negocios de orientación internacional en la nueva coalición. La *Wagner Act* de 1937 resucitó la negociación colectiva, como señala Charles Maier, «no tanto como una protección corporatista de los trabajadores organizados, sino como un esfuerzo de dar a los sindicatos el poder organizacional que necesitaban para levantarse contra los empresarios industriales» [45]. El segundo *New Deal*

---

[45] Maier, «Preconditions for Corporatism», pág. 11.

fue, por lo tanto, consecuente con la tradición americana del pluralismo más que con la coordinación consensual y centralizada de los objetivos políticos en conflicto entre las diferentes cuestiones.

En suma, en los años 30 los grandes países industriales no desarrollaron nuevas coaliciones, como en Gran Bretaña; o bien crearon nuevas coaliciones que favorecían las políticas no democráticas, la expansión exterior y la represión de la izquierda, como en Alemania y Japón, o bien se enzarzaban en experimentos corporatistas que podrían ser descritos como *ad hoc,* como en Estados Unidos y Francia. Las nuevas alianzas políticas en los grandes países industriales no duraron. Los autoritarismos de Alemania y Japón no resistieron la tentación de la expansión exterior, lo cual destruyó sus regímenes. Las nuevas alianzas en las democráticas Francia y América, al igual que las estables políticas británicas, estuvieron menos expuestas a las presiones de la economía internacional y fueron más sensibles ante las fuentes internas de fricción que los pequeños Estados europeos. No se produjo ninguna remodelación fundamental de sus políticas democráticas. Después de que la crisis de los años 30 y 40 hubo pasado prevaleció en los grandes países una resolución de los conflictos políticos *ad hoc* o conflictual, descentralizada y descoordinada (excepto en Alemania Occidental). El contraste con los pequeños países europeos es, por tanto, muy notable.

La Depresión, el fascismo y la primera guerra mundial llevaron a los regímenes políticos de los pequeños Estados europeos por la senda corporatista. Lo más notable en política económica en los años 30 es el espíritu de experimentación política, más que algunas innovaciones fundamentales en la línea del keynesianismo. Noruega, por ejemplo, no mostraba señales del déficit del gasto keynesiano, y entre 1930 y 1939 los niveles de la deuda nacional y el servicio de la deuda permanecían casi sin cambios [46]. De forma similar, el plan para la crisis del partido socialdemócrata holandés mantuvo un presupuesto equilibrado mediante una reducción de los gastos del gobierno e incrementos en los impuestos. He aquí una posible explicación de la falta de entusiasmo holandesa por el plan socialdemócrata.

Los pequeños Estados europeos no superaron la crisis de los años 30 y 40 porque adoptaran una política económica «correcta»; debemos ahora definir en qué consiste esa corrección. Antes bien, todos estos Estados estaban tan abiertos a las influencias internacionales que se vieron obli-

---

[46] Hodne, *Economic History of Norway,* pág. 443. Los gastos sociales como un porcentaje aproximado de la Renta Nacional a principios de los años 30 fue de 6,4 en Noruega, 5,7 en Suecia y 3,3 en Dinamarca. Las cifras correspondientes a finales de los 30 fueron respectivamente 6,6, 7,5 y 5,6. Véase Henrik Jess Madsen, «Social Democracy in Postwar Scandinavia: Macroeconomic Management, Electoral Support and the Fading Legacy of Prosperity» (Ph. D. diss., Harvard University, 1984), pág. 153.

gados a experimentar con políticas económicas y sociales. Fue la discusión y puesta en marcha de estos experimentos políticos lo que ofreció la oportunidad de realinear a las fuerzas políticas. Incluso en Holanda se siguió por mucho tiempo la ortodoxia económica adoptada en 1930: «las políticas económicas y sociales y la legislación en la que se manifestaban, se fundían progresivamente en una entidad indivisible. La cruel realidad de la crisis y la depresión constituyeron el resorte del cual surgió el deseo de realizar una mejora de los sectores sociales y económicos en colaboración». Jan de Vries afirma que «se desarrolló una forma de orden con rasgos de permanencia». Lo mismo sucedió en Bélgica y Suiza. En las pequeñas sociedades segmentadas del continente «la aceptación mutua de la legitimidad de organizaciones sociales, especialmente obreras de ideologías opuestas, data principalmente de la segunda guerra mundial». Val Lorwin argumenta que «las organizaciones obreras segmentadas de las más pequeñas democracias europeas han mostrado más sentido del interés público y mayor responsabilidad cívica desde la segunda guerra mundial que las organizaciones funcionales de Estados Unidos y Gran Bretaña» [47].

II. La representación proporcional

El compromiso corporatista de los años 30 tenía unos antecedentes históricos que hacían su aparición más probable en los pequeños Estados europeos que en los grandes países industriales. El compromiso corporatista de 1930 hubiera sido difícil sin un previo compromiso electoral. Alrededor del cambio de siglo todos los pequeños Estados europeos habían adoptado la representación proporcional. Los acuerdos de coalición entre los partidos políticos que resultan de esta fórmula electoral requieren oponentes políticos para compartir el poder; una práctica que se ha extendido en los pequeños Estados europeos desde los años 30. Los países más grandes, por el contrario, bien no adoptaron la representación proporcional, bien la abandonaron rápidamente o bien funcionó de forma desastrosa.

¿Cómo surgió la política parlamentaria en Europa? Stein Rokkan ha investigado la cuestión y describe esta aparición de la siguiente manera:

«Las democracias más pequeñas han sido mucho más propensas a aceptar el principio de la proporcionalidad, las más grandes o lo han rechazado o han estado divididas por las controversias en torno a su mantenimiento... Las políticas

---

[47] De Vries, *Netherlands Economy*, pág. 92, y Val R. Lorwin, «Segmented Pluralism: Ideological Cleavages and Political Cohesion in the Smaller European Democracies», en Kennet McRae, ed., *Consociational Democracy: Accomodation in Segmented Societies* (Toronto, MacClelland & Stewart, 1974), pág. 50.

más divididas étnica y religiosamente fueron las primeras en romper con la vieja tradición de la representación.

...En los otros países pequeños, el rápido crecimiento de los partidos de la clase trabajadora inmediatamente anterior o en el momento de la extensión del sufragio amenazó la supervivencia de al menos uno de los más antiguos partidos y produjo constelaciones donde la RP era la solución del "punto de equilibrio" en el juego de oposición de fuerzas. Esto sucedía en Bélgica en 1899, en Suecia en 1909, en la Cámara Baja Danesa en 1915, en Holanda, Luxemburgo, Noruega, Austria y toda la Confederación Suiza a finales o justo después de la primera guerra mundial [48].

Se pueden distinguir dos fases en la adopción de los sistemas de representación proporcional. En la primera fase, antes de la primera guerra mundial, la representación proporcional iba dirigida a la protección de las minorías. En la segunda fase, durante o inmediatamente después de la primera guerra mundial, la representación proporcional intentaba contener la amenaza que los partidos socialistas parecían plantear en toda Europa al orden establecido [49].

En sociedades culturalmente divididas, tales como Suiza y Holanda, la representación minoritaria era esencial para mantener o consolidar la unidad territorial del Estado. En sociedades culturalmente homogéneas, como Suecia, los conservadores hicieron corresponder su aceptación del sufragio universal con la adopción de la representación proporcional, como una garantía de la continuidad de su existencia como una fuerza política sustancial. La representación proporcional fue adoptada de forma similar en Noruega a final de la primera guerra mundial, porque la izquierda agraria radical temía su eliminación por parte del joven partido laborista. Tanto en Suecia como en Noruega el pluralismo inherente en los sistemas de RP ayudó a preservar una diversidad no socialista de opciones políticas [50]. Las dos fases no distinguen, sin embargo, entre los pequeños Estados continentales y los pequeños Estados escandinavos. Dinamarca, en el intento de integrar a la gran minoría germanoparlante de Schleswig-Holstein, fue el primero de los pequeños Estados europeos en adoptar la representación proporcional en 1855. Las razones de tal elección concuerdan con la lógica de la política suiza de finales del siglo XIX. Bélgica, por otro lado, adoptó la representación proporcional en torno al cambio de siglo, después de que la introducción del sufragio universal masculino, cualificado por restricciones en base a la riqueza, hubiera amenazado la viabilidad política de los liberales; la misma lógica política la repitieron los conservadores suecos unos años después. Dado que algu-

---

[48] Stein Rokkan, *Citizens, Elections, Parties: Approaches to the Comparative Study of the Processes of Development* (Oslo, Universitetsforlaget, 1970), págs. 76 y 80.

[49] Lipset y Rokkan, «Cleavage Structures», pág. 32, citado en Karl Braunia.

[50] Cf. Seymour Martin Lipset, «Political Cleavages in "Developed" and "Emerging" Polities», en Erik Allardt y Stein Rokkan, eds., *Mass Politics: Studies in Political Sociology* (Nueva York, Free, 1970), pág. 34.

nos de estos episodios ilustran cómo el sistema de partidos de los pequeños Estados europeos sentó las bases del compromiso corporatista de los años 30, merecen ser tratados con mayor detalle [51].

Dinamarca adoptó la representación proporcional ocho años antes de perder un tercio de su población y dos quintos de su territorio ante Prusia en la guerra de 1864. La adopción de la RP estableció el marco para una prolongada lucha sobre el principio del gobierno constitucional [52]. Después de 1864 el poder pasó a los conservadores, quienes recibieron el apoyo principalmente de los grandes terratenintes y de las clases alta y media. En 1876 la línea estaba claramente trazada entre los reformistas, con el control de la Cámara Baja (Folketing) y los conservadores, que controlaban la Cámara Alta (Landsting). Los reformistas consideraban que la constitución de 1866 concedía la primacía al Folketing sobre el Landsting. Mantenían, por tanto, que el rey estaba obligado a elegir su gabinete de ministros entre el partido mayoritario del Folketing, el cual tenía una elegibilidad de votantes menos restrictiva. Los conservadores y el rey defendían la igualdad de las dos asambleas legislativas y el derecho del rey a designar a su gabinete sin restricciones. El creciente poder de los socialdemócratas, que amenazaba el poder relativo de ambos grupos, les empujó a adoptar un compromiso a principios de 1890, pero sólo el desgaste de la fuerza electoral de los conservadores en el Folketing provocaría el «cambio de sistema» en 1901. Cuando en ese año sólo ocho conservadores fueron elegidos para el Folketing (en comparación con los 76 reformistas y los 14 socialdemócratas), el rey nombró por vez primera un gabinete encabezado y controlado por los reformistas. Los agricultores, los maestros de escuela y la clase media baja tomaron así las riendas del poder. Tras décadas de lucha, 1901 trajo a Dinamarca una forma de gobierno parlamentaria.

Los conservadores continuaron perdiendo campo electoral. Los primeros socialdemócratas habían sido elegidos para el Landsting en 1890, y en 1914, por primera vez en la historia danesa, los conservadores perdieron su mayoría en la Cámara Alta. Enfrentados a la perspectiva de la marginalidad política y la eventual extinción, los conservadores respondieron positivamente a las demandas de reformas en la elección del Landsting. En 1915 ambas cámaras aprobaron una enmienda que abolía toda

---

[51] Para una información general véanse Stein Rokkan y Jean Meyriat, eds., *International Guide to Electoral Statistics*, vol. 1: *National Elections in Western Europe* (The Hague, Mouton, 1969), págs. 47-101 y 232-329; Arend Lijphardt, *Democracies: Patterns of Majoritarian and Consensus Government in Twenty-One Countries* (New Haven, Yale University Press, 1984), págs. 150-68, y Rokkan, *Citizens, Elections, Parties,* págs. 147-68.

[52] Miller, *Government and Politics in Denmark;* A. H. Hoomann, *Democracy in Denmark* (Washington, D. C., National Home Library Foundation, 1936); J. H. S. Birch, *Denmark in History* (Londres, Murray, 1938), y Werner Kath, *Die Geschichtliche Entwicklung und Gegenwärtige Gestalt des Dänischen Regierungssystem* (Bonn, Rohrscheid, 1937).

restricción por riqueza para votar o ser miembro del Landsting. Todos los ciudadanos de más de treinta y cinco años, en comparación con los veinticinco años del Folkketing, incluyendo a las mujeres y los criados, adquirieron el derecho de votar a los electores que, a su vez, debían elegir el Landsting. El rey cedió su poder de designar a los miembros de la Cámara Alta, y el Landsting mismo podía elegir a una cuarta parte de sus miembros [53]. Es interesante señalar que radicales y socialdemócratas se mostraron de acuerdo con las disposiciones electorales que proponían los conservadores: la elección indirecta, un mayor tiempo en el cargo y mayor edad para votar. Y, más importante, se mostraron conformes con un sistema de representación proporcional que ellos sabían que favorecía a los conservadores, cuyo apoyo se extendía en una amplia zona geográfica [54]. La adhesión continuada a las circunscripciones electorales de un único diputado habría eliminado a los conservadores de la vida política danesa. Pero no todo estaba perdido para los conservadores. Ellos habían mostrado flexibilidad política ya en 1906, cuando cooperaron en una reforma de las instituciones electorales. Después de 1914 el liderazgo político de los conservadores reconoció que el Landsting había dejado de ser un freno efectivo contra los reformistas. Los conservadores comenzaron, pues, a buscar una vía de reforma que ellos pudieran acometer, con la esperanza de atraer nuevos apoyos de las clases medias y de desterrar su imagen como la fuerza de la política danesa siempre opuesta al cambio [55].

Tanto Suecia como Noruega, gobernadas por el rey sueco en unión personal entre 1814 y 1905, también adoptaron la representación proporcional en las dos primeras décadas del siglo XX. En ambos países el sentimiento político entre los reformistas, así como entre los conservadores, favorecía la representación proporcional, porque protegía a las minorías políticas. Pero la causa inmediata era diferente. Después de que Noruega hubiera adoptado un sistema parlamentario en 1884, la extensión del sufragio universal se realizó entre 1901 y 1913. Como parte de esa extensión, el sistema electoral fue modernizado en 1906, con la adopción por parte de Noruega, y durante unos pocos años, de la representación directa y de las circunscripciones de un solo diputado. En 1919, sin embargo, la representación proporcional, utilizada en las elecciones a los gobiernos locales desde 1896, se extendió a las elecciones nacionales con el fin de proteger a las minorías [56]. El hecho de una completa radicaliza-

[53] Oakley, *Short History of Denmark*, pág. 207, y Miller, *Government and Politics in Denmarks*, pág. 36.
[54] Oakley, *Short History of Denmark*, págs. 207-208.
[55] Birch, *Denmark in History*, pág. 394; Miller, *Government and Politics in Denmark*, pág. 39, y Jones, *Denmark*, págs. 119-21.
[56] Larsen, *History of Norway*, pág. 497. Véanse también Henry Valen y Daniel Katz, *Political Parties in Norway: A Community Study* (Oslo, Consejo Noruego de Investigación para la Ciencia y las Humanidades, 1964), págs. 19-22.

ción política de la clase trabajadora noruega fue muy importante en este cambio de las reglas electorales. La representación proporcional se contempló como un amortiguador contra la extrema volubilidad política.

En Suecia la representación proporcional llegó primero (en 1907-1909) y después el gobierno parlamentario y el sufragio universal (en 1918-21). No había desacuerdo entre la coalición gubernamental de los conservadores y moderados y la oposición liberal en la cuestión de que la RP impediría la supresión de las minorías. Como señala Berndt Schiller, «la proporcionalidad garantizaba una representación considerable de la minoría conservadora en la segunda Cámara» [57]. En las elecciones de 1910 los socialdemócratas obtuvieron 29 escaños, los conservadores perdieron 29 escaños y los dos partidos controlaban cada uno a 64 miembros del Parlamento [58]. Pero las victorias electorales de los socialdemócratas entre 1910 y 1921 fueron tan amplias que los conservadores y los liberales, que habían luchado también por el principio de la representación minoritaria, nunca más plantearon el problema del retorno al viejo sistema de representación mayoritaria. La adopción de la representación proporcional en Suecia fortaleció los intereses urbanos en los partidos de derechas y los intereses rurales en los partidos de izquierda, reforzando así una tendencia a cumplir los compromisos políticos, como en los años 30 [59]. En definitiva, en Suecia y en Noruega la representación proporcional favoreció el sistema multipartidista y sentó las bases institucionales para compromisos políticos [60].

El sistema de representación proporcional, adoptado por sufragio universal en 1917, ha tenido también una influencia importante en la política holandesa [61]. La constitución holandesa data de 1915; la monarquía li-

---

[57] Berndt Schiller, «Years of Crisis, 1906-1914», en Koblik, *Sweden's Development,* pág. 202. Véanse también Nils Andrén, *Modern Swedish Government* (Estocolmo, Almqvist & Wiksell, 1968), pág. 59; Rustow, *Politics of Compromise,* págs. 44, 62, 63, 70-71 y 123-32, y Stjernquist, «Sweden», pág. 121.

[58] Schiller, «Years of Crisis», pág. 218.

[59] Ander, *Building of Modern Sweden,* pág. 416, y Rustow, *Politics of Compromise,* pág 73.

[60] Stjernquist, «Sweden», pág. 139.

[61] Daalder, «The Netherlands»; Verkade, *Democratic Parties;* Rudolf Steininger, *Polarisierung und Integration: Eine Vergleichende Untersuchung der Strukturellen Versäulung der Gesellschaft in den Niederlanden und in Österreich* (Meisenheim am Glann, Hain, 1975), págs. 133-37; Arend Lijphart, *Democracy in Plural Societies: A Comparative Exploration* (New Haven, Yale University Press, 1977), págs. 52, 131 y 187; Jonathan Tumin, «Pathways to Democracy: A Critical Revision of Barrington Moore's Theory of Democratic Emergence and an Application of the Revised Theory to the Case of the Netherlands» (Ph. D. diss., Harvard University, 1978); Norbert Lepszy, *Regierung, Parteien und Gewerkschaften in der Niederlanden: Entwicklung und Strukturen* (Dusseldorf, Droste, 1979), e Ilja Scholten, «Does Consociationalism Exist? A Critique of the Dutch Experience», en Richard Rose, ed., *Electoral Participation: A Comparative Analysis* (Beverly Hills, Sage, 1980), págs. 329-54.

mitada fue introducida en 1848, y el parlamentarismo imperaba ya en 1868. Entre 1878 y 1917 tres cuestiones diferentes conformaron las relaciones políticas entre protestantes, católicos y el bloque político secular: las relaciones Iglesia-Estado, el sufragio y el principio de la negociación colectiva. Una vez adoptada, la representación proporcional no se modificó o rechazó para beneficiar a los partidos mayores, como afirma Lijphart, debido a la «profunda convicción de que la proporcionalidad es una regla básica del juego en la política de adaptación». La proporcionalidad fue aceptada porque aseguraba amplias garantías a las minorías políticas [62]. En efecto, los holandeses han adoptado la forma más pura de representación proporcional que se puede encontrar entre los pequeños Estados europeos. El país entero se considera como una única circunscripción, y hasta 1956 cualquier partido necesitaba sólo un 1 por 100 del voto popular para conseguir un escaño en el parlamento [63]. Naturalmente, como resultado, el número de partidos políticos es bastante más alto en Holanda que en Escandinavia. Una vez adoptada, la representación proporcional reforzó la tendencia hacia la formación de bloques o «polarización» como la denominan los holandeses [64]. La polarización ideológica entre los diferentes sectores sociales se vio reforzada en 1917, porque la representación proporcional «combinaba bien con las tendencias aislacionistas de las diversas culturas minoritarias» [65].

Suiza adoptó la representación proporcional en 1919. Fue adoptada a nivel federal sólo después de que diez cantones diferentes hubieran experimentado con éxito este sistema electoral. Ticino y Ginebra fueron los primeros en 1892; ambos cantones buscaban un procedimiento institucional de acabar con los profundos conflictos entre los partidos políticos, que en el caso de Ticino habían provocado la intervención de las tropas federales [66]. A nivel federal los católicos bien establecidos y los jóvenes socialdemócratas se mostraban cada vez más descontentos con el hecho de que el sistema de mayoría suizo fortalecía la dominación política de los radicales liberales. Se esperaba que la representación proporcional corrigiera el desequilibrio existente en la representación y eliminara la hostilidad entre los líderes de los partidos, mediante la sustitución de la

---

[62] Lijphart, *Politics of Accommodation*, pág. 71. Cf. Verkade, *Democratic Parties*, pág. 55, y Lepszy, *Regierung, Parteien und Gewerkschaften*, pág. 55.

[63] Lijphart, *Politics of Accommodation*, pág. 100. Desde 1956 el umbral se ha reducido hasta dos tercios de un 1 por 100.

[64] Tumin, «Pathways to Democracy», págs. 284-86, y Verkade, *Democratic Parties*, pág. 55.

[65] Daalder, «The Netherlands», pág. 207.

[66] Hans Heinrich Schälchlin, «Die Auswirkungen des Proportionalwahlverfahrens auf Wählerschaft und Parlament: Unter besonderer Berücksichtigung der Schweizerischen Verhältnisse» (Ph. D. diss., Universidad de Zurich, 1946), pág. 3, y George A. Coddington, Jr., «The Swiss Political System and the Management of Diversity», en Howard R. Penniman, ed., *Switzerland at the Polls: The National Elections of 1979* (Washington, D. C., American Enterprise Institute, 1979), pág. 26.

oratoria vituperante con una argumentación racional y una protección efectiva de las minorías contra el dominio de la mayoría [67].

Entre 1900 y 1919 surgieron tres iniciativas populares encaminadas a modificar el sistema electoral. Un año después de la huelga general de 1918 triunfó la tercera iniciativa. La huelga había cambiado las preferencias populares. El miedo al creciente conflicto social y la inestabilidad política así como el deseo de cooptar o de integrar a los partidos de la oposición, creó una mayoría de dos a uno en favor de la representación proporcional. El número de escaños parlamentarios obtenidos por los radicales descendió desde más de la mitad hasta un tercio, ganando los católicos y los socialdemócratas un número aproximadamente similar de escaños cada uno [68]. Sin embargo, los radicales no recordaron con tristeza la dominación política que habían perdido. Cuando se preguntó al líder del partido en 1975 sobre las medidas de votación alternativas, respondió en el sumario de George Coddington que «el sistema mayoritario sigue siendo un sistema electoral que puede dar lugar a injusticias» [69]. El respeto por los derechos de las minorías y la buena disposición al reparto del poder está tan arraigado en Suiza como en los otros pequeños Estados europeos.

La experiencia belga ilustra unas tendencias políticas similares. La extensión de sufragio fue el principal suceso entre 1880 y 1900, bajo la presión de los socialistas y el movimiento obrero, con el desarrollo de estrategias y tácticas de huelga política. Adoptado en 1893, el sufragio universal masculino con votación plural eliminó a los liberales dominantes y atrincheró a los católicos firmemente en el poder. En 1894 los católicos obtuvieron 104 escaños, comparados con los 14 de los liberales y los 34 de los socialistas [70]. Seguidamente, los católicos introdujeron la RP, señala Lorwin, «para evitar un duelo entre el gobierno y la oposición con los socialistas solos» [71]. La introducción de la representación proporcional en 1900 estabilizó la posición de los liberales, y 31 liberales, 33 socialistas y 85 católicos volvieron al Parlamento. Con escasas excepciones, en los años 30 y 40 ha perdurado este sistema tripartito.

En los países más grandes la representación proporcional no ha corrido la misma suerte. Estados Unidos y Gran Bretaña nunca lo han intentado, aunque ambos han considerado sus virtudes. Una comisión del senado norteamericano que investigaba las causas de la guerra civil a finales de la década de 1860 concluyó que la guerra podía haberse evitado si Estados Unidos hubiera tenido una representación proporcional, ya que

---

[67] Schälchlin, «Auswirkungen des Proportionalwahlverfahrens», págs. 3 y 18-19.
[68] Ibid., págs. 4, 19, 42-43, 28 y 40.
[69] Coddington, «Swiss Political System», pág. 29.
[70] Lorwin, «Belgium», págs. 154-57, De Meeüs, History of the Belgians, págs. 332-34.
[71] Lorwin, «Belgium», pág. 157.

la gran minoría sindical del sur hubiera estado representada [72]. A finales de los 70 y principios de los 80 el amplio debate británico sobre las reglas electorales discutía cómo un nuevo partido socialdemócrata había encontrado tan amplio apoyo entre los votantes y, sin embargo, en el Parlamento sólo disfrutó de una escasa representación.

Italia y Francia adoptaron la representación proporcional en la ola general de reforma electoral que recorrió los países industrializados al comienzo de la primera guerra mundial. En ambos países, sin embargo, la representación proporcional probó tener muy poca resistencia. El fascismo de Mussolini terminó con la democracia en Italia y los italianos prefierieron no volver a la RP tras la segunda guerra mundial. Los franceses presentaron una enmienda constitucional en 1928, abandonando su experimentación con la representación proporcional tan evidentemente incompatible con la estructura de la política francesa. Durante las dos primeras décadas de este siglo Japón intentó contener los partidos políticos de masas mediante distritos electorales de gran extensión. En 1920, sin embargo, adoptó un sistema de distritos de un único diputado destinado a reducir el crecimiento de los partidos menores. Finalmente, se injertó un sistema radical de representación proporcional en la política alemana al final de la primera guerra mundial que probablemente contribuyó a la caída de la República de Weimar.

Los pequeños Estados europeos, por otro lado, se adaptan con más facilidad que los grandes países a la debilidad del ejecutivo y a la inestabilidad del gabinete que conlleva la representación proporcional. Los gobiernos minoritarios entre 1920 y 1936 nos indican el precio que Suecia tuvo que pagar por las ventajas de la RP: un ejecutivo débil [73]. En el período de entreguerras los gobiernos minoritarios fueron también muy comunes en Noruega: se formaron once gabinetes en veintidós años [74]. En Holanda la adaptación política se vio forzada tanto por los mecanismos de la formación de coaliciones como por el temor a la desintegración social [75]. Entre 1918 y 1940 hubo sólo dos años, 1922 y 1928, en los que el gobierno belga no cedió a la resignación. Sin embargo, mientras que los cambios en el gobierno pueden haber sido frecuentes, la continuidad en cuanto a personas y política fue grande [76].

La representación proporcional tiende a aislar a los partidos entre sí. Como ha señalado Stein Rokkan, establece un equilibrio del poder exis-

---

[72] Seymour Martin Lipset, carta al autor, 15 de mayo de 1984.
[73] Cf. Andrén, *Modern Swedish Government*, págs. 61-62. Véase también Rustow, *Politics of Compromise*, págs. 208-12 y 223-25.
[74] Valen y Katz, *Political Parties in Norway*, pág. 17 y Madsen, «Social Democracy in Postwar Scandinavia», pág. 145.
[75] Daalder, «The Netherlands», pág. 207.
[76] Carl Henrik Höjer, *Le Regime Parlementaire Belge de 1918 a 1940* (Upsala, Almqvist, 1946), págs. 313-15.

tente entre las fuerzas sociales [77]. A la vez que disminuye los incentivos para realizar fusiones completas entre los partidos políticos, fomenta, sin embargo, un reparto del poder entre los oponentes políticos. En ausencia de una mayoría electoral dominante en cualquiera de los sectores sociales, este sistema de reparto de poder generó su propia previsibilidad política, aumentó las perspectivas de consenso y facilitó así el compromiso corporatista de los años 30. El compromiso electoral fue para el corporatista, porque, siguiendo la idea de Maier, condujo a una evolución en la representación de la clase trabajadora, «en la que los sindicatos y los partidos mantenían una especie de paz entre ellos. Pero fue precisamente la última sincronización la que incitó mayormente a los resultados consensuales o corporatistas en la generación de postguerra» [78]. En los Estados grandes, en cambio, el desarrollo de grupos y partidos de interés estaba fuera de lugar.

III. La evolución política en los pequeños países europeos

El compromiso electoral en torno a la representación proporcional fue una importante condición que facilitó el compromiso corporatista de los años 30. La RP, sin embargo, fue menos una causa del corporatismo que una condición propiciadora, y debe ser entendida como el resultado de la evolución histórica que distingue a los pequeños Estados europeos de los grandes países industriales. ¿Por qué fue posible el compromiso electoral? ¿Por qué la izquierda en Escandinavia no consiguió una victoria total? ¿Por qué estuvo la derecha en otros pequeños Estados tan dispuesta a buscar la integración? ¿Por qué, en resumen, no se dio una mentalidad de consenso en los pequeños Estados europeos? Las respuestas a estas cuestiones requieren que analicemos con un detalle bastante mayor el carácter tanto de la derecha como de la izquierda. Yo sostengo que, a diferencia de los grandes países, la herencia de unas débiles estructuras feudales (una aristocracia terrateniente débil y fuertes intereses urbanos) crearon una derecha más fuerte y divisiones políticas favorables a la adaptación entre la derecha y la izquierda. En el siglo XIX los fuertes incentivos que ofrecía la apertura económica para la especialización de las exportaciones reforzaron los vínculos económicos y sociales entre los sectores que en países más grandes estaban más tajantemente opuestos. Fue la coincidencia de estas oportunidades políticas y convergencias sociales, reforzadas constantemente por la apertura económica y la percepción de

---

[77] Esta es una cuestión fundamental que Rokkan y Hans Daalder han planteado en sus estudios comparativos de las pequeñas democracias. Mi formulación es debida en parte a sus importantes estudios. Véanse especialmente Stein Rokkan, «The Struturing of Mass Politics in the Smaller European Democracies: A Developmental Typology», *Comparative Studies in Society and History,* 10 (1968), y Rokkan, *Citizens, Elections, Parties.*

[78] Maier, «Preconditions for Corporatism», pág. 35.

la vulnerabilidad, lo que inhibió el surgimiento de una mentalidad de consenso e hizo así posible el acuerdo corporatista.

Una derecha débil y divisiones políticas que favorecían la adaptación

Las débiles estructuras feudales distinguen a los pequeños Estados europeos de los grandes países. Michael Hechter y William Brustein han sugerido tres grandes modos regionales de producción diferentes en Europa en torno al siglo XII [79]. El tipo pastoral sedentario se extendió desde Escandinavia a través de algunas partes de las Islas Británicas y desde lo que hoy llamamos Holanda hasta la península Ibérica. Estuvo marcado por unidades familiares autosuficientes ligadas de una forma vaga por lazos de parentesco. La producción económica estaba restringida a la caza, al pastoreo y al cultivo agrícola intermitente. El trabajo se organizaba a través de la familia, fuera ésta nuclear o extensa, y no existían las distinciones de clases. El modo de producción de pequeñas mercancías en Flandes, Suiza y el sur de los Alpes consistía en productores individuales residentes en comunidades. Orientados al comercio de larga distancia, estos productores eran propietarios de los medios de producción. La autoridad política estaba generalmente concentrada en manos de los productores-mercaderes. Finalmente, lo que nosotros consideramos como el feudalismo clásico se encontraba en el núcleo de los que llegarían a ser los Estados europeos más poderosos: el sur de Inglaterra, la cuenca de París y parte de la península ibérica. Los acuerdos feudales oponían a los terratenientes contra los siervos y los grandes terratenientes ejercían el poder político y económico.

Por diversas razones intensamente debatidas por los historiadores —la tecnología, la productividad agrícola, la población, la organización social y política—, el modo de producción feudal demostró ser más fuerte que los otros dos. Las razones por las que los pequeños Estados europeos sobrevivieron en esta competición son complejas, pero entre los siglos XVI y XVIII los pequeños Estados combinaron de diversas formas la inaccesibilidad estratégica a la tecnología militar disponible, una intensa actividad urbana y comercial y la localización e intersección de dos o más grandes centros políticos [80]. Con estas divergencias básicas en el desarrollo histórico de las estructuras feudales y estatales, los pequeños Estados europeos se distinguieron en lo sucesivo de los Estados más grandes. Por ejemplo, señala Hans Daalder, las tradiciones de representación eran más

---

[79] Michael Hechter y William Brustein, «Regional Modes of Production and Patterns of State Formation in Western Europe», *American Journal of Sociology*, 85, 5 (1980), págs. 1061-94.

[80] Charles Tilly, carta al autor, 18 de abril de 1984. Véase también Flora *et al.*, *State, Economy and Society*, págs. 11-26.

fuertes en los pequeños Estados europeos y resistieron con mayor éxito la fuerza de la penetración burocrática [81].

La historiografía de los pequeños Estados europeos sostiene la taxonomía de Hechter y Brustein. En palabras de Stein Rokkan, en los pequeños Estados europeos «existieron seguramente grandes Estados... pero alianzas tales como las que se dieron entre las élites urbanas y rurales dejaron todavía grandes grupos de campesinos propietarios libres para establecer alianzas de oposición por sí mismos» [82]. Los campesinos suizos prevalecieron a pesar de la intrusión de los señores feudales, tanto seculares como religiosos. Su victoria no condujo al desplazamiento, sino a la politización de las instituciones y actitudes corporatistas prefeudales [83]. En Holanda las propiedades de tierras tendían a ser pequeñas y estaban ligadas estrechamente a la economía urbana. Como resultado, los burgueses llegaron a dominar las provincias holandesas más importantes. Jan de Vries ha señalado la ausencia relativa de una tradición feudal y la debilidad de la aristocracia terrateniente en los Países Bajos. El cambio en el comercio internacional desde las rutas del mar Mediterráneo a las del Atlántico favoreció las unidades holandesas, incrementó la posición económica y política de la burguesía comerciante, ofreció los beneficios comerciales que podían ser invertidos en la agricultura y fomentó así una comercialización temprana de la economía rural sin la reintroducción de la servidumbre [84]. Los cambios significaron que Holanda, en particular, se convirtiera en una economía agrícola altamente especializada. En Bélgica, especialmente en Flandes, el modelo de modernización fue conservador, pero sin los elementos antidemocráticos que predominaron en los vastos Estados del este del Elba en Prusia [85]. Lo que surgió finalmente fue la preferencia por un estilo consensual de política conservadora (con la exclusión de la influencia socialista urbana). Ni Suiza ni Holanda experimentaron el desarrollo de grandes propietarios terratenientes [86]. En ambos países las comunidades rurales estaban fuertemente ligadas a las ciudades, independientes y poderosas.

---

[81] Hans Daalder, «Cabinets and Party Systems in Ten Smaller European Democracies», Acta Política 6 (1971), 299.

[82] Rokkan, Citizens, Elections, Parties, pág. 128. Para mayor generalización véanse Jerome Blum, The End of the Old Order in Rural Europe (Princeton, Princeton University Press, 1978), y Handwörterbuch der Staatswissenschaften, 3.ª ed., vol. 2 (Jena, Fischer, 1909), págs. 541-627.

[83] Benjamin R. Barber, The Death of Communal Liberty: A History of Freedom in a Swiss Mountain Canton (Princeton, Princeton University Press, 1974). Véanse también Alan S. Milward y S. B. Saul, The Economic Development of Continental Europe, 1780-1870 (Londres: Allen & Unwin, 1973), especialmente págs. 435-36.

[84] Jan de Vries, The Dutch Rural Economy in the Golden Age, 1500-1700 (New Haven, Yale University Press, 1974), págs. 38, 41.

[85] Franklin F. Mendels, Industrialization and Population Pressure in Eighteenth-Century Flanders (Nueva York, Arno, 1981).

[86] Cf. Hans Daalder, «On Building Consociational Nations: The Cases of the Netherlands and Switzerland», en McRae, Consociational Democracy, pág. 110.

La ausencia de una fuerte tradición feudal es igualmente notable en Escandinavia. Hacia las guerras napoleónicas, Noruega estuvo dominada por Dinamarca. La aristocracia terrateniente noruega era débil y consistía principalmente en siervos civiles daneses, mientras que la aristocracia indígena noruega buscaba a menudo su riqueza en el comercio [87]. Los historiadores coinciden en señalar que, entre los países escandinavos, Noruega fue la que se vio menos afectada por el feudalismo [88]. En Dinamarca la «Era de los Nobles» terminó en 1660, cuando un golpe apoyado por burgueses y clérigos estableció una monarquía absoluta que erosionó sistemáticamente la posición de la nobleza terrateniente. La «Ley Danesa» de 1685 regularizó el pago de los servicios establecidos, instituyendo un sistema descentralizado y personal organizado alrededor de la aristocracia terrateniente por uno centralizado y burocrático a cargo del Estado. La depresión agrícola del siglo XVII, como señala Øywin Østerud, «debilitó decisivamente a la vieja aristocracia» [89]. El campesinado obtuvo la libertad en la década de 1780 y progresivamente se fueron produciendo mejoras a principios del siglo XIX, tras un siglo de negociación política entre la corona y los campesinos. «La modernización de la sociedad danesa», concluye Esping-Andersen, «se vio favorecida por una temprana mutilación de la aristocracia» [90].

Suecia, a decir de todos, es el país con la tradición feudal más fuerte entre los pequeños Estados europeos en general. Incluso Timothy Tilton, resumiendo el saber histórico, afirma que el punto de partida de la evolución política sueca difiere de la de los grandes países «en que Suecia nunca conoció una sociedad feudal plenamente desarrollada como la que se desarrolló en Alemania, Francia o la Inglaterra normanda» [91]. Los nobles suecos afianzaron sus privilegios y más tarde se vieron reconocidos en el papel social dominante. Pero a pesar de su *status* social, «la nobleza poseía sólo una décima parte de las tierras... El tamaño y la fuerza del campesinado independiente sueco difícilmente puede ser sobreestimada» [92]. Igual que en Dinamarca, la amenaza del absolutismo aristocrático

---

[87] Amanda Tillotson-Becker, «The Art of the State: Agricultural Modernization and Industrilization in Denmark», artículo sin publicar, Universidad de California, Los Angeles, n. d., pág. 5.

[88] Seymour Martin Lipset, «Radicalism or Reformism: The Sources of Working-Class Politics», *American Political Science Review,* 77 (marzo 1983), pág. 5.

[89] Øywin Østerud, *Agrarian Structure and Peasant Politics in Scandinavia: A Comparative Study of Rural Response to Economic Change* (Oslo, Hestholms, 1978), pág. 102.

[90] Esping-Andersen, *Social Democratic Road to Power,* manuscrito, capítulo 2, pág. 2. Véase también Francis G. Castles, *The Social Democratic Image of Society* (Londres, Routledge & Kegan Paul, 1978), págs. 134-40.

[91] Timothy Tilton, «The Social Origins of Liberal Democracy: The Swedish Case», *American Political Science Review,* 68 (junio 1974), pág. 565.

[92] *Ibid.,* pág. 565. Véase también Francis G. Castles, «Barrington Moore's Thesis and Swedish Political Development», *Government and Opposition,* 8 (verano de 1973), págs. 318-20. Suzanne Keller, *Beyond the Ruling Class: Strategic Elites in Modern Society*

se desplomó a finales del siglo XVII por la oposición combinada de los campesinos y la corona, y los aristócratas perdieron el control sobre grandes extensiones de tierra. Suecia pudo muy bien haber tenido diferencias de *status* más profundas que en cualquier otro Estado pequeño europeo, pero en comparación con los grandes países su herencia feudal parece haber sido incluso débil.

La debilidad de la aristocracia terrateniente se vio reflejada en el efecto de la apertura económica sobre la fuerza del sector urbano [93]. Suiza y los Países Bajos abrieron las rutas comerciales más importantes de Europa, las cuales favorecieron el desarrollo temprano de las ciudades mercantiles. «Tanto en Holanda como en algunos de los cantones suizos más importantes, las ciudades ganaron de esta manera una posición dominante que ellas a su vez extendieron sobre las zonas rurales circundantes». En ambos países existen «grandes tradiciones de libertades e iniciativas municipales y provinciales o cantonales» [94]. Por razones de geografía, Dinamarca ha mantenido a lo largo de su historia estrechos lazos con el cinturón de ciudades que divide al norte del sur de Europa. El comercio urbano era, pues, un factor extremadamente importante en el desarrollo danés. A lo largo del Báltico la situación no era muy diferente. En Noruega un reciente análisis afirma que «la separación de riqueza y tierra no significa que en el siglo XVII la burguesía no agrícola tuviera una fuerte posición» [95]. Con algún retraso, el poder económico también se pasó en el siglo XVIII en Suecia a la nobleza Skeppsbro de Estocolmo y Göteborg, así llamada debido a que estos mercaderes «extendían sus casas a lo largo de la zona costera, y la nobleza fabricante de los distritos de fabricación del acero» [96].

Los pequeños Estados europeos tenían una nobleza terrateniente más débil como núcleos de la derecha política en los siglos XIX y XX. Tal argumento está apoyado en análisis deductivos. David Friedman afirma que los Estados que obtienen sus impuestos del trabajo antes que del comercio o de la tierra tenderán a ser mayores. «Cuando algunas naciones imponen contribuciones a una fuerza de trabajo móvil, cada una está limitada en su tasa impositiva por el temor de perder población hacia los otros países. Una vía de aumentar los costes de la emigración es hacer una nación mayor, otra es restringir la movilidad por la fuerza —para encade-

---

(Nueva York, Random, 1963), señala en la página 229 que la nobleza sueca raramente se ha extendido más allá de cuatro generaciones.

[93] Véase Stein Rokkan, «Centre-Formation, Nation Building and Cultural Diversity: Report of a UNESCO Programme», en S. N. Eisenstadt y Stein Rokkan, eds., *Building States and Nations*, vol. 1: *Models and Data Resources* (Beverly Hills, Sage, 1973).

[94] Daalder, «On Building Consociational Nations», pág. 109, y Lorwin «Segmented Pluralism», pág. 44.

[95] Tillotson-Becker, «Art of the State», pág. 5.

[96] Tilton, «Social Origins of Liberal Democracy», pág. 566.

nar al siervo a la tierra—» [97]. El análisis de Friedman llega a la misma conclusión que yo: un legado feudal débil y, por esa debilidad, una derecha más débil es el rasgo distintivo de los pequeños Estados europeos.

La debilidad de la aristocracia terrateniente combinada con la fuerza de los intereses urbanos ayuda también a explicar el surgimiento de una izquierda moderada en los pequeños Estados europeos. El problema para cualquier análisis comparativo de los movimientos de la clase trabajadora es el de utilizar demasiadas variables y muy pocos casos [98]. Martin Lipset dirige su atención hacia dos variables: la naturaleza del sistema de clases anterior a la industrialización y la respuesta de las élites económicas y políticas a las demandas de la clase trabajadora del derecho a la participación. Primero, Lipset afirma que las democracias de *status* rígidos fomentan los partidos radicales con base en la clase trabajadora. Un fuerte pasado feudal acentúa las demarcaciones de *status* en el capitalismo industrial; un pasado feudal débil las suaviza. Segundo, las estructuras interiores y las estrategias de las élites que tienden hacia la exclusión política y económica fomentan fuertes movimientos revolucionarios. Por el contrario, la rápida incorporación de la clase trabajadora tiende a impedir su subsiguiente radicalismo. Ambas variables nos ayudan a caracterizar las distinciones entre los Estados que experimentarían el compromiso corporatista en los años 30.

Los movimientos de la clase trabajadora en los pequeños Estados europeos se desarrollaron en estructuras internas que no estaban divididas por profundas diferencias de *status*. Esta generalización concuerda con la experiencia de los partidos socialdemócratas en Bélgica, Holanda, Suiza y Dinamarca, moderados y multiclasistas [99]. Noruega, por otro lado, parece ofrecer una clara excepción, a menos a principios de los años 20. La sociedad noruega estuvo menos marcada por las normas del *status* aristocrático que Suecia o Dinamarca; ya entre 1919 y 1923 el principal partido socialista noruego optó por unirse a la Internacional Comunista. Esta decisión, sin embargo, demuestra haber tenido poca relevancia histórica. Antes de la primera guerra mundial el socialismo noruego tenía un carácter medio reformista: en el punto culminante de la Depresión el partido comunista noruego consiguió menos del 2 por 100 de los votos, y un estudio comparativo realizado en 1948 mostraba que los noruegos tenían una menor conciencia de clase que los ciudadanos de los otros países exa-

---

[97] David Friedman, «A Theory of the Size and Shape of Nations», *Journal of Political Economy,* 85 (febrero 1977), págs. 61-62.
[98] Cf. Lipset, «Radicalism or Reformism», pág. 1.
[99] Véanse Lipset, «Political Cleavages in "Developed" and "Emerging" Polities», pág. 31; Daalder, «On Building Consociational Nations», y Esping-Anderesen, *Social Democratic Road to Power.*

minados. El radicalismo de la clase trabajadora noruega a principios de los años 20 es, pues, una excepción proverbial que confirma la regla [100].

Las estructuras internas y las estrategias de élite nos ayudan a justificar la moderación de la izquierda en los pequeños Estados europeos. En algunos de ellos el sufragio universal masculino se extendió tempranamente, moderando así las quejas de los sindicatos y de los partidos socialistas. Muchos cantones suizos, por ejemplo, habían adoptado el sufragio universal masculino en 1848. Desde mediados de los 70 en adelante el sistema de referéndum popular hizo posible que los trabajadores suizos influyeran en la legislación; en 1877, por ejemplo, el electorado suizo aprobó un referéndum que regulaba las condiciones de trabajo en las fábricas. Instituciones como la milicia armada, que reunía a todos los ciudadanos independientemente de su clase o *status,* integró aún más a los trabajadores suizos en la fábrica de la sociedad. Lo mismo que en Suiza sucedió en Dinamarca: «la extensión del sufragio danés se produjo ya en 1848-49, cuando el rey otorgó el voto a tres cuartas partes de los varones mayores de treinta años. Hacia el cambio de siglo el 86 por 100 de los varones daneses habían adquirido el derecho de voto» [101]. El reformismo de la socialdemocracia danesa dependía, en parte, de la facilidad comparativa con la que fue acordada la concesión liberal.

Noruega, Holanda y Bélgica, sin embargo, tuvieron una extensión mucho más tardía del sufragio. En Noruega el sufragio masculino no se concedió hasta 1898, cincuenta años después que en Dinamarca. En Holanda y Bélgica también el sufragio se extendió tardíamente, y el número de votantes elegibles era considerablemente menor que en Noruega [102]. En Holanda la proporción de varones adultos elegibles en la votación aumentó desde aproximadamente un cuarto en 1887 alrededor de la mitad en 1896 y a dos tercios en 1914. En Bélgica el sufragio universal se extendió en 1894, pero los votos de los propietarios se calibraban más fuertemente.

Es evidente que ni el carácter de las demarcaciones de *status* ni la tendencia inclusiva o exclusiva de las estructuras domésticas y las estrategias de élite ofrecen una explicación satisfactoria de la moderación de la izquierda en los pequeños Estados europeos. El radicalismo noruego después de la primera guerra mundial se produjo en una sociedad marcada por débiles distinciones de *status* entre las clases. La extensión relativamente tardía del sufragio en Noruega, Holanda y Bélgica contradice el análisis que explica la moderación izquierdista por las tendencias inclusi-

---

[100] Lipset, «Radicalism or Reformism», pág. 9, citando a Walter Galenson, y págs. 5-6, y Lijphart, *Politics od Accommodation,* págs. 20-21.
[101] Lipset, «Radicalism or Reformism», págs. 8-9.
[102] Rokkan, *Citizens, Election, Parties,* pág. 85; Lipset, «Radicalism or Reformism», pág. 9, y Daalder, «The Netherlands», pág. 295.

vas de las estructuras internas y las estrategias de élite. Suecia confunde el análisis en ambos aspectos, pero también apunta a un tercer factor explicativo. La sociedad sueca poseía más lazos de *status* que los otros pequeños Estados europeos. Sus nobles eran numerosos y gozaban de prestigio e influencia. En algunas zonas del país la nobleza actuó como una aristocracia rural y reclutaba a la burocracia estatal, así como a la armada. Como resultado, como resalta Lipset, «la posición de clase ha correlacionado más fuertemente con la opción por un partido en Suiza que en cualquier otro país europeo» [103]. Así, el carácter de las demarcaciones de *status* en la sociedad sueca no cuentan en la relativa moderación de la política de clase trabajadora sueca (relativa, claro está, a la noruega). Además, las clases privilegiadas suecas se resistieron enérgicamente a la extensión del sufragio. La reforma del sistema electoral sueco en 1866 mantenía grandes restricciones ligadas a las propiedades. Hacia el cambio de siglo sólo una cuarta parte de los varones adultos tenían derecho al voto (en comparación con el 91 por 100 de Noruega) [104]. La demanda del sufragio universal fue el origen de la agitación política de los socialdemócratas y los sindicatos. En Suecia se introdujeron importantes cambios en las restrictivas leyes electorales en 1902 sólo después de que se hubiera convocado una huelga general [105].

Para dar cuenta de la moderación de la izquierda en Suecia, así como en los otros pequeños Estados europeos, necesitamos considerar un factor que Lipset no mencionó: el efecto que tuvo la estructura de las oportunidades políticas en el modelo de alianzas en que la izquierda podía concebir participar en el siglo XIX [106]. En ninguno de los más pequeños Estados europeos, a diferencia de los grandes países, la izquierda trató con un frente unido de élites políticas y económicas establecidas. En el continente la división entre el campo y la ciudad no se reflejaba en el desarrollo de una oposición de partidos. El conflicto entre Iglesia y Estado, terratenientes y agricultores arrendados y trabajadores y capitalistas determinaron también las formaciones electorales [107]. En los países escandinavos, por el contrario, los impulsos democráticos del campesinado en el siglo XIX fueron decisivos para la socialdemocracia, la cual contribuyó de forma decisiva a incrementar el poder del movimiento obrero [108].

Comencemos con Bélgica, donde, como escribe Val Lorwin, «las cues-

---

[103] Lipset, «Radicalism or Reformism», pág. 4.
[104] *Ibid.*, pág. 9, y Stjernquist, «Sweden», pág. 120.
[105] Lipset, «Radicalism or Reformism», pág. 6.
[106] Sobre el desarrollo de este concepto véase Sidney Tarrow, *Struggling to Reform: Social Movements and Policy Change During Cycles of Protest,* Cornell University, Western Societies Program, Occasional Papers núm. 15 (Ithaca, n. d.).
[107] Lipset y Rokkan, «Cleavage Structures, Party Systems, and Voter Alignments», pág. 20.
[108] Esping-Andersen, *Social Democratic Road to Power,* manuscrito, capítulo 9.

tiones de Iglesia-Estado habían impedido una concentración de las clases poseedoras en el partido conservador» [109]. Los socialistas belgas se aliaron con los liberales contra los católicos en cuestiones de educación y relaciones Iglesia-Estado. Y eran aliados del ala izquierda de los católicos en cuestiones de sufragio y de política social. Finalmente, en las décadas siguientes, los socialistas belgas estuvieron también enfrentados por las divisiones del conflicto étnico y lingüístico entre Flandes y Valonia. Los socialistas militantes tuvieron, pues, numerosas oportunidades de comprometerse con los conservadores belgas, salvando a Bélgica de la política del agresivo conflicto de clases a veces tan prominente a lo largo de la frontera francesa [110].

Una estructura similar de oportunidades políticas condujo también a la moderación de la izquierda en Holanda. Entre 1850 y la década de 1880 una coalición de católicos y liberales en oposición al principio de la monarquía absoluta dominó la política holandesa y presionó por una extensión mayor del sufragio.

A diferencia de Francia, Alemania e Italia, ninguna escisión fundamental dividió a los partidos políticos del centro y de la izquierda de los partidos católicos y conservadores [111]. «Desde finales de la década de 1860 en adelante comenzó a aparecer una nueva coalición política. Uniendo a los católicos con los calvinistas contra los liberales en torno a la candente cuestión de la ayuda estatal para la educación, se mantuvo en el poder entre 1888 y 1913. Los primeros movimientos de la clase obrera recurrieron al apoyo heterogéneo de los agricultores empobrecidos y de los obreros agrícolas, así como de los artesanos y trabajadores manuales» [112]. Animando la lucha por la extensión del sufragio, los socialistas pudieron conseguir simultáneamente el apoyo de los pobres agricultores emancipados, así como el de una clase trabajadora dividida en cuestiones de religión. El reformismo de los socialistas y su cooperación informal con los liberales en torno al sufragio tuvo amplias repercusiones [113]. En 1913 los liberales ofrecieron a los socialistas la participación en una coalición gubernamental; oferta que el partido rechazó. La democracia del referéndum en Suiza creó también fuertes incentivos para la colaboración política entre los socialdemócratas y otros partidos. Aunque la Socialdemocracia estaba en la oposición a nivel federal desde 1943, la compleja estructura de la política cantonal suiza y las oportunidades políticas para

---

[109] Lorwin, «Belgium», págs. 147 y 156.
[110] Lipset, «Political Cleavages in "Developed" and "Emerging" Polities», pág. 30.
[111] Tumin, «Pathway to Democracy», págs. 239 y 263.
[112] Daalder, «The Netherlands», pág. 208, y Erik Hansen, «Workers and Socialists: Relations between the Dutch Trade-Union Movement and Social Democracy, 1894-1914», *European Studies Review,* 7 (abril 1977), págs. 199-226.
[113] Daalder, «The Netherlands», págs. 209-10, y Lipset, «Radicalism or Reformism», págs. 9-10.

las iniciativas populares crearon numerosas arenas delimitadas territorialmente y por materias específicas para la colaboración política [114].

En los tres países escandinavos la existencia de distintos partidos agrarios ayudó a los socialistas en la formación de alianzas con otros partidos. En Noruega la movilización política de la clase trabajadora no pudo vencer la profunda escisión territorial y cultural entre la ciudad y el campo. Entre la vieja izquierda (populista rurales y radicales urbanos) y la derecha, escribe Rokkan, «no existían las bases para el entendimiento. Incluso el espectro amenazador de un partido gigantesco de la clase trabajadora no pudo acercar a las dos culturas para una estrecha comunicación entre ellas» [115]. Fundado en 1887, el partido laborista pudo obtener el apoyo de una gran base rural y cuasiproletaria, y su misma existencia ayudó a superar la profunda división entre la ciudad y el campo. Pero el partido laborista noruego aceptó las instituciones democráticas porque ofrecían la oportunidad de colaborar con otros partidos. En su lucha por la extensión del sufragio tendió a apoyar a los candidatos para el partido burgués en las elecciones nacionales antes que a presentar sus propios candidatos, y tal cooperación sobrevivió hasta el decreto del sufragio masculino en 1898 [116]. De forma similar, los socialistas suecos se alinearon con el gran partido burgués, los liberales, en una lucha común por la extensión del sufragio (que se consiguió en 1909) y por una forma de gobierno parlamentario. Esto último fue conseguido en 1917, el mismo año en que los liberales y socialistas se unieron en una coalición gubernamental [117].

En Dinamarca, finalmente, el partido de la clase trabajadora mantuvo también estrechos vínculos con otros partidos. El conflicto entre la Izquierda Unida y los conservadores polarizó progresivamente la política danesa en las décadas de 1870 y 1880 en torno a la cuestión del gobierno parlamentario. El partido socialdemócrata eligió a su primer ministro del Folketing en 1884 y se unió a la Izquierda Unida en el llamamiento por la supremacia parlamentaria sobre el rey. Después del triunfo del *Venstre* en 1901 al dar un gobierno parlamentario a Dinamarca, el partido se escindió en 1905 entre moderados (apoyados por los campesinos) y radicales (pequeños propietarios y profesionales urbanos). Los radicales se acercaron pronto a los socialdemócratas, con los cuales formaron una coalición gubernamental entre 1913 y 1920 [118]. Las oportunidades políticas

[114] Erich Gruner, «The Political System of Switzerland», en Luck, *Modern Sweitzerland*, págs. 339-60.

[115] Rokkan, «Norway», pág. 79.

[116] Lipset, «Radicalism and Reformism», pág. 9. Véanse también Valen y Katz, *Political Parties in Norway*, págs. 23-25.

[117] Stjernquist, «Sweden», pág. 120, y Lipset, «Radicalism or Reform», pág. 9.

[118] Miller, *Government and Politics in Denmark*, pág. 35, y Jones, *Denmark*, págs. 106-7.

para la formación de alianzas eran grandes en todos los pequeños Estados europeos y ello contribuyó a limitar la combatividad de la izquierda.

Estos ejemplos apoyan el amplio análisis comparativo de Rokkan. Durante la Revolución Industrial el compromiso de los «constructores de la nación» con el interés de los sectores urbano y comercial, en oposición al agrícola, fue mayor en los pequeños Estados europeos que en los grandes países [119]. Donde, como en Escandinavia, esas élites constructoras de la nación se alinearon con las élites urbanas y comerciales, la «derecha» continuó siendo esencialmente urbana y se mostró incapaz de establecer cualquier alianza duradera con los agraristas y la «izquierda» periférica [120]. La manifestación institucional más clara de esta división de la derecha es el surgimiento en Escandinavia y en los cantones protestantes de Suiza de partidos de defensa agraria para resistir a la alianza de los constructores de la nación y de los intereses urbanos. En los países escandinavos los campesinos independientes estaban en situación de construir sus propias alianzas políticas en el sistema de partidos: «En Dinamarca los radicales urbanos abandonaron el *Venstre* agrario; en Noruega y Suecia la vieja "izquierda" se escindió en algunas direcciones, tanto moralistas-religiosas como en líneas económicas» [121]. El sistema suizo de democracia directa daba igualmente un amplio campo para el ejercicio de las opciones políticas por parte de los campesinos independientes antes de la formación de un partido agrario independiente en los años 20. Aunque los cantones católicos suizos y Países Bajos carecían de partidos de defensa agraria, sus complejas historias de conflicto religioso, divisiones étnicas y fragmentación territorial dieron lugar a una derecha política al menos tanto como en Escandinavia. En términos generales, pues, las oportunidades políticas de formar alianzas entre la derecha y la izquierda eran bastante considerables.

---

[119] Rokkan, *Citizens, Elections, Parties*, págs. 114 y 116. El modelo de Rokkan ha sido constantemente refinado. Su última versión publicada puede encontrarse en Stein Rokkan, «Territories, Nations, Parties: Toward a Geoeconomic-Geopolitical Model for the Explanation of Variations within Western Europe», 2, en Richard L. Merritt y Bruce M. Russett, eds., *Fron National Development to Global Community: Essays in Honour of Karl W. Deutsch* (Londres, Allen & Unwin, 1981), págs. 70-96. Este modelo es revisado en Peter Flora, «Stein Rokkan's Makro-Modell der politischen Entwicklung Europas: Ein Rekonstruktionsversuch», *Kölner Zeitschrif für Sozieologie und Sozialpsychologie*, 33, 3 (1981), págs. 397-436. Una versión abreviada de este artículo puede consultarse en Flora *et al.*, *State, Economy and Society*, págs. 11-26. Véase también Charles Tilly, «Stein Rokkan's Conceptual Map of Europe», University of Michigan Center for Research on Social Organization, Working Paper núm. 229 (Ann Arbor, febrero 1981).

[120] Rokkan, *Citizens, Elections, Parties*, pág. 120.

[121] *Ibid.*, pág. 128.

Vínculos económicos y sociales entre los sectores

Tan destacables como esos modelos de división política son los estrechos vínculos entre los diferentes sectores sociales, los cuales están generalmente opuestos de forma menos tajante que sus correspondientes en los grandes países. Estos vínculos se vieron reforzados por la especialización en los mercados de exportación, que imponía la apertura económica en los pequeños países europeos [122]. La industrialización del siglo XIX en los pequeños Estados europeos difería significativamente de la industrialización protegida, que se basaba en grandes mercados interiores, como los que caracterizaron a Francia, Alemania, Austria-Hungría y en alguna medida a Estados Unidos. La especialización de las exportaciones en los pequeños Estados europeos reforzó la preferencia por el libre comercio. Estudios comparativos de niveles arancelarios nominales muestran, por ejemplo, que los pequeños Estados europeos tenían, casi sin excepción, menores niveles de protección; en los cinco grandes países industriales era dos veces y media mayor que en los pequeños Estados europeos [123]. El nivel arancelario medio para Suiza, Bélgica, Dinamarca y Suecia en 1913 era de aproximadamente el 7 por 100, en contraste con el 21 por 100 de Alemania, Francia y Estados Unidos [124]. Durante los años de entreguerras los niveles arancelarios en los pequeños Estados europeos eran, como media, un 30 ó 40 por 100 menores que los de los grandes países [125].

Ulrich Menzel ha analizado las estrategias de industrialización de Suiza, Suecia y Dinamarca [126]. Su análisis sugiere que una estrategia de especialización de las exportaciones ayudó a crear los vínculos entre los diferentes sectores sociales en las tres sociedades, caracterizadas en el siglo XX, como yo afirmaba antes, por las principales variantes del corpo-

---

[122] Dieter Senghass, *Von Europa Lernen: Entwicklungsgeschichtliche Betrachtungen* (Frankfurt, Suhrkamp, 1982).

[123] John A. C. Conybeare, «Tariff Protection in Developed and Developing Countries: A Cross-Sectional and Longitudinal Analysis», *International Organization,* 37 (verano 1983), págs. 444-45.

[124] Liga de las Naciones, Sección Económica y Financiera, *Tarif Level Indices* (Ginebra, 1927), pág. 15. Véanse también *Monatsberichte des Österreichischen Instituts für Wirtschaftsforschung,* 27 (febrero 1954), suplemento 24, pág. 11, y K. W. Rothschild, «The Small Nation and World Trade», *Economic Journal,* 54 (abril 1944), pág. 38.

[125] *Monatsberichte des Österreichischen Instituts,* págs. 9 y 11, y Rothschild, «Small Nations and World Trade», pág. 38. Estas estimaciones son aproximadas debido a dificultades estadísticas, así como a diferencias en la covertura de países de cada estudio.

[126] Véanse sus monografías de la Universidad de Bremen sobre el Projekt Untersuchung zur Crundlegung einer praxisorientierten Theorie autozentrierter Entwicklung: Ulrich Menzel, *Autozentrierte Entwicklung Trotz Weltmarktintegration* (agosto 1981); *Entwicklungweg Dänemarks; der Entwicklungsweg Schwedens* (1800-1931); *Ein Beitrag zum Konzept Autozentrierter Entwicklung* (diciembre 1980); *Der Entwicklungsweg der Schweiz* (1780-1850), y *Ein Beitrag zum Konzept Autozentrierter Entwicklung* (octubre 1979). Estas monografías aparecerán pronto en un libro publicado por Suhrkamp. Las discusiones subsiguientes están en deuda con el trabajo de Menzel.

ratismo democrático. En el siglo XIX los sectores económicos a la cabeza en Suiza, Suecia y Dinamarca experimentaron enormes presiones económicas por parte de los competidores extranjeros. Enfrentado primero con la industria de hilados británica, cualitativamente más avanzada y más eficiente, en la década de 1790, lo que había sido el sector económico más avanzado en Suiza quedó virtualmente eliminado en menos de dos décadas y en los cantones industriales se originó una pobreza masiva. La mecanización de la industria de los tejidos cuarenta años después condujo a la emigración masiva. Para la industria del hierro sueca las consecuencias sociales de la competencia internacional fueron menos dramáticas. El número total de trabajadores en la industria era menor y muchos obreros eran a su vez campesinos a tiempo parcial que en tiempos difíciles podían volver a una agricultura de subsistencia. En Suecia, como en Dinamarca, fueron las importaciones de grano de ultramar en la década de 1870 las que produjeron serios trastornos sociales, dando lugar a repentinas expulsiones en las granjas e incrementos dramáticos de la emigración. En Suecia, además, la crisis de la agricultura se vió intensificada por una crisis en las industrias maderera y del hierro. En términos generales, fueron los sectores económicos punta en estos tres países (medidos en términos de contribución al PIB, empleo, ingresos por divisas y la recaudación tributaria) los que experimentaron las presiones económicas más internas desde el exterior.

Las tres sociedades se encontraron con estas presiones a través de la especialización de las exportaciones. La especialización en los mercados mundiales repercutió sobre las estructuras económica y social interiores, reforzando las bases sobre las que se construyó el compromiso corporatista de los años 30. Los sectores de exportación estaban restringidos inicialmente a los textiles y relojes en Suiza, cereales en Dinamarca y cereales, hierro y textiles en Suecia. Sin embargo, al igual que otros pequeños Estados europeos, Suiza, Suecia y Dinamarca trinfaron en la expansión del rango y número de sus sectores de exportación. En la formación de vínculos entre los sectores de exportación y las economías nacionales, además, la parte de elaboración local, originalmente alta sólo en Suecia, aumentó también fuertemente en Dinamarca y Suecia. Estos vínculos funcionaron tanto entre sectores tradicionales (chocolates suizos, las cerillas suecas y el *bacon* Danés) como entre sectores más avanzados (maquinaria textil y química suizas, máquinas-herramientas y turbinas suecas y equipos de granja, depósitos congeladores y mataderos daneses). Los vínculos entre los sectores innovadores en particular dispusieron las bases para el desarrollo de la competitividad internacional en mercados selectos de exportación. Las máquinas suizas, el equipo para la fabricación del queso danés y el rodamiento de bolas sueco, por ejemplo, fomentaron una mayor especialización y refinamiento en la búsqueda de lugares protegidos en el mercado. El resultado fue una estructura industrial que a través de múltiples vínculos económicos consiguió un alto grado de coherencia económica a pesar de su diversificación y la integración en los mercados mundiales.

La coherencia de la estructura económica de los pequeños Estados europeos se ve reflejada en la infrecuencia de los estrechos vínculos entre la industria y la agricultura. Típico de la modernización suiza, sueca y danesa fue un modelo de industrialización rural descentralizado. Debido a que la industria textil suiza necesitó de la energía hidráulica, se desarrolló una industria interior rural en el siglo XVIII. Esto permitió sumas relativamente grandes para los ingresos agrícolas del empleo industrial a tiempo parcial [127]. Antes de 1850, aproximadamente, los empresarios suizos, igual que sus colegas belgas, podían contar con unos salarios industriales bajos, que se completaban sustancialmente con los ingresos agrícolas. En la segunda mitad del siglo XIX las fábricas buscaron la fuente suiza de energía en los valles de montaña, evitando así la aparición de una profunda escisión entre la ciudad y el campo. La adaptabilidad económica suiza dependía, pues, de la combinación del trabajador de fábrica con el campesino a tiempo parcial. Aún hoy Suiza carece de grandes aglomeraciones urbanas y los trabajadores suizos mantienen numerosos y estrechos vínculos con el campo [128].

En contraste con Suiza, la industrialización en Dinamarca se produjo más bien tarde. El patrón de asentamiento de la industria en el campo es, sin embargo, notablemente similar al modelo suizo [129]. Incluso en el siglo XIX los vínculos entre la agricultura y la industria eran muy fuertes. La elaboración de la cerveza, la maquinaria agrícola y la producción alimentaria se derivaban todas de la agricultura. Con sólo unas pocas excepciones, las empresas danesas, al igual que las de Holanda, eran pequeñas y estaban desplazadas hacia las zonas rurales. La industrialización sueca revela un modelo similar. Como señala Tilton, la industria en Suecia era rural más que urbana. «Suecia no tenía nada que ver con la *Ruhrgebiet* alemana o las regiones industriales del norte de Inglaterra. Por el contrario... las plantas se hallaban dispersas en muchas pequeñas comunidades más que concentradas en un reducido número de grandes ciudades industriales.» Como resultado, escribe Tilton, «el campesino sueco pudo simpatizar con las demandas de los trabajadores urbanos. El mismo era, a menudo, tanto un obrero como un campesino, aceptando empleos de invierno como minero o leñador» [130].

---

[127] Cf. Milward y Saul, *Economic Development, 1780-1870*, pág. 463.

[128] Menzel, *Entwicklungweg der Schweiz*, págs. XII-XIII, 73-74 y 115-36; Milward y Saul, *Economic Development, 1780-1870*, págs. 454 y 463, y N. Gardner Clark, «Modernization without Urbanization, or Switzerland as Model of Job Development outside Large Urban Areas», *Schweizerische Zeirschrift für Soziologie*,6, 1 (1979), págs. 1-40.

[129] Menzel, *Entwicklungsweg Dänemarks;* Milward y Saul, *Economic Development, 1780-1870*, pág. 512, y Sven Aage Handen, *Early Industrialization in Denmark* (Copenhage, Møller & Landschultz, 1970).

[130] Tilton, «Social Origins of Liberal Democracy», págs. 563 y 568.

Este modelo de industrialización rural ha sido ampliamente discutido por una serie de historiadores económicos. Ha sido redescubierto como fenómeno europeo bajo el nombre de «protoindustrialización» [131]. En toda Europa, entre los siglos XVII y XIX, los empresarios tuvieron éxito en la producción de grandes volúmenes de bienes baratos con técnicas de producción tradicionales en redes extendidas y bien organizadas de familias. La industrialización del campo antes de la Revolución Industrial se produjo sin el desarrollo de las fábricas, sin grandes acumulaciones de capital y sin una verdadera clase obrera concentrada en áreas urbanas [132].

Organizada en torno a una densa red de ciudades comerciales de tamaño medio, orientadas a los mercados internacionales, la protoindustrialización adquirió una importancia distintiva en las pequeñas economías europeas, porque duró hasta el siglo XIX. En la búsqueda de un nicho en el mercado, sus economías generaron múltiples vínculos entre sectores de tradición e innovadores. No tenemos ningún modo de saber si los vínculos entre la agricultura y la industria y entre el campo y la ciudad eran más importantes en las pequeñas economías o en las grandes, pero es plausible aceptar que las diferencias de escala hicieran más visibles esos vínculos para todos en los países más pequeños. La visibilidad debe haber tenido consecuencias políticas significativas para los esfuerzos de construir alianzas políticas entre los sectores sociales en los pequeños países europeos [133].

Las vinculaciones entre los diferentes sectores sociales que se vieron reforzados por la especialización de las exportaciones puede muy bien haber tenido una fuerte repercusión en la estructura de los sistemas de partidos [134]. En las sociedades europeas, tanto grandes como pequeñas, los sistemas de partidos eran los residuos de anteriores conflictos entre la Iglesia y el Estado, así como entre los intereses rurales y urbanos. La apertura de las pequeñas economías intensificó el conflicto entre las viejas élites preindustriales y los intereses urbanos, que dependían de forma creciente de las exportaciones de productos especializados. Los grandes países, menos dependientes de los mercados mundiales, explotaron sus mercados interiores de una forma más gradual y pudieron así efectuar una

[131] Mendels, *Industrialization and Population Pressure;* Peter Kriedte, Hans Mecick y Jürgen Schlumbohm, *Industrialisierung vor der Industrialisierung. Gewerbliche Warenproduktion auf dem Land in der Formationsperiode des Kapitalismus* (Göttingen, Vandenhoeck & Ruprecht, 1977), y Charles Tilly, «Flows of Capital and Forms of Industry in Europe, 1550-1900», *Theory and society,* 12 (marzo 1983), págs. 123-42.

[132] Véase Charles Tilly, «Did the Cake of Custom Break ?», en John M. Merriman, ed., *Consciousness and Class Experience in Nineteenth Century Europe* (Nueva York, Holmes & Meier, 1979), pág. 33.

[133] Estoy agradecido a Charles Tilly por esta idea.

[134] Castles, *Social Democratic Image of Society,* págs. 112-13 y 131-42, y Francis G. Castles, «How Does Politics Matter? Structure or Agency in the Determination of Public Policy Outcomes», *European Journal of Political Research,* 9, 2 (1981), págs. 127-28.

fusión más gradual entre los intereses de la ciudad y del campo. La consecuencia, según Francis Castles, puede muy bien haber sido que las condiciones en los grandes países «minimizaron el potencial de pervivencia de las divisiones en el sistema de partidos antes de la emergencia de una menor oposición de clases» [135]. Los términos del ajuste entre los intereses urbanos y rurales difería pues, considerablemente en los pequeños y grandes países, y esta diferencia puede haber contribuido a la diferencia de regímenes políticos que surgiría en el siglo XX.

El debate ha estado hasta el momento basado en el análisis realizado por Menzel sobre Suiza, Suecia y Dinamarca. Es interesante señalar que en algunos de los otros pequeños Estados europeos las conexiones entre la ciudad y el campo son también muy estrechas. En Noruega la mayoría de los habitantes de la ciudad abandonaron el campo no hace más de tres generaciones y mantienen estrechos lazos con los familiares de las áreas rurales. De hecho, el primer gobierno laborista noruego en 1928 estuvo encabezado por un campesino, Johan Nygaardsvold, que llegó al poder a la cabeza de la coalición roja y verde entre obreros y campesinos; era hijo de un labrador con una fuerte vinculación a la Noruega rural. En Noruega, señala Eckstein, «la noción de interconexión [entre trabajo industrial y campesino]... parece particularmente oportuna para explicar la curiosa coexistencia de una clara división y una gran cohesión social» [136]. Una situación similar se dio en Holanda en el siglo XIX, donde «existía menos industria interior que en Bélgica, aunque habían numerosas industrias basadas en la agricultura que ofrecían empleo a una parte de la familia» [137].

En Bélgica la industria estaba también ligada íntimamente a la agricultura. Las granjas en Flandes eran tan pequeñas que la agricultura y la industria compartían con frecuencia la misma fuerza de trabajo. La industria rural cobró fuerzas con la tendencia de los trabajos del algodón a desplazarse a los pequeños pueblos para evitar el creciente poder de los sindicatos [138]. En Valonia, con su concentración de industria pesada, el continuado vínculo entre la agricultura y la industria dependía fuertemente de la política del gobierno. El gobierno intentaba de forma sistemática fomentar la migración interna ofreciendo billetes estacionales a bajo pre-

---

[135] Francis G. Castles, «The Impact of Parties on Public Expenditure», en Castles, ed., *The Impact of Parties: Politics and Policies in Democratic Capitalist States* (Beverly Hills, Sage, 1982), pág. 82.

[136] Eckstein, *Division and Cohesion*, pág. 127, y véanse págs. 122 y 125-26. Véase también Sten S. Nilson, «Wahlsoziologische Probleme des National-Sozialismus», *Seitschrft für Die Gesamte Staatswissenschaften*, 110 (1954), págs. 302-303.

[137] Alan S. Milward y S. B. Saul, *The Development of the Economies of Continental Europe, 1850-1914* (Cambridge, Harvard University Press, 1977), pág. 193. Véanse también Milward y Saul, *Economic Development, 1780-1870*, pág. 452.

[138] Milward y Saul, *Development of the Economies, 1850-1914*, págs. 148-49; cf. Lorwin, «Belgium», págs. 148-49.

cio. Como resultado, «la familia permaneció en un área rural, generalmente con una pequeña propiedad, y el padre, desplazado a menudo a distancias considerables, en la fábrica» [139]. John Stuart Mill, escribiendo sobre el trabajador suizo típico, indentificó la repercusión específica que el ajuste industrial tuvo en la estructura social de todos los pequeños Estados europeos: «El trabajador de Zürich es hoy un fabricante; mañana, de nuevo, agricultor, y cambia su ocupación con las estaciones, en un continuo girar. La industria manufacturera y los cultivos avanzan de común acuerdo, en una inseparable alianza» [140].

En la segunda mitad del siglo XIX estos vínculos se vieron reforzados por las cooperativas rurales, que en los pequeños Estados europeos movilizaron a un campesinado tradicionalmente independiente. Para el campesino sueco, sugiere Tilton, «la participación en las cooperativas agrícolas le acostumbró a la lucha colectiva por los objetivos sociales. De ahí que consintiera en la participación de su partido en la construcción del Estado del bienestar» [141]. En Holanda las cooperativas se formaron en principio para la compra de piensos y fertilizantes, pero se convirtieron en poco tiempo en productores de mantequilla, queso, azúcar refinada, patatas, harina y cartón. A finales del siglo XIX las cooperativas agrícolas jugaron también un papel sobresaliente en Suiza, y las más conocidas cooperativas rurales de Europa pueden encontrarse en Dinamarca. Dependientes desde sus comienzos de la experiencia de los agriculturistas contratados por el Estado, las cooperativas igualitarias y organizadas democráticamente se capitalizaron rápidamente con nuevas técnicas de producción desarrolladas en las décadas de 1870 y 1880 [143]. Como resultado, «entre las naciones del mundo Dinamarca se distingue como la Comunidad de cooperativas de agricultores»; como señala Peter Manniche, «la cooperación vino prácticamente forzada entre los campesinos por un factor externo: la dependencia de los mercados extranjeros» [144]. En definitiva, la apertura económica y la especialización de la exportación crearon vínculos fuertes y duraderos entre los diferentes sectores sociales y económicos en las pequeñas economías europeas.

---

[139] Milward y Saul, *Development of the Economies, 1850-1914*, pág. 147.

[140] Citado en Menzel, *Entwicklungsweg der Schweiz*, pág. 73, nota 24.

[141] Tilton, «Social Origins of Liberal Democracy», pág. 568.

[142] Milward y Saul, *Development of the Economies, 1850-1914*, pág. 191. Véase también J. H. Van Stuijvenberg, «A Reconsideration of the Origins of the Agricultural Cooperative», *Acta Historiae Neerlandicae*, 13 (1980), págs. 114-32.

[143] Menzel, *Entwicklungsweg Dänemarks*, págs. 52-60, 69-77 y 84-98; Tillotson-Becker, «Art of the State», págs. 27-28; Peter Manniche, *Living Democracy in Denmark* (Westport, Greenwood, 1970), y Henry R. Haggard, *Rural Denmark and its Lesson* (Londres, Longmans, 1911).

[144] Peter Manniche, *Denmark: A Social Laboratory* (Nueva York, Oxford University Press, 1939), págs. 11 y 70.

Conclusión

Los análisis históricos de pequeñas sociedades europeas tan diferentes como Noruega y Holanda han subrayado la preferencia ideológica de estos países por la unidad a pesar de sus profundas divisiones sociales. En el siglo XX esta preferencia sostuvo la buena disposición de derecha e izquierda a negociar políticamente, evitando la neutralidad característica de los países más grandes.

Noruega es una democracia altamente estable; sin embargo, tiene divisiones y divergencias políticas que son relativamente llamativas [145]. Los campesinos y la agricultura de subsistencia se alinearon contra los comerciantes y burócratas urbanos [146]. Los diversos intereses económicos se vieron reforzados por normas culturales divergentes. En el siglo XIX una profunda controversia sobre la lengua nacional en Noruega dividió al sector urbano del rural. Igualmente amplia fue la diferencia entre el fundamentalismo religioso del campo y el secularismo de las ciudades. El país, por otra parte, estaba dividido en cinco regiones diferentes, cada una con una clara identidad propia. ¿Qué es lo que mantuvo unida a Noruega? Harry Eckstein afirma acertadamente que la respuesta se halla en el fuerte sentido de comunidad que se refleja, por ejemplo, en el «corporatismo omnipresente» de la vida [147].

La sociedad holandesa está dividida en diferentes «pilares» confesionales más que en regiones culturales de base territorial. Desde el siglo XVII la sociedad holandesa ha estado siempre profundamente dividida en tendencias religiosas. Los estudiosos de la política holandesa han descrito cómo la movilización de las subculturas católica, calvinista y socialista ha dividido desde finales del siglo XIX a la sociedad holandesa, dando lugar a un sistema llamado a conformar asociaciones voluntarias y partidos políticos guiados por orientaciones religiosas e ideológicas fuertemente divergentes. Como resultado, existieron hasta los años 60 tres diferentes asociaciones de empresarios y hasta los años 70 tres federaciones sindicales diferentes. Los medios de comunicación y la educación holandesas han fomentado estas divisiones, tanto a nivel político como personal. Sin embargo, algunas herencias históricas de largo alcance contrarrestan estas influencias divisivas [148]. Holanda, descentralizada a lo largo de su historia, ha fomentado la tolerancia política. El país ha estado abierto a la formación desde abajo de multitud de pirámides de sociedades po-

---

[145] Eckstein, *Division and Cohesion*, pág. 63.

[146] *Ibid.*, págs. 38-67; Stein Rokkan y Henry Valen, «Regional Contrasts in Norwegian Politics», en Allardt y Rokkan, *Mass Politics*, especialmente págs. 192-94, y Rokkan, «Geography, Religion and Social Class: Crosscutting Cleavages in Norwegian Politics», en Lipset y Rokkan, *Party Systems and Voter Alignments*, págs. 367-446.

[147] Eckstein, *Division and Cohesion*, pág. 84; véanse también págs. 122-127 y 133-35.

[148] Dealder, «The Netherlands», pág. 193, y Tumin, «Pathways to Democracy».

líticas soberanas, descritas y analizadas por Althusius, el primer teórico
de una política «del consenso». Los amplios intereses comerciales de Holanda limitaron de forma similar las divisiones religiosas: durante la guerra con España, el flujo de refugiados desde el sur incitó a las élites económicas a minimizar los conflictos ideológicos, los cuales juzgaban como
contrarios al comercio [149]. Como escribe Daalder, en Holanda, «incluso
los aislacionistas inquebrantables han aprendido que la fuerte insistencia
en los derechos subculturales no tiene por qué impedir la cooperación día
a día con los representantes de los grupos rivales» [150].

He hecho hincapié en dos aspectos de la evolución histórica de la derecha y de la izquierda que han favorecido la integración política en los
pequeños Estados europeos durante el siglo XX. Primero, una de las herencias de un feudalismo débil fue una derecha menos poderosa socialmente y menos unida electoralmente que en los países más grandes. El
resultado fue la posibilidad de creación de nuevas alianzas entre la izquierda y la derecha, fomentando las perspectivas de integración política. Segundo, la industrialización rural, reforzada por fuertes incentivos
impuestos por la apertura económica favorecedora de una estrategia de
especialización de las exportaciones, añadió una dimensión de realidad so-
ciológica a las alianzas políticamente posibles. Las dos condiciones no con-
vergieron en los grandes países.

La debilidad del feudalismo en aquellas regiones donde emergerían
eventualmente los pequeños Estados europeos contrasta notablemente
con el fuerte feudalismo de todas partes. El feudalismo otorgó una ventaja comparativa en salud y poder a los que serían los mayores y más poderosos Estados europeos. De forma similar, el feudalismo japonés duró
hasta finales del siglo XIX; los grandes Estados no surgieron hasta las décadas de 1880 y 1890, y la fuerza de las élites rurales quedó atrapada
en las estructuras de poder japonesas hasta la reforma de las tierras llevada a cabo bajo los auspicios de los Estados Unidos al final de la segunda guerra mundial.

La derecha británica, aunque dividida en la primera parte del siglo XIX, se mantuvo relativamente unida hasta que el siglo llegó a su fin.
La posición hegemónica de la nación en el sistema internacional reforza-
ba entre los defensores del *status quo* un sentido de poder más que una
disposición al compromiso. En Alemania y Francia la derecha, aunque
más poderosa que en los pequeños Estados europeos, estaba dividida en
cuestiones de religión, educación, regionalismo y política exterior. Sólo
estuvo unida de forma intermitente por el carisma de un Napoleón III o
la inteligencia de un Birsmarck. Pero a diferencia de la situación en los

---

[149] Tumin, «Pathways to Democracy», pág. 172.
[150] Dealder, «The Netherlands», págs. 216 y 218.

pequeños estados Europeos, las oportunidades políticas no estuvieron marcadas por una disposición favorable por parte de la derecha a formar nuevas alianzas con segmentos de la izquierda. Una razón importante de esta diferencia era la relativa ausencia de vínculos económicos entre diferentes sectores sociales, tales como los que habían surgido en el siglo XIX en las sociedades europeas más pequeñas. Una segunda razón fue la diferencia en el carácter de la izquierda. Los países más grandes, con su fuerte pasado feudal y mayores demarcaciones de *status,* conformaron generalmente una izquierda más radical, con demandas políticas más difíciles de aceptar por parte de la derecha. Finalmente, en los países menos abiertos y vulnerables a las influencias del sistema internacional las presiones para el compromiso fueron también menores.

La derecha japonesa surgió unida y fuerte de la Restauración Meiji. El dinero urbano y los votos rurales hicieron posible una adaptación que cambió las armas por una legislación de los fondos públicos en el período de entreguerras (elementos importantes de esta adaptación política caracterizaron también la prolongada etapa de dominio del partido demócrata liberal después de 1955). Cualesquiera que fueran las divisiones políticas existentes dentro de la derecha —sobre los objetivos japoneses en Asia, su postura vis a vis con los Estados Unidos y las necesidades de diferentes ramas de los servicios armados—, se unieron en 1936 como un grupo dentro del ejército japonés, apoderándose del control y terminando con el poder civil. No ·hubo nunca necesidad de un compromiso con la izquierda dividida y débil. La izquierda, por otra parte, estaba influida por sus afinidades ideológicas con la Unión Soviética, uno de los principales adversarios a los que se enfrentó Japón a principios del siglo XX desde una posición de vulnerabilidad internacional.

La importancia de la fuerza internacional y su repercusión en la reducción de las presiones para la consecución de un compromiso aparece con toda claridad en el caso de Estados Unidos [151]. Carente de un pasado feudal pero con la presencia de una derecha dividida y una izquierda moderada, el caso americano señala la importancia de una frágil posición internacional y sentido de la vulnerabilidad. Debido a la ausencia (mas que a la debilidad) de un pasado feudal en la historia americana, los políticos de la clase trabajadora tuvieron incentivos ineludibles para formar alianzas con los líderes de otros sectores sociales. Como resultado, nunca organizaron con éxito una izquierda independiente en los Estados Unidos. Los grupos sociales que en Europa constituyeron la derecha, en Estados Unidos tuvieron, por ello, libertad para dividir su lealtad entre los partidos Republicano y Demócrata. Las débiles estructuras feudales llevaron a la ausencia de violencia coercitiva en los conflictos entre derecha e izquierda y los pequeños países europeos. Estados Unidos, por el con-

---

[151] Estoy agradecido a Martin Shefter por su perspicacia en esta materia.

trario, experimentó una guerra civil por la cuestión de la esclavitud y durante muchas décadas conflictos excepcionalmente sangrientos y prolongados entre empresarios y trabajadores. Un hecho importante puede dar cuenta de esos resultados diferentes: las restricciones impuestas por una posición internacional vulnerable y desprotegida.

En resumen, algunos de los grandes Estados industriales, como Estados Unidos, tuvieron estructuras feudales débiles y adoptaron pronto el sufragio universal y el gobierno parlamentario más tarde. Pero en ninguno de los grandes países industriales la coincidencia de las oportunidades políticas y las convergencias sociales, reforzadas por la apertura económica y la percepción de la vulnerabilidad, debilitó la mentalidad acaparadora y favoreció la disposición favorable a la negociación con los oponentes políticos.

IV.   Los orígenes históricos del corporatismo liberal y social

A pesar de las similitudes históricas que llevaron a los pequeños Estados europeos al compromiso corporatista de los años 30, existen importantes diferencias en la evolución histórica de las variantes liberal y social del corporatismo. Sería una grave simplificación decir que las crisis entrelazadas de los años 30 y 40 dieron lugar a la integración política porque tal integración era necesaria para la supervivencia. Los términos de la integración política estaban determinados más bien por la posición de poder relativa que mantuvieron los diferentes actores en la política interior.

En el corporatismo social de los países escandinavos el compromiso se asemejó a un acto de consentimiento político del centro y la derecha en la presencia de un movimiento obrero cada vez más fuerte. En los regímenes de corporatismo liberal del continente europeo el compromiso se parecía más a la imposición de condiciones políticas por parte del centro y la derecha en un movimiento obrero demasiado débil para dictar sus propios términos. Esta diferencia se ve reflejada en las contrastantes estrategias ante la gestión de la crisis: pronta devaluación, déficit del gasto y experimentación pragmática con políticas de bienestar en Escandinavia; devaluación tardía, un enfoque ortodoxo de la política fiscal y la discusión, más que la puesta en marcha, de planes elaborados para la crisis en Suiza, Bélgica y Holanda. En Escandinavia la socialdemocracia prevaleció porque construyó alianzas con los campesinos. En el continente prevalecieron, en cambio, los partidos liberales. Pero a medida que se endurecía la crisis avanzaban hacia un reparto del poder ejecutivo con los socialdemócratas: en Bélgica en 1935, en Holanda en 1939 y en Suiza en 1943. Aunque surgieron nuevas alianzas entre diferentes sectores sociales en los seis países, los términos de la acomodación política diferían sustancialmente.

Un examen cuidadoso del compormiso electoral apunta hacia la misma conclusión. Por un lado, dos desarrollos políticos diferentes impulsaron a la izquierda en Escandinavia a no alcanzar la victoria total (la cual hubiera supuesto un sistema de representación mayoritario antes que proporcional) y, por otro lado, llevaron al centro y a la derecha en el continente a abdicar del poder voluntariamente, aceptando la representación proporcional. En Escandinavia el compromiso electoral y la integración política reflejaban una tregua en el conflicto de clases. En el continente el compromiso electoral expresaba una estrategia consensuada tradicional de hacer frente a los conflictos entre las minorías, y la acomodación política incluía a la izquierda como un partido político entre otros en sociedades profundamente divididas. Estas distinciones no son, naturalmente, tajantes; Bélgica adoptó la representación proporcional primeramente por razones «defensivas», Dinamarca lo hizo por razones «consensuales»; los dos casos complican la distinción sin, por supuesto, invalidarla. Lo mismo es válido para la experiencia suiza con la representación proporcional, la cual combinó elementos «consensuales» a nivel cantonal antes de la primera guerra mundial con elementos «defensivos» a nivel federal después de la guerra.

Las diferencias en los términos de los compromisos corporatistas y electorales se fueron conformando con la evolución histórica de los negocios y el trabajo en las sociedades implicadas. El carácter de los negocios estuvo influenciado por el *timing* de la industrialización, así como por las repercusiones de la política internacional (la habilidad para evitar la implicación en la guerra y la posesión de colonias en ultramar). Los movimientos obreros fueron determinados por el *timing* de la industrialización y por el número e intensidad de las divisiones sociales.

En sus estudios de historia económica comparada, Alexander Gerschenkron desarrolló una hipótesis que vinculaba el *timing* de la industrialización con una serie de resultados políticos y económicos [152]. Gerschenkron señalaba más específicamente que el grado de atraso económico era decisivo en la conformación tanto de la rapidez de la industrialización como de su estructura organizacional. Aplicaba la proposición persuasivamente, aunque en términos generales, a Gran Bretaña, Alemania y Rusia; pruebas más detalladas daban como mucho resultados ambiguos [153]. Para unas miras más amplias, sin embargo, la perspectiva de

[152] Alexander Gerschenkron, *Economic Backwardness in Historical Perspective: A Book of Essays* (Cambridge, Harvard University Press, Belknap Press, 1962), especialmente págs. 1-30, y Gerschenkron, *Continuity in History and Other Essays* (Cambridge, Harvard University Press, Belknap Press, 1968), especialmente págs. 77-97.

[153] Alexander Gerschenkron, *An Economic Spurt that Failed: Four Lectures in Austrian*

Gerschenkron continúa siendo muy útil: el *timing* de la industrialización en el siglo XIX determinó el tipo de comunidad empresarial que surgiría en el siglo XX.

Los pequeños Estados europeos han seguido diferentes caminos hacia la modernidad industrial [154]. Suiza a finales del siglo XVIII adoptó una estrategia de crecimiento y libre comercio orientados a la exportación. Al igual que Bélgica, Suiza fue una de las primeras industrializadas en Europa, con el inconveniente de una constelación única de desventajas naturales: la ausencia de materias primas esenciales, déficit en el comercio agrícola, falta de acceso directo al transporte oceánico hasta finales del siglo XIX, un relativo aislamiento del sistema ferroviario y de canales europeo y fragmentación política. A pesar de esta acumulación de desventajas naturales, Suiza encontró el éxito en un modelo de desarrollo caracterizado por la importación de grano y materias primas y la exportación de bienes manufacturados de alta calidad (textiles y relojes, entre otros). En 1913, las exportaciones sumaban el 40 por 100 del PNB, y un quinto de la producción industrial suiza llevada a cabo en el exterior [155]. Los bancos suizos reforzaron su orientación internacional. El flujo de refugiados hugonotes en el siglo XIX dio forma a la comunidad financiera suiza, combinando los rasgos de los bancos comerciales británicos y los bancos de inversión alemanes. Aunque los banqueros de Londres llamaron acertadamente «gnomos» a sus colegas de Zürich en el siglo XIX, cuando Zürich se vio empequeñecida por el mercado financiero a Londres, los bancos suizos disfrutaron de una fuerte posición dentro de Suiza. El desarrollo económico y la industrialización dependían en gran medida de la iniciativa y de la demanda privadas y tuvieron sus comienzos en la industria ligera. La ausencia de materias primas inhibió el desarrollo de la industria pesada.

Bélgica figura también entre los países que más pronto se industrializaron en el continente. A diferencia de Suiza, sin embargo, pero al igual que los mayores Estados continentales (Francia, Alemania, Austria-Hungría), persiguió el crecimiento económico a través del desarrollo de sus mercados nacionales —un desarrollo que incluía la construcción de la más extensa red de conexiones ferroviarias en Europa— [156]. Además, la dis-

---

History (Princeton University Press, 1977), y Steven Loren Barsby, «An Empirical Examination of the Gerschenkron Hypothesis: Economic Backwardness and the Characteristics of Development» (Ph. D. diss., University of Oregon, 1968). Véase también Barsby, «Economic Backwardness and the Characteristics of Development», *Journal of Economic History,* 29 (septiembre 1969), págs. 449-72.

[154] Senghaas, *Von Europa Lernen,* y las palabras citadas en la nota 126 constituyen las bases para gran parte de la discusión subsiguiente.

[155] Volker Bornschier, *Wachstum, Konzentration und Multinationalisierung von Industrieunternehmen* (Frauenfeld, Huber, 1976), pág. 486. Para mayor generalización véase Menzel, *Entwicklungsweg der Schweiz.*

[156] Pierre Lebrun *et al., Essai sur la Revolution Industrielle en Belgique, 1770-1847* (Bru-

ponibilidad de carbón y hierro en Bélgica favoreció la construcción temprana de una industria pesada y la producción de inversión más que de bienes de consumo. Bélgica era, sin embargo, una excepción al modelo de crecimiento orientado a la exportación durante un tiempo relativamente corto. En 1860 su estrategia había llegado a parecerse al modelo suizo, y en 1890 Bélgica se situaba en el número uno en Europa en cuanto a las exportaciones per cápita. La convergencia del país con la estrategia de los pequeños Estados de crecimiento guiado por la exportación fue rápida y total.

Existe menos acuerdo entre los historiadores económicos sobre el *timing* y el carácter de la industrialización holandesa. Atrasada industrialmente, comparada con Bélgica y Suiza en la primera mitad del siglo XIX, Holanda parece haber experimentado un período transicional (1850-70) y una industrialización completa con mayor retraso. Aunque la industrialización se produjo más tarde que en Bélgica y Suiza, el fuerte legado del capitalismo comercial holandés, así como una estrategia de modernización agrícola, reforzaron la inclinación de Holanda a la adaptación internacional y situó a su comunidad empresarial aparte de las de Dinamarca y Noruega [157].

Noruega y Dinamarca se industrializaron tarde y siguieron un camino muy diferente [158]. Las primeras décadas del siglo XIX se centraron en la exportación de materias primas, productos agrícolas, tejidos y mineral de hierro. En décadas subsiguientes ambos países siguieron una sustitución de las importaciones y una relativa protección, lo cual otorgaba al gobierno un mayor papel en la economía del que tenían los países continenta-

---

selas: Palais des Academies, 1979), y Jan Dhont y Marinette Bruwier, «The Low Countries, 1700-1914», en Carlo M. Cipolla, ed., *The Fontana Economic History of Europe*, vol. 4, pt. 1: *The Emergence of Industrial Societies* (Londres, Collins, 1973), págs. 326-66.

[157] Joel Mokyr, *Industrialization in the Low Countries, 1795-1850* (New Haven, Yale University Press, 1976); Richard T. Griffiths, *Industrial Retardation in the Netherlands, 1830-1850* (The Hague, Nijhoff, 1979); Eric Schiff, *Industrialization Without Patents: The Netherlands, 1969-1912; Switzerland, 1850-1907* (Princenton, Princenton University Press, 1971), págs. 25-27; Nokyr, «Industrialization and Poverty in Ireland and the Netherlands», *Journal of Interdisciplinary History*, 10, 3 (1980), págs. 429-58; J. A. de Jonge, «Industrial Growth in the Netherlands, 1850-1914», *Acta Historiae Neerdlandicae*, 5 (1971), págs. 158-212, y I. J. Brugmans, «The Economic History of the Netherlands in the 19th and 20th Century», *ibid*, 2 (1967), págs. 260-98.

[158] K. G. Hildebrand, «Labour and Capital in the Scandinavian Countries in the Nineteenth and Twentieth Centuries», en Peter Mathias y M. M. Postan, eds., *The Cambridge Economic History of Europe*, vol. 7, pt. 1: *The Industrial Economies: Capital Labour, and Enterprise: Britain, France, Germany and Scandinavia* (Cambridge, Cambridge University Press, 1978), págs. 590-628; Lennart Jörberg, «Industrial Development and Foreign Trade in the Nordic Countries, 1870-1914», en Wolfram Fischer, ed., *Beiträge zu Wirtschaftswachstum und Wirtschaftsstruktur im 16. Und. 19. Jahrhundert* (Berlín, Duncker & Humblot, 1971), págs. 239-260, y Eli F. Heckscher, *An Economic History of Sweden* (Cambridge, Harvard University Press, 1954).

les. En Noruega el rápido crecimiento industrial en torno al cambio de siglo estuvo centrado en la explotación de los recursos naturales, financiada por capital extrajero. La industrialización más gradual de Dinamarca, por el contrario, estaba más orientada hacia su sector agrícola, que había sido rápidamente modernizado. Sólo desde 1945 se ha producido la convergencia de esta vía de desarrollo con el crecimiento guiado por la exportación. El modelo se distingue por un intento triunfante de pasar gradualmente de la exportación de bienes inacabados (madera noruega o los cereales daneses) a productos manufacturados de alta calidad (papel y pulpa o productos lácticos).

Aunque es comparable en muchos aspectos al de sus vecinos escandinavos, el desarrollo industrial sueco ha sido temprano y ha estado integrado sin interrupción en los mercados mundiales. La industrialización sueca después de 1870 trajo no sólo una ampliación de las actividades industriales, sino también una intensificación del capital, un cambio hacia productos de un mayor valor añadido y, lo más importante, el surgimiento de sectores de exportación nuevos y dinámicos, especialmente en las industrias de ingeniería. La industria sueca adoptó una orientación hacia la exportación mucho antes que sus vecinos Dinamarca y Noruega. Suecia tiene hoy un sector de servicios mucho menor y ha experimentado un desarrollo relativamente tardío de los mercados internos. De importancia crítica para el modelo de desarrollo de Suecia fue la pronta competitividad internacional de sus industrias de bienes de capital, las cuales hicieron notables avances técnicos a finales del siglo XIX en áreas tales como las de turbinas, maquinaria eléctrica y rodamiento de bolas. Como en Suiza, Bélgica y Holanda, la comunidad empresarial sueca tenía una orientación internacional.

La política internacional ha afectado también al carácter de los negocios en los pequeños países europeos. Protegidas por la neutralidad, Suiza y Suecia consiguieron mantenerse al margen de las guerras. Adquirieron bienes extranjeros sin sufrir la expropiación. Dinamarca fue menos afortunada y se vio complicada en numerosas guerras europeas. Holanda y, en menor medida, Bélgica controlaron grandes colonias en ultramar que fomentaron la inversión exterior [159]. Por el contrario, los países escandinavos no controlaron territorios de ultramar significativos en el siglo XIX [160]. Noruega había estado regida durante siglos primero por Dinamarca y en el siglo XIX por Suecia. Sin embargo, la unión de Suecia y Noruega fue débil. Y la fase de expansión continental en Suecia había terminado mucho antes de la Revolución Industrial. A lo largo del siglo XIX Dinamarca controlaba las Indias Occidentales danesas (que se unieron a

---

[159] Lorwin, «Segmented Pluralism», págs. 42-44.
[160] Véase Charles de Lannoy, *A History of Swedish Colonial Expansion* (Newark, Department of History and Political Science, University of Delaware, 1938).

los Estados Unidos en 1916) e Islandia (cuya independencia fue reconocida en 1918). Pero estas posesiones de ultramar casi no dejaron huella en la comunidad empresarial de Dinamarca, que estaba fuertemente ligada a la modernización agrícola.

El *timing* y el carácter de la industrialización, así como los caprichos de la política internacional, dejaron en los regímenes corporatistas liberales de Suiza, Holanda y Bélgica, así como de Suecia, una comunidad empresarial con orientación internacional. En 1913, por ejemplo, la importancia relativa de la inversión exterior era mucho mayor en estos países que en Dinamarca o Noruega [161]. Las grandes corporaciones desarrollaron y entraron en los mercados mundiales con productos industriales avanzados, sustancialmente diferentes de los de la Dinamarca agrícola o la Noruega de los recursos intensivos.

Los términos del compromiso en los años 30 se vieron también conformados por el efecto que el *timing* de la industrialización, así como el número e intensidad de las divisiones sociales, tuvieron en la militancia y centralización del movimiento obrero. En un estudio sociológico clásico Edward Bull intentaba explicar las diferencias en la evolución de los movimientos obreros en Escandinavia mediante factores estructurales, siendo el primero de ellos la brusquedad del cambio que ocasionó la industrialización. Walter Galenson desarrolló seguidamente esta hipótesis en sus estudios comparativos [162]. De acuerdo con este punto de vista, la rápida industrialización noruega enfrentó a una clase obrera desarraigada contra unas empresas extranjeras grandes y poderosas, ayudando así a forjar una clase obrera militante en las primeras décadas de este siglo. En Dinamarca una industrialización más gradual, organizada alrededor de una industria de pequeña escala, propiedad de la pequeña burguesía y con producción para los mercados internos, fue la causa de la escasa militancia obrera. Suecia, con su mayor dependencia con respecto a los mercados interiores, mantuvo una posición intermedia [163]. (Su movimiento obrero se aproxima al modelo de corporatismo social, mientras que su co-

---

[161] Paul Bairoch, *Commerce Exterieur et Developpement Economique de l'Europe au XIX siécle* (París, Mouton, 1976), pág. 101. Las cifras de Bairoch sugieren que en 1913 la inversión suiza extranjera era aproximadamente cuatro veces mayor que la de Suecia, situándose los Países Bajos en una posición intermedia.
[162] El artículo de Bull fue publicado en 1922 y no ha sido traducido al inglés. Ha sido resumido y evaluado críticamente sobre las bases de la evidencia empírica por William M. Lafferty, *Economic Development and the Response of Labor in Scandinavia; A Multi-Level Analysis* (Oslo, Universitetsforlaget, 1971), y Lafferty, «Industrialization and Labor Radicalism in Norway: An Ecological Analysis», *Scandinavian Political Studies,* 9 (1974), págs. 157-76. Véase también Walter Galenson, «Scandinavia», en Galenson, ed., *Comparative Labor Movements* (Nueva York, Prentice-Hall, 1952), págs. 104-72.
[163] Lipset, «Political Cleavages in "Developed" and "Emerging" Polities», pág. 30, y Michael Shalev y Walter Korpi, «Working Class Mobilization and American Exceptionalism», *Economic and Industrial Democracy,* I (1980), págs. 36-37.

munidad empresarial se asemeja al modelo de corporatismo liberal.) La atractiva proposición de Bull y Galenson ha resultado ser deficiente; no establece una clara ordenación de los países escandinavos [164]. Pero si se remodela para hacerla compatible con la proposición que deduje de las hipótesis de Gerschenkron y sobre el *timing* más que sobre la marcha de la industrialización, la perspectiva original de Bull nos ayuda a explicar el grado de militancia de los movimientos obreros en el corporatismo liberal y social y, a su vez, los diferentes términos del ajuste político de los años 30. Los primeros países industrializados, Suiza Bélgica y Holanda entre ellos, poseen movimientos obreros menos radicales que los países escandinavos con una industrialización más tardía.

En Suiza hubo menos campo para el radicalismo obrero. Los excedentes obreros fueron desplazados gradualmente del campo, y ello asimilado por una burguesía convencida de que a finales del siglo XIX habían integrado a los artesanos tradicionales con los empresarios capitalistas. Las alianzas entre trabajadores y empresarios, en particular en los sectores industriales, se expresaron en la forma de una tendencia corporatista creciente en la sociedad suiza más que a través de cualquier influencia directa de la izquierda. Finalmente, los canales abiertos para la participación y las fuertes instituciones democráticas llevaron a una pronta incorporación política de los trabajadores. En Holanda el crecimiento del movimiento obrero fue precedido por la emancipación de las comunidades calvinista y católica. La reacción inicialmente hostil de las dos comunidades hacia los problemas sociales cambió gradualmente desde dentro, llegando incluso a desarrollar ambas organizaciones de la clase trabajadora efectivas. Al mismo tiempo, sin embargo, la oposición activa de la Iglesia católica hacia los trabajadores afiliados a los sindicatos socialistas ayudó también a contener la extensión de la militancia obrera [165].

En la evolución del movimiento obrero belga las organizaciones socialdemócratas mantuvieron las demandas de movilización de grupos a niveles tales que, como afirma Lorwin, «sacrficaban a menudo la justicia social por la paz social» [166]. Como en Holanda y Suiza algo antes y con mayor intensidad, los grupos de obreros militantes que pertenecían a católicos y protestantes fueron disueltos por la oposición de las iglesias. La temprana industrialización belga y su gran dependencia de los mercados

---

[164] Sein Kuhnle, *Patterns of Social and Political Mobilization: A Historical Analysis of the Nordic Countries* (Beverly Hills, Sage, 1976), y Sten Sparre Nilson, «Regional Differences in Norway with Special Reference to Labor Radicalism and cultural Norms», *Scandinavian Political Studies,* 10 (1975), pág. 123-38.

[165] Daalder, «The Netherlands», págs. 207-8; Lorwin, «Segmented Pluralism», pág. 56; Scholten, «Does Consociationalism Exist?», y Ronald A. Kieve, «Pillars of Sand: A Marxist Critique of Consociational Democracy in the Netherlands», *Comparative Politics,* 13 (abril 1981), págs. 313-37.

[166] Lorwin, «Segmented Pluralism», pág. 40.

mundiales después de 1860 ayudó asimismo a reconciliar a la clase trabajadora con el orden político y social existente [167]. La evolución histórica ayuda así a explicar por qué el movimiento obrero belga, a pesar de estar fuertemente sindicalizado, sólo disfruta de un ámbito relativamente estrecho para la negociación colectiva y por qué las disposiciones para los consejos y la codeterminación obrera son restrictivos. Pero bajo los estándares de los pequeños Estados europeos, la fuerza de trabajo belga es particularmente propensa a la huelga. Una explicación plausible de esta excepción descansa en el carácter «monocultivista» de la industria belga, la cual está dirigida hacia la producción de hierro y de acero. La tecnología de producción en esta industria requiere centralización, la cual facilita la organización de los trabajadores. En el mundo capitalista sobre todo, los trabajadores del acero han estado entre los más combativos durante los últimos cien años. La combatividad industrial, habría que añadir, refleja la lógica de la estructura industrial belga.

Las diferencias en la centralización de los movimientos obreros en los pequeños países europeos son resultado de la estructura social. Los pequeños Estados europeos, en palabras de un informe, «incluyen no sólo a algunos de los países más homogéneos del mundo, sino también a algunos países con un grado muy alto de lo que Val Lorwin denomina pluralismo segmentado» [168]. En algunos países el eje primario del conflicto es la diversidad cultural (medida por la variación de lenguas o religiones); el estar divididos verticalmente en diferentes pilares culturales. En otros, el eje primario de conflicto es la diversidad socioeconómica (medida por la variación en ocupación, educación, salud y similares); están divididos horizontalmente en diferentes clases. Tres de los pequeños Estados europeos están marcados por una diversidad cultural muy fuerte: Suiza (étnica y religiosamente), Bélgica (étnicamente) y Holanda (religiosamente). Los tres países escandinavos, por otro lado, son relativamente homogéneos en términos culturales. Sus principales conflictos derivan de la diversidad socioeconómica [169]. Estas diferencias fundamentales en la estructura social ofrecen una tosca explicación del grado de centralización de la izquierda en los pequeños Estados europeos. Las fisuras que abre esta heterogeneidad cultural en la fuerza organizativa de la clase trabajadora conduce a un notable debilitamiento de la posición del movimiento obrero organizado en Suiza, Holanda y Bélgica. Por el contrario, la relativa unidad de la clase trabajadora en los Estados culturalmente ho-

---

[167] Rokkan, *Citizens, Elections, Parties,* pág. 135, y Lipset, «Political Cleavages in "Developed" and "Emerging" Polities», págs. 30-31.

[168] Robert A. Dahl y Edward R. Tufte, *Size and Democracy* (Stanford, Stanford University Press, 1973), pág. 112.

[169] Lijphart, *Democracy in Plural Societies*, págs. 71-81 y 104.

mogéneos ha favorecido movimientos obreros más centralizados en los tres países escandinavos [170].

La revolución industrial reforzó las diferencias entre el corporatismo liberal y social que ya existían. Como decíamos anteriormente, Hechter y Brustein distinguen entre dos modos no feudales de producción: la producción de pequeñas mercancías en la parte de Europa que luego se llamaría Suiza y en partes de los Países Bajos y la producción pastoril sedentaria en Escandinavia. El mapa tipológico de Europa elaborado por Stein Rokkan sitúa de forma similar a Suiza y los Países Bajos como áreas de transición en los cinturones urbanos de Europa, regidos por oligarquías o estados provinciales; Dinamarca y Noruega eran partes de una periferia que más tarde experimentó un dominio absolutista, y Suecia tenía un imperio más cercano a la tierra con un funcionamiento continuo de órganos de representación [171]. En *The Modern World System* Immanuel Wallerstein se centra principalmente en las regiones comercialmente activas y de orientación internacional de las áreas urbanas europeas. Por el contrario, Perry Anderson, en su *Lineages of the Absolutist State,* presta gran atención al crecimiento del imperio de los Habsburgo y a los abortados imperios de Escandinavia [172]. Las diferencias en los enfoques apunta a importantes diferencias estructurales en el legado histórico del corporatismo liberal y social. Hans Daadler ha resumido muy bien estas diferencias:

«En algunos países el gobierno parlamentario responsable llegó pronto, en un momento en que la política estaba todavía dominada por las élites pluralistas en la ausencia de partidos políticos fuertes. En Suiza y Holanda (y en menor medida en los otros dos países del Benelux) una tradición autóctona de la "política de adaptación" ofreció la base en la que se desarrollaron más tarde los movimientos de masas... En un segundo grupo de países (Suecia, Dinamarca, Noruega) un *establishment* mucho más fuertemente centralizado y centrado en el rey y la burocracia coexistió con órganos representativos que no consiguieron formar fácil y rápidamente un gobierno responsable. En Noruega, Dinamarca y Suecia el gobierno responsable llegó a través de un proceso de movilización masiva de las fuerzas contrarias al *establishment*» [173].

Las razones históricas que justifican los términos del ajuste en los años 30 descansan en los efectos que la industrialización, la política interna-

---

[170] El movimiento obrero danés tiene un carácter más artesanal y está menos centralizado, por ello constituye una excepción a esta generalización.

[171] Rokkan, *Citizens, Elections, Parties*, págs. 132-34; Rokkan, «Structuring of Mass Politics», págs. 187-86, y Rokkan, «Centre-Formation, Nation-Building, and Cultural Diversity», págs. 18-19. Véanse también Bern Hagtvet y Erik Rudeng, «Scandinavia: Achievements, Dilemmas, Challenges», *Daedalus,* 113 (primavera 1984), pág. 228.

[172] Immanuel Wallerstein, *The Modern World System: Capitalist Agriculture and the Origins of the European World-Economy in the Sixteenth Century* (Nueva York, Academic, 1974), y Perry Anderson, *Lineages of the Absolutist State* (Londres, NLB, 1974).

[173] Daalder, «Cabinets and Party Systems», págs. 299-300.

cional y la estructura social tuvieron en los negocios y en el trabajo, reforzando diferencias más importantes en la evolución. El corporatismo liberal y social tiene raíces que se remontan lejos en la historia.

La breve discusión sobre los determinantes históricos de los diferentes tipos de corporatismo democrático se resume esquemáticamente en la tabla 7, la cual presenta datos estadísticos sobre las tres variables que han conformado el mundo empresarial y el trabajo: la industrialización (cols. 1-2), la política internacional (cols. 3-4) y la estructura social (cols. 5-6). Una clasificación de los seis pequeños países europeos nos ofrece las diferencias entre Suiza, Holanda y Bélgica, por un lado, y Dinamarca y Noruega, por otro —diferencias que se corresponden con un análisis (ver col. 7)—. Una comparación por parejas más detallada de cada Estado del primer grupo con cada uno del segundo da un total de 36 comparaciones para las seis columnas de datos de la tabla 7. Omitiendo dos rangos combinados del cálculo, 30 de las 34 comparaciones (o el 88 por 100) sigue el orden esperado, manteniendo Suecia una posición intermedia. Podemos concluir diciendo que el corporatismo liberal y social posee claramente unos fundamentos históricos diferentes.

V. La ausencia de un corte revolucionario con el pasado y la excepción austríaca

Los argumentos que, como el mío, extraen importantes consecuencias para la estructura de la política contemporánea de las características de la sociedad preindustrial se basan en el trabajo pionero de Barrington Moore sobre el nacimiento de la democracia, del fascismo y del comunismo en los grandes países [175]. Sin embargo, Moore descarta la experiencia de los pequeños Estados europeos, porque, según él, las influencias externas sobre esta experiencia pesaron decisivamente o vencieron de alguna manera a las influencias internas. En mi opinión, esta idea es errónea, porque está basada en una definición excesivamente restringida del término «influencia externa».

A primera vista, la evolución de las prácticas democráticas en los pequeños Estados europeos parece ilustrar la pretensión de Moore, para quien estuvieron íntimamente ligadas a la transformación revolucionaria de las grandes sociedades. La Revolución americana, la Revolución francesa, la Revolución de Julio de 1830 y la Revolución de 1848 planteaban presiones externas. A estas presiones tenían que responder Suiza, Dinamarca y, en menor grado, Suecia, y la Revolución de Julio condujo a la

---

[174] Austria queda tratada más adelante. Los datos relevantes de Austria en la tabla 7 se ofrecen en la nota 203.

[175] Moore, *Social Origins of Dictorship and Democracy*.

creación misma de Bélgica. La breve guerra revolucionaria en Suiza en 1847, la revolución sangrienta en Dinamarca en 1848-49 y la reforma sueca de 1867 dieron todas lugar a constituciones que redujeron el poder de la élite establecida lo suficiente para que ésta se convirtiera en sólo uno más de los diversos actores políticos importantes. En las tres sociedades iba aceptando progresivamente un acuerdo sobre las reglas de juego democráticas en la segunda mitad del siglo XIX, pero fue sólo al enfrentarse a serias presiones externas cuando estas sociedades «dejaron espacio» para los nuevos actores políticos y crearon nuevas reglas políticas.

Pero otros ejemplos extraídos de la historia del siglo XIX ilustran cómo la influencia externa actuó como una oportunidad tanto como una limitación. La Holanda austríaca que surge después de 1830, al igual que el reino de Bélgica, fueron incorporados en el imperio napoleónico, ofreciendo así el acceso a un gran mercado libre de aranceles. Suiza se benefició de la protección que ofreció el bloqueo continental durante un breve período. Excluídas del mercado francés poco después de 1815 y enfrentadas a la formidable competición británica, Bélgica y Suiza descubrieron que sin unos mercados nacionales considerables y fuertemente apoyados en el transporte comercial deberían considerar la oportunidad de exportar a los mercados europeos y más tarde a los de ultramar. Las exportaciones llegaron a ser de una importancia decisiva para su posterior industrialización. Para los países escandinavos, de industrialización posterior, la situación era muy similar. «La política británica determinó en gran medida lo que ocurrió en la economía noruega durante el siglo XIX», según Sima Lieberman, y sin duda, la fundación de la navegación noruega la constituyó la Ley de Navegación Británica en 1849. Igualmente, la agricultura danesa se benefició enormemente con la abolición de las Leyes del Maíz de 1846 [176].

Las influencias externas operan como limitaciones y como oportunidades [177]. Tales influencias pueden adoptar la amenaza de la violencia revolucionaria o de las perspectivas de dependencia en grados variables sobre otros en cuanto a mercados, bienes, capital y trabajo. Generalmente las oportunidades y las limitaciones internacionales se presentan entrelazadas. Por ejemplo, a finales del siglo XIX la emigración masiva ofreció una importante válvula de seguridad, mientras que Noruega y Suecia experimentaban una rápida industrialización y trastornos sociales masivos. Entre 1881 y 1910 la emigración representó el 20 por 100 en Noruega y

---

[176] Sima Lieberman, *The Industrialization of Norway, 1800-1920* (Oslo, Universitetsforlaget, 1970), pág. 117. Véase también Senghaas, *Von Europa Lernen*.
[177] Rokkan, «Centre-Formation, Nation-Building, and Cultural Diversity», págs. 20-21, y Tumin, «Pathways to Democracy», pág. 84.

el 16 por 100 en Suecia del total de la población en 1910 [178]. Un cambio en la política de inmigración americana convirtió este torrente en algo insignificante después de 1919; en parte, como resultado, se elevaron las tasas de desempleo en ambos países. Los pequeños Estados europeos se han adaptado a las presiones internacionales a lo largo de su historia; pero también han explotado las oportunidades que se derivan de la apertura económica. Si evitamos una concepción estrecha de la influencia externa podemos entender mejor la innovación política que han hecho los pequeños Estados europeos en el último medio siglo.

En sus análisis históricos Moore estaba interesado en aislar las condiciones que favorecieron el surgimiento de la democracia, del fascismo y del comunismo en el siglo veinte. Lo que a mí me interesa son las condiciones que diferencian el corporatismo democrático de las otras formas de democracia. Uno de los pasos cruciales en el análisis de Moore es la identificación del modo en que las relaciones sociales en la era preindustrial afectan a la fuerza y cohesión de las clases medias. Así, escribe, «sin burguesía no hay democracia» [179]. Incluso las críticas más favorables que ha recibido destacan que la fuerza del impulso burgués es una variable clave que Moore no valora. He seguido a Rokkan y Castles en este capítulo al afirmar que, debido a la apertura económica de los pequeños Estados europeos, la posición política del sector urbano era mayor que en los grandes países con economías más cerradas. Carentes de unas estructuras feudales fuertes, los pequeños Estados europeos se aproximan muy de cerca a las condiciones que Moore identificó como las que marcan un camino democrático hacia la modernidad: la comercialización temprana de la tierra, una clase alta orientada hacia el comercio, campesinos independientes, élites terratenientes debilitadas y ciudades en crecimiento. De forma más precisa, Moore identificó cinco condiciones necesarias para el surgimiento de los regímenes democráticos en los grandes Estados. Cuatro de estas condiciones hacen referencia a la fuerza y autonomía de un campesinado libre y de unas élites urbanas. Estos sectores sociales eran también fuertes en los pequeños Estados europeos y las coaliciones entre ellos y otros actores políticos inhibieron también el nacimiento del fascismo y del comunismo. Sin embargo, «el coste revolucionario con el pasado», esencial en la explicación de Moore, no parece haber sido esencial en el desarrollo político de los pequeños Estados europeos. El estudio de Jonathan Tumin sobre Holanda y el de los trabajadores en Suecia realizado por Timothy Tilton y Frances Castles coinciden en la conclusión de

---

[178] Cálculos a partir de Brian R. Mitchell, *European Historical Statistics,* 1750-1970 (Londres, Macmillan, 1975), págs. 19-24 y 135. Véase también James A. Storing, *Norwegian Democracy* (Boston, Houghton Mifflin, 1963), pág. 4; Menzel, *Entwircklungsweg Schwedens,* pág. 93, y Tilton, «Social Origins of Liberal Democracy», pág. 567.

[179] Moore, *Social Origins of Dictatorship and Democracy,* pág. 418.

[180] Jonathan M. Wiener, «Review of Reviews», *History and Theory,* 15, 2 (1976), págs. 158-59.

que esas democracias siguieron una vía pacífica hacia la democracia que no había sido trazada por Moore [181].

Tumin analiza tres fases en la historia holandesa que podrían contemplarse como costes revolucionarios con el pasado; la revuelta contra España, la Revolución francesa y el prolongado conflicto sobre el sufragio y la educación a lo largo de todo el siglo XIX y principios del XX. La revuelta contra España acabó con la supremacía protestante, así como con la autonomía urbana, y creó lo que G. J. Renier denomina una «dictadura de la clase media alta» [182]. La revuelta no fue, sin embargo, una revolución política de la clase media —aunque fue prolongada, hubo escasa violencia y derramamiento de sangre—. En suma, concluye Tumin, «en la política holandesa había más continuidad que discontinuidad». Las revoluciones americana y francesa y la ocupación francesa tuvieron una profunda influencia en la sociedad y política holandesas, a pesar de que la «Revolución holandesa» difería fundamentalmente de la Revolución francesa. El movimiento democrático, expresión de las preferencias de la clase media sobre el apoyo de las clases inferiores para la Casa de Orange, produjeron un cambio en la estructura de las instituciones y reglas políticas. Sin embargo, las relaciones entre las diferentes clases sociales permanecieron relativamente intactas y la posición de la élite holandesa, la clase media alta, no fue amenazada. En la década de 1820 los católicos unieron sus fuerzas con los liberales contra el rey y esta coalición gobernó la política holandesa entre 1850 y 1880. En el año 1848 no se produjeron ni un movimiento revolucionario ni serios trastornos en Holanda. Más bien al contrario, el rey otorgó una nueva constitución que abrió las puertas a una subsiguiente democratización pacífica. El equilibrio en el poder político avanzó gradualmente sin una revolución social o una ruptura radical con el pasado [183].

Los análisis sobre los orígenes de la democracia sueca llegan a la misma conclusión. Antes del siglo XIX el cambiante equilibrio de poder entre los diferentes sectores sociales no condujo a nada parecido a una ruptura revolucionaria con el pasado [184]. De hecho, las luchas institucionales entre los siglos XVI y XVIII dieron a los campesinos propietarios el poder de inclinar la balanza entre la nobleza y la monarquía. Los obstáculos aristocráticos, constitucionales y hereditarios detuvieron las quejas hacia el gobierno absoluto [185]. En el siglo XVIII llegó al poder una nobleza burocrática inquietamente vinculada a los poderosos terratenientes. Sólo hacia el final del siglo el golpe monárquico de Gustavo III, basado en el

---

[181] Tumin, «Pathways to Democracy»; Castles, «Moore's Thesis and Swedish Development», y Tilton, «Social Origins of Liberal Democracy».
[182] G. J. Renier, *The Dutch Nation* (Londres, Allen & Unwin, 1944), pág. 23.
[183] Tumin, «Pathways to Democracy», págs. 143, 228-30 y 252.
[184] Tilton, «Social Origins of Liberal Democracy», pág. 563.
[185] *Ibid.*, pág. 565; Castles, «Moore's Thesis and Swedish Development», págs. 316-18.

TABLA 7. *Determinantes históricos del carácter de empresarios y trabajadores en los pequeños Estados europeos*

	(1) Fuerza de trabajo industrial a finales del siglo XIX		(2) Producción industrial per cápita, 1898-1902		(3) Desde 1815		(4) Posesión de un imperio colonial de ultramar		(5) División étnica y lingüística como medida de la heterogeneidad cultural 1960-65		(6) División religiosa como medida de la heterogeneidad cultural 1960-65		(7) Suma de los rangos de las columnas (1)-(6)	
	Rango	(%)	Rango	Indice	Rango	Indice	Rango	Indice	Rango	Indice	Rango	Indice	Rango	Suma
1. Suiza	1,0	48	2,0	150	1,0	−7,0	5,0	0,0	2,0	0,50	1,0	0,01	2,0	12,0
2. Holanda	3,0	36	4,0	97	5,0	5,0	2,0	0,3	6,0	0,07	2,0	0,03	3,0	22,0
3. Bélgica	2,0	39	1,0	230	3,0	0,0	1,0	1,0	1,0	0,53	3,5	0,98	1,0	11,5
4. Suecia	5,5	28	3,0	104	2,0	−3,0	5,0	0,0	4,0	0,10	5,5	1,00	4,0	25,0
5. Dinamarca	5,5	28	6,0	85	6,0	9,0	3,0	0,1	5,0	0,09	3,5	0,98	6,0	29,0
6. Noruega	4,0	33	5,0	93	4,0	4,0	5,0	0,0	3,0	0,19	5,5	1,00	5,0	26,5
Media (1)-(3).	2,0	41	2,3	159	3,0	−0,7	2,7	0,4	3,0	0,37	2,2	0,34	2,0	15,2
Media (5)-(6)..	4,8	31	5,5	89	5,0	6,5	4,0	0,0	4,0	0,14	4,5	0,99	5,5	27,8

Fuentes: Col. 1: Simon Kuznets, *Modern Economic Growth: Rate, Structure and Spread* (New Haven, Yale University Press, 1966), pág. 106. Para Suecia, los datos provienen de G. A. Montgomery, *The Rise of Modern Industry in Sweden* (Londres, King, 1939), pág. 141. Para Austria, los datos se refieren a la parte occidental de la Monarquía Ducal en 1890, como aparece en Karl Heinz Werner, «Österreichs Industrie - und Aussenhandelspolitik 1848», en Hans Mayer, ed., *Hundert Jahre österreichische Wirtschaftsentwicklung, 1848-1948* (Viena, primavera de 1949), pág. 369.

Col. 2: Paul Bairoch, *Commerce extérieur et développement économique de l'Europe au XIXe siècle* (París, Mouton, 1976), pág. 137.

Cols. 3-4: Herbert Ammann, Werner Fassbind y Peter C. Mayer, «Multinationale Konzerne der Schweiz und Auswirkungen auf die Arbeiterklase in der schweiz», Instituto de Sociología, Universidad de Zurich, 1975, págs. 106-107.

Cols. 5-6: Charles L. Taylor y Michael C. Hudson, *World Handbook of Political and Social Indicators* (New Haven, Yale University Press, 1972), págs. 271-274.

Notas:

Col. 1: Medida por el porcentaje del total de la fuerza de trabajo empleada en la industria a finales del siglo XIX.

Col. 2: Volumen de la producción industrial dividido por el total de la población.

Col. 3: Medida en número de años; para cada veinticinco años de neutralidad declarada y de paz se ha contado un punto negativo.

Col. 4: Colonias valoradas en base al tamaño del mercado, abundancia de materias primas y productos alimenticios y vínculos políticos con el poder imperial.

Col. 5: Los datos son los valores medios de los dos indicadores de la homogeneidad étnica y lingüística presentada y explicada en el *World Handbook*.

Col. 6: Medida como la diferencia absoluta entre la proporción de católicos y protestantes, dividida por la suma de la proporción de católicos y protestantes.

Los datos paralelos para Austria aparecen en el capítulo 4, nota a pie de la página 203.

apoyo popular, redujo drásticamente el poder de la nobleza. En el siglo XIX, señala Tilton, «la democracia sueca no debió sus orígenes a una revolución, sino a una serie de leyes de reforma establecidas en 1866, 1909 y 1918 extendiendo la concesión de licencias, evocadoras en cierta manera de las *English Reform Acts*». La presión popular fue muy fuerte en 1866 y 1909. En 1917-18 las revoluciones sociales en Rusia, Alemania y Autria-Hungría supusieron una amenaza de revolución en Suecia lo sificientemente palpable para los conservadores como para permitir una transición sin violencia hacia una democracia plena. Como en Holanda, los avances políticos en Suecia apuntan hacia un «modelo radical de desarrollo democrático (...) entre el liberalismo tímido y la violencia revolucionaria» [186]. Castles llega a la misma conclusión: «Suecia no ha experimentado nunca una ruptura revolucionaria con el pasado, y a este respecto, al menos, las tesis de Moore se muestran simplemente inaplicables al desarrollo político de Suecia» [187].

Pueden haber existido por breve tiempo movimientos revolucionarios en los otros pequeños Estados europeos en coyunturas particulares —por ejemplo, en Dinamarca en la década de 1880, en Noruega en la de 1890, en los Países Bajos en la primera década del siglo XX y en todos los pequeños Estados europeos, incluyendo a Suiza, en 1917-18—. Pero estos momentos fueron realmente escasos, tanto en los pequeños Estados culturalmente homogéneos del continente como en los homogéneos de Escandinavia. Esta ausencia de una ruptura revolucionaria con el pasado viene sugerida por los títulos que Arnd Lijphart y Dankwart Rustow eligieron para los dos libros sobre los pequeños Estados europeos más conocidos en América: *Politics of Accomodation* y *Politics of Compromise*. *Politics of Compromise,* de Rustow, fue titulado tras la legislación sueca de 1907, que especificaba los detalles del «Gran Compromiso», una fórmula que «combinaba la demanda liberal por un sufragio más democrático, con garantías de los *Torys* de una representación proporcional y bicameralismo» [188]. *Politics of Accommodation,* de Lijphart, se centra en el gran compromiso de 1917 que resolvía los tres asuntos principales debatidos en la política holandesa entre 1878 y 1917. La ayuda estatal a los colegios parroquiales, la extensión del sufragio y el derecho de los trabajadores de organizarlo todo llegaron a un punto crítico en 1910-13, dando lugar a un acuerdo de paz, el *Pacificatie* de 1917 [189]. Estos dos libros señalan, pues, el hecho de que los pequeños Estados europeos han conseguido llegar a la democracia del siglo XX sin la ruptura revolucionaria inherente al desarrollo político de los países más grandes.

---

[186] Tilton, «Social Origins of Liberal Democracy», págs. 567, 569.
[187] Castles, «Moore's Thesis and Swedish Development», pág. 328. Véase también Rustow, *Politics of Compromise,* pág. 10.
[188] Rustow, citado en Scholten, «Does Consociationalism Exist?», pág. 331.
[189] Lijphart, *Politics of Accommodation,* págs. 103-21, y Daalder, «The Netherlands».

Para Arend Lijphart, una política moderada es el resultado de profundos conflictos sociales. La teoría consensual que él ayudó a desarrollar subraya la intensa polarización entre los diferentes sectores sociales en los pequeños Estados europeos del continente. Yo, por el contrario, he puesto mi atención en un modelo de divisiones sociales que ha hecho posible un pasaje no revolucionario de conflictos sociales que son menos profundos y que han ofrecido a las élites la oportunidad política de forjar nuevas alianzas. Para ordenar estas interpretaciones diferentes sería necesario una investigación histórica más detallada de la que yo podía realizar. Sin embargo, Ilja Scholten ha dado los primeros pasos y afirma, en un artículo basado en el trabajo de Lijphart y Rustow, que en las primeras décadas del siglo XX las reglas para lograr el compromiso político eran notablemente similares en Holanda y en Suecia [190].

He subrayado el contexto global de los pequeños Estados europeos, su experiencia histórica y la especificidad de su estructura nacional cuando se contemplan desde una perspectiva comparativa. Un feudalismo relativamente débil y una coerción interna relativamente débil favorecieron las transformaciones pacíficas. Estos Estados desarrollaron estructuras interiores que conducían al establecimiento de alianzas políticas entre los diferentes sectores sociales, y de este modo a la moderación de la izquierda política. La representación proporcional reflejó y reforzó la tendencia hacia el compromiso. En resumen, los acuerdos políticos de los años 30 y 40 que ofrecieron los fundamentos para el corporatismo democrático de los pequeños Estados europeos desde la segunda guerra mundial son parte de una evolución histórica de largo alcance que ha diferenciado a los pequeños Estados europeos de los grandes países.

Los pequeños países europeos, como ya he señalado, han llevado la apertura económica y las estructuras internas a un equilibrio viable. No comparto, pues, el énfasis que pone Barrington Moore en la simplicidad de las circunstancias políticas de los pequeños Estados europeos, así como en la unicidad de su experiencia política. Moore escribe que «el hecho de que los países occidentales más pequeños dependan económica y políticamente de los grandes y poderosos significa que las causas decisivas de su política caen fuera de sus propias fronteras. Significa también que sus problemas políticos no son realmente comparables con los de los grandes países» [191]. Por el contrario, yo sostengo que la experiencia histórica de los pequeños Estados europeos ha sido algo más que la recepción pasiva de las influencias del gran poder. Su experiencia ilumina de forma indirecta la de los grandes Estados democráticos. Las fortunas de los pequeños Estados europeos no están determinadas simplemente por los grandes poderes. Igual que los grandes Estados industriales avanzados, «el dé-

---

[190] Scholten, «Does Consociationalism Exist?», págs. 331-32.
[191] Moore, *Social Origins of Dictatorship and Democracy,* pág. XIII.

bil en el mundo del fuerte» debe triunfar adaptando de alguna manera las exigencias de la política internacional conforme a las exigencias de su política nacional [192]. Esto es una situación compartida por todos los Estados modernos. Bajo condiciones menos favorables en muchos aspectos a las de los grandes países industriales avanzados, los pequeños Estados europeos han encontrado una solución política que ni es simple ni es única.

Este argumento puede verse apoyado de forma indirecta. El camino histórico que he identificado como conducente al compromiso corporatista de los años 30 y 40 no estaba predeterminado. Las cosas podrían haber discurrido de forma diferente en cualquiera de los pequeños Estados europeos, y en el caso de Austria así ocurrió. La historia austríaca es, por el argumento que he esquematizado, la excepción que confirma la regla. El imperio de los Habsburgo no era pequeño, sino grande. Su apertura fue una cuestión de elección, no una necesidad de vida. Su estructura interna difería sustancialmente de la de otros pequeños Estados europeos: la aristocracia terrateniente era relativamente fuerte, los intereses urbanos relativamente débiles y la derecha política se hallaba relativamente unida [193]. En la Primera República, escribe Rokkam, «el partido socialcristiano reclutó la mayor parte de su apoyo entre el campesinado católico, pero fue capaz de mantener las tensiones entre lo rural y lo urbano dentro de unos límites que le permitieron elaborar diferenciaciones organizacionales dentro del partido» [194]. Entre 1960 y 1977 el voto para el principal partido de la derecha sumaba un 45 por 100 en Austria, lo mismo que en los cinco grandes países industriales, comparado con el 17 por 100 de los otros seis pequeños Estados europeos [195]. Sólo las dos provincias más occidentales de Austria, Tirol y Vorarlberg, con sus largas tradiciones de un campesinado independiente, se aproximan al modelo político de los pequeños Estados europeos. De hecho, en 1919 estas dos provincias expresaron en plebiscito su deseo de unirse a Suiza antes que a la nueva república austríaca. El marxismo austríaco fue una fuerza política e ideológica radical en la política europea, la cual reaccionó ante el fuerte pasado feudal, la extensión relativamente tardía del sufragio forzada por las huelgas generales de 1896 y 1905 y la estructura de oportu-

---

[192] Cf. Robert L. Rothstein, *The Weak in the World of the Strong: The Developing Countries in the International System* (Nueva York, Columbia University Press, 1977).

[193] Lipset y Rokkan, «Cleavage Structures, Party Systems, and Voter Alignments», pág. 45, y Rokkan, *Citizens, Elections, Parties,* págs. 115-17.

[194] Rokkan, *Citizens, Elections, Parties,* pág. 129.

[195] Gary P. Freeman, «Social Security in One Country? Foreign Economic Policies and Domestic Social Programs» (artículo preparado para su presentación al Encuentro Anual en 1983 de la American Political Science Association, Chicago, 1-4 de septiembre de 1983), pág. 6.

nidades para la formación de alianzas políticas y una actitud entre sus oponentes que no fomentó los atractivos de la moderación política [196].

Tampoco la estrategia de industrialización austríaca ayudó a la construcción de puentes entre los diferentes sectores sociales [197]. Debido al tamaño de Austria-Hungría, la monarquía de los Habsburgos evitó la especialización de las exportaciones. La industrialización de las provincias alemana y checa —Alta y Baja Austria, Bohemia y Moravia— se aceleró enormemente en las décadas de 1850 y 1860, pero incluso en esas décadas de menores aranceles el imperio no adoptó nunca una política de libre comercio que buscara la exportación como el estimulante del crecimiento. En vez de eso, la industria austríaca desarrolló sus mercados en la Europa del Este con altas barreras arancelarias. Hasta 1918 los austríacos prefirieron recoger los beneficios del imperio mediante altas barreras arancelarias antes que afrontando el libre comercio y la especialización de las exportaciones. Los aranceles austríacos eran altos a mediados del siglo XIX, cuando el imperio de los Habsburgo demostró ser demasiado débil para contestar a la estrategia económica de Prusia de libre comercio en la preparación para la unificación alemana. En base a los estándares europeos los aranceles austríacos eran muy altos en 1913 [198]. La estrategia industrial de Austria no llegó a ser, pues, como lo hizo en los otros pequeños Estados europeos, un reforzamiento de las tensas estructuras económicas y sociales. Al igual que los otros pequeños Estados europeos, Austria adoptó un sistema de representación proporcional después de que hubo caído el Imperio de los Habsburgo [199]. Pero con gran contraste, la adopción de la representación proporcional no levantó casi ningún debate político. En cambio, los socialcristianos de la derecha y los socialistas en la izquierda esperaban que en una sociedad profundamente dividida la representación proporcional haría sus debates menos vituperativos, las campañas electorales más personalizadas y la política más pragmática. Con una serie de conflictos cercanos al punto de ebullición en los primeros años de la Primera República, ésta fue una perspectiva que recibieron con agrado todos los líderes políticos. Cuando se derrumbó el imperio al final de la primera guerra mundial, Austria experimentó la ruptura revolucionaria con el pasado que no ocurrió en los otros pequeños Estados europeos. En palabras de Hans Daalder, «de una reso-

---

[196] Lipset, «Radicalism or Reformism», págs. 3-4, 6 y 8.

[197] N. T. Gross, «The Habsburg Monarchy, 1750-1914», en Cipolla, *Fontana Economic History of Europe,* vol. 4, pt. 1, págs. 228-78, y David F. Good, «Stagnation and "Take-off" in Austria, 1873-1913», *Economic History Review,* 27 (febrero, 1974), págs. 72-87.

[198] Liga de las Naciones, *Tariff Levels,* pág. 15, y Menzel, *Entwicklungsweg Danemarks,* pág. 29.

[199] Kurt Steiner, *Politics in Austria* (Boston, Little, Brown, 1972), pág. 34, y Anton Pelinka, «Die Geschichte des Wahlrechts in der Ersten Republik», en Rodney Stiefbold *et al.,* eds., *Wahlen und Parteien in Osterreich: Ostereichisches Wahlhandbuch,* vol. 1: *Wahlrecht* (Viena, Österreichischer Bundesverlag, 1966), págs. 266-70.

lución que legó una herencia de disenso sobre la misma existencia del Estado llegó a surgir un gobierno responsable» [200].

Los historiadores de la Primera República explican generalmente la guerra civil de 1934 como la conjunción de diversas fuerzas: la pérdida de la primera guerra mundial, la caída del Imperio, la hiperinflación, el desempelo y el surgimiento del fascismo. Estos factores tuvieron claramente un impacto importante en la política austríaca en los años 30, pero mi análisis los sitúa en una perspectiva histórica más amplia. Si dibujamos a Austria y a los otros pequeños Estados europeos como si fueran trenes y la historia como una serie de desviaciones, el tren de Austria se desviaba en cada cruce en una dirección opuesta a la de los pequeños Estados europeos. El resultado en 1930 no fue la colaboración de clases y el reparto de poder en tiempos de crisis, sino la guerra civil, la represión, la derrota en la guerra y la ocupación extranjera. El corporatismo austríaco después de 1945 surgió de estas experiencias más que de los desarrollos históricos de largo alcance.

Esta interpretación del caso austríaco difiere de las interpretaciones establecidas en ciertos aspectos y las refuerza en otros. Austria ha sido vista a menudo como quizá el régimen más típicamente «consensual» de Europa. Desde 1945 ha mostrado con particular claridad la coincidencia de las profundas divisiones sociales y la intensa colaboración entre las élites [201]. Sin embargo, he señalado que en su evolución histórica Austria, lejos de ser típica, es atípica. Al mismo tiempo, no obstante, hay partes del perfil histórico austríaco que concuerdan extremadamente bien con los de otros regímenes corporatistas. La retardada industrialización fue un «fracaso de un gran esfuerzo» [202]. Su Imperio fue continental más que marítimo, lo cual reforzó, especialmente tras su surgimiento, una orientación de los negocios más que internacional. Además de reforzar su orientación nacional, Austria ha participado más que cualquier otro país pequeño de Europa en las guerras europeas desde 1815. La industrialización tardía fomentó la combatividad obrera y la ausencia de serias divisiones religiosas o étnicas después de 1919 ha favorecido la centralización del movimiento obrero. Si hubiéramos incluido a Austria en la tabla 7, hubiera quedado la última en cinco de los siete indicadores estadísticos [203]. Desde esta perspectiva, la comparación de Austria con los países

---

[200] Daalder, «Cabinets and Party Systems», pág. 300.

[201] Véase, por ejemplo, McRae, *Consociational Democracy.*

[202] Gerschenkron, *A Spurt that Failed.*

[203] De haberse incluido a Austria en la tabla 7 se habría situado en las siete columnas como sigue: 7,0 (21 %); 7,0 (82); 7,0 (19); 5,5 (0); 6,5 (0,7); 3,0 (0,85); 7,0 (36,0). Estas cifras se derivan de las mismas fuentes que las de la tabla 7, excepto para los datos de la columna 1. Los datos referentes al *timing* de la industrialización corresponden a la mitad oeste de la Monarquía Dual en 1890, como se señala en Karl Heinz Werner, «Österreichs Industrie-und Aussenhandelspolitik, 1848-1948», en Hans Mayer, ed., *Hundert Jahre Österreichische Wirtschaftsentwicklung, 1848-1948* (Viena, Springer, 1949), pág. 369.

escandinavos que representan el corporatismo social es totalmente apropiada. Visto con perspectiva histórica, la convergencia de Austria con el corporatismo democrático después de 1945 ha sido a la vez instantánea y total. En Austria el corporatismo democrático está construído tanto sobre un comunidad de destino *(Astgemeinschaft)* como en una comunidad de temor *(Angstgemeinschaft)*.

El argumento histórico que he delineado en este capítulo me parece convincente y plausible. Sin embargo, reconozco que el análisis histórico tiene que abrigar siempre la posibilidad de explicaciones alternativas. La diferencia entre el corporatismo liberal y social, en particular, sugiere un argumento que merece una seria consideración. El corporatismo social en Escandinavia surgió en principio debido a los efectos de la profunda Depresión mundial. El ascenso de la izquierda se ha estado produciendo durante varias décadas en Dinamarca, Noruega y Suecia, sin verse favorecido por la ocupación nazi o la guerra. Por el contrario, el corporatismo liberal surgió principalmente como el resultado de la amenaza de guerra, la guerra misma o la ocupación nazi. Sin estas poderosas presiones internacionales, la izquierda en Suiza, Holanda y Bélgica podía haber estado incorporada a la vida política nacional en unos términos menos favorables, o ni siquiera eso. En Austria fue la coincidencia de la Depresión y de la guerra lo que (contra el contexto de la caída del Imperio, la hiperinflación y la guerra civil) forzó una convergencia tardía con la estructura y la estrategia del corporatismo democrático. Este argumento explicaría por qué después de 1945 el corporatismo democrático ha sido interpretado como una consecución de la subida de la izquierda, la cual necesitaba estar enganchada firmemente a la empresa del capitalismo democrático, y como una parte que siguió perteneciendo a la izquierda después de que ésta sufriera una derrota fundamental en su intento de realizar el socialismo democrático. Lo que primero parece simplemente como una contradicción refleja una realidad histórica más profunda. Los diferentes aspectos de la crisis de los años 30 tuvieron diferentes repercusiones en los pequeños Estados. No es sorprendente que difieran también las lecciones que la gente aprende de la historia.

La lección que yo he sacado de esta excursión histórica es, sin embargo, bastante clara. El compromiso corporatista de los años 30 y 40 formaba parte de una evolución histórica más amplia de los pequeños Estados europeos. Las estructuras nacionales de los pequeños Estados europeos estaban preparadas para la posibilidad de un compromiso por características distintivas: una nobleza terrateniente débil, unos intereses urbanos relativamente fuertes y una derecha dividida; una izquierda moderada, la ausencia de una ruptura revolucionaria con el pasado, y una disposición positiva a compartir el poder entre los partidos políticos, como lo ilustra la adopción de la representación proporcional. En sus estrategias industriales de ajuste, los pequeños Estados europeos optaron generalmente por la especialización de las exportaciones. La estructura y la estrategia interactuaron para hacer posible el compromiso de los años 30; así dispusieron las bases políticas para el corporatismo democrático del período postbélico.

Contemplado desde esta perspectiva histórica, los años 30 y 40 tienen múltiples significados para la vida política de los pequeños Estados europeos. La Depresión y la segunda guerra mundial forzaron las trayectorias históricas de los pequeños Estados europeos en un molde corporatista común. Estas décadas ayudaron a revelar importantes similitudes entre los diferentes actores políticos y entre los diversos sectores sociales. Haciendo balance en 1939, Sir Ernest Simon afirmaba que los pequeños Estados europeos habían porporcionado «una clara prueba de que cuando la corriente existente de barbarismo se apaciguara, los hombres triunfarían en la construcción de una nueva y más noble civilización» [204].

---

[204] Ernest Darwin Simon, *The Smaller Democracies* (Londres, Gollancz, 1939), pág. 191.

Capítulo 5

CONCLUSION

Se dice a menudo que en las décadas de 1970 y 1980 el ritmo del cambio económico se está acelerando, mientras que la capacidad para el ajuste político se va reduciendo. En todo el mundo industrial avanzado esta divergencia ha convertido en un grito común las demandas conservadoras de una menor intervención del Estado en el mercado y un cambio en la búsqueda de los liberales de una intervención del Estado más efectiva. En el caso de los pequeños Estados europeos, como desarrollo en este libro, la flexibilidad económica y la estabilidad política son mutuamente contingentes. La tendencia corporatista en la evolución del capitalismo moderno ya no conduce fácilmente a interpretaciones basadas en dicotomías establecidas, tales como mercado o planificación, privado y público, eficiencia e igualdad, derecha e izquierda.

Bajo condiciones de una vulnerabilidad y apertura crecientes, los grandes Estados industriales están avanzando hacia soluciones viables para las difíciles situaciones de los años 80. La política reactiva y en aumento de los pequeños Estados europeos y una política estable que puede ajustarse al cambio económico ofrecen un punto de orientación que es a la vez ayuda y esperanza. Los estudiosos de la economía política internacional no se deciden sobre si el desarrollo más importante de los 70 descansa en el crecimiento predecible o en la asombrosa contención del proteccionismo. De forma similar, los estudiosos de la política nacional dirigen su atención tanto hacia la cartelización de la política en manos de élites de partido, de grupo y burocráticas como hacia el reto que los nuevos movimientos sociales plantean a las instituciones establecidas. En el análisis del corporatismo democrático de los pequeños Estados europeos este libro discrepa con el punto de vista según el cual el capitalismo está siendo llevado por las crisis estructurales hacia su derrumbamiento, y tampoco apoya la idea de que el capitalismo esté resucitando por la fuerza de la competencia del mercado. Las contradicciones son inherentes a todas las formas de dominación política y económica. Pero el corporatismo democrático ha sido capaz de tolerar las contradicciones debido a su adaptación más que a su resistencia a la competencia del mercado y debido a su inclusión de todos los actores significativos en el proceso de toma de decisiones.

Perspectivas

El corporatismo democrático de los pequeños Estados europeos es una respuesta a las presiones internacionales. Su origen histórico cercano descansa en la crisis económica y política de los años 30 y 40; su fuerza duradera, en la era postbélica de la economía liberal internacional en los años 60 y 70. Los rasgos del autoritarismo, la depresión y la guerra contribuyeron a su emergencia en los años 30. El disfrutar de democracia, prosperidad y paz contribuyeron a su mantenimiento después de 1945. Los factores que crean los regímenes políticos no son, por tanto, idénticos a los que los mantienen.

A principios de los años 80, sin embargo, ya no era exagerado cuestionarse si los pequeños Estados europeos estaban por primera vez desde los años 30 enfrentados a presiones externas tan serias como para provocar eventualmente una reorganización fundamental en sus acuerdos corporatistas. ¿Cómo les irá a los pequeños Estados europeos en la economía internacional emergente?

Béla Kádár ha reunido algunas evoluciones adversas que están situando a los pequeños Estados europeos bajo una tensión creciente [1]. El descenso del 50 por 100 en la tasa de crecimiento del mercado mundial (de un 8,6 por 100 en 1960-73 a un 4,2 por 100 en 1974-80) ha creado un marco económico decididamente menos acogedor para los pequeños países dependientes del comercio con los demás. No obstante, en todos los pequeños Estados europeos, excepto en Dinamarca, el comercio exterior de bienes y servicios continuó aumentando ligeramente entre 1973 y 1979. Además, los grandes incrementos en el precio del petróleo y las condiciones desfavorables en los mercados en que se especializan los pequeños Estados europeos (bienes industriales ligeros, productos semifacturados y consumos duraderos) han ocasionado cambios adversos en los precios

---

[1] Béla Kádár, «Adjustment Patterns and Policies in Small Countries», en István Dobozi, Clare Keller y Harriet Matejka, eds., *International Structural Adjustment: A Collection of Hungarian and Swiss Views* (Ginebra, Graduate Institute of International Studies, 1982), págs. 93-104.

[2] Fondo Monetario Internacional, *Internacional Financial Statistics,* Serie de Suplementos, núm. 6 (1983), pág. 105.

relativos. Entre 1973 y 1980 los términos del comercio descendieron en un 15 por 100 aproximadamente para Dinamarca, un 11 por 100 para Bélgica y un 7 por 100 para Holanda, Austria, Suecia y Suiza. Por el contrario, los términos medios del comercio en Europa occidental permanecieron iguales. Por ello resulta que, comparado con 1973-78, el incremento en el total de la deuda exterior en 1979-82 fue mayor en los pequeños Estados europeos que en los grandes países industriales.

Los pequeños Estados europeos también están afrontando problemas completamente nuevos, los cuales son resultado de la duplicación de la parte relativa del mercado de los países en desarrollo dedicada a productos industriales menos sofisticados. Con una dotación más pobre de materias primas que los países grandes, los pequeños Estados europeos se han apoyado fuertemente en el procesado y reexportación de productos primarios importados, áreas en las que los países de industrialización reciente están avanzando muy rápidamente. Los cambios actuales en curso en la economía internacional apuntan así a la posibilidad de un creciente «problema para los Estados pequeños» [3]. Durante la última década los grandes Estados industriales avanzados han trasladado su énfasis dentro de la I + D desde la investigación básica en sectores de alta tecnología hacia la investigación aplicada en sectores industriales más tradicionales. Al mismo tiempo, un pequeño grupo de países de rápido desarrollo ha empezado a esgrimir una ofensiva determinada y efectiva de exportación con productos competitivos en algunos sectores industriales tradicionales» [4]. Ambos desarrollos harán más difícil para los pequeños Estados europeos el mantener su ya antigua ventaja comparativa en estos sectores. Así, los cinco pequeños Estados europeos (Suiza, Holanda, Bélgica, Suecia y Dinamarca) que cuentan con la mejor parte de las exportaciones en ingeniería de los pequeños países han estado perdiendo terreno en el mercado desde 1973 en lo referente a ordenadores, maquinaria de oficina, equipos de generación de energía eléctrica, telecomunicaciones e instrumentos científicos.

El clima económico general al que se enfrentan los pequeños Estados europeos se ha endurecido, y contemplado desde la situación existente a mediados de los 80 este giro de los acontecimientos parece ser estructural más que cíclico. A largo plazo, estas adversas presiones internacionales pueden afectar a las estructuras corporatistas de los pequeños Estados europeos de formas casi impredecibles hoy. Si las presiones competitivas de la economía internacional no crearan una serie de crisis en sectores específicos, sino una crisis que implicara a toda la sociedad, es posible que el

---

[3] Peer Hull Kristensen y Jorn Levinsen, *The Small Country Squeeze* (Roskilde, Dinamarca, Instituto de Economía, Política y Administración, 1978). Véase también *Wall Street Journal*, 14 de diciembre de 1982, págs. 1 y 17.

[4]. Kristensen y Levinsen, *Small Country Squeeze*, págs. 37, 47-48, 81-98, 270-73 y 316-17.

corporatismo democrático fuera reemplazado por otras estructuras políticas. La ventaja tradicional que disfrutó el corporatismo en la carrera por la competitividad internacional podría convertirse en un serio *handicap* si los regímenes liberales, estatistas o autoritarios encuentran los caminos para reducir los costes de trabajo hasta un grado políticamente imposible en los sistemas corporatistas. Las presiones sobre los empresarios para realizar acuerdos neoliberales y sobre los sindicatos para favorecer la intervención del Estado pueden entonces llegar a ser aplastantes. Una vez que se solucionen los problemas del ajuste industrial en una economía global en rápido cambio, el corporatismo podrá contemplarse entonces como parte del problema por parte de los empresarios y los trabajadores. Pero esto son especulaciones. Sólo los adivinos pretenden saber cuándo otra crisis importante remodelará las estructuras internas de los pequeños Estados europeos de forma tan fundamental como lo hicieron los acontecimientos de hace medio siglo.

Sin embargo, es importante contemplar en la perspectiva adecuada el impacto de estos cambios económicos adversos en los pequeños Estados europeos. Desde mediados de los 70 los relatos periodísticos de la decreciente fortuna de los pequeños Estados europeos no han tenido con frecuencia en cuenta el éxito económico y político medido en términos de la prosperidad y la legitimidad que derivan de una estrategia de ajuste flexible. Títulos llamativos han descrito, por ejemplo, a Dinamarca como «camino del infierno» y han señalado que sus «conflictos laborales podrían llevar al caos nacional» [5]. Sin embargo, como señalaba Andrew Boyd en 1978, «no hay razones para que los daneses no puedan mirar los problemas de frente... incluso en su modelo político fragmentado existe una unidad de objetivos mayor que antes» [6].

En un artículo titulado «How Sweden's Middle Road Became a Dead End» la revista *Forbes* declaraba incrédulamente que bajo un gobierno conservador el déficit del presupuesto nacional sueco se había incrementado desde menos de un billón de dólares en 1976 hasta 12 billones de dólares en 1961. Para convencer a sus lectores de las desastrosas consecuencias de un estado social del bienestar cada vez más extendido, el artículo señalaba que «en Estados Unidos un déficit del presupuesto comparable llegaría hasta los 200 billones de dólares» [7]. Un ejemplo ridículo en 1981 habría llegado a ser, bajo una administración republicana conservadora, una realidad política dos años más tarde. El récord alcanzado

---

[5] *Der Spiegel*, 3 de noviembre de 1980, págs. 184-88, y *World Business Weekly*, 11 de mayo de 1981, pág. 11.
[6] Andrew Boyd, «How the Storm Changed the Signs», *Economist*, 28 de enero de 1978, Informe, pág. 30.
[7] «How Sweden's Middle Road Becomes a Dead End», *Forbes*, 27 de abril de 1981, pág. 35.

por los siete Estados pequeños europeos en los mercados internacionales del capital ha sido, a pesar de todo, más favorable que el de los grandes países industriales. Comparado con el valor total de los bonos internacionales emitidos por los cinco grandes países industriales en 1978 y 1983, la parte de los pequeños Estados europeos descendió desde la mitad a una cuarta parte [8]. La búsqueda del «hombre enfermo de Europa» del último mes o del último año, el pasatiempo periodístico favorito, desplazó la valoración de las estrategias políticas de ajuste en un contexto económico rápidamente cambiante a una crisis que afecta a la estructura general del corporatismo democrático.

Las estadísticas económicas que miden el desempleo, el crecimiento, la inflación y la balanza de pagos quedan resumidas en la tabla 8. No apoyan el argumento de que la posición económica de los pequeños Estados europeos se deterioró en los años 70, en relación con las de los grandes países industriales. Una ordenación en rangos por actividad económica muestra que, como media, los pequeños Estados europeos supieron contener mejor que los grandes países industriales la inflación y el desempleo. Dado que los pequeños Estados europeos experimentaron cambios más adversos en la economía internacional en los años 70 de lo que lo hicieron los grandes Estados, la superioridad relativa de su actuación económica es todavía más notable. Apoya esto la idea expresada en el capítulo primero, de que una estrategia de ajuste flexible está ligada al éxito económico y político [9].

Sin embargo, la nueva era de altas tasas de interés, forzada en los pequeños Estados europeos por las decisiones de la política económica en los países más grandes, había conducido a dificultades todavía mayores que las dos crisis del petróleo de 1973 y 1979. Las sombras económicas que recorren Europa se han oscurecido visiblemente en los últimos años. Los grandes déficits presupuestarios y las altas tasas de interés reforzaron el temor de que la inflación es un problema de largo alcance y de que el desempleo ha adquirido una importancia no conocida desde los años 30. Bélgica atraviesa una crisis estructural de la industria. Dinamarca, al igual que muchos otros Estados industriales, está luchando para combinar sus generosas políticas de bienestar con proyectos de un menor crecimiento económico. Holanda y Noruega —afortunadas por el acceso al gas y al petróleo del mar del Norte— están protegidas temporalmente de las di-

---

[8] Morgan Guaranty, *Worl Financial Markets,* enero de 1984. Cálculos realizados por el autor.
[9] *University of Pennsylvania News,* 20 de agosto de 1982 (081682); *Der Österreichberich-Berict,* 19 de agosto de 1982, pág. 1. Véanse también Manfred G. Schmidt, «The Welfare States and the Economy in Periods of Economic Crisis: A Comparative Study of Twenty-Three OECD Nations», *European Journal of Political Research,* 11 (marzo 1983), págs. 1-26, y Schmidt, «Arbeitslosigkeit and Vollbeschäftigungs-politik», *Leviathan,* 11, 4 (1983), págs. 451-73.

ficultades económicas de algunos de sus vecinos, pero expuestas al riesgo de quedar rezagadas con respecto a sus competidores en la racionalización de la producción y el consumo. Incluso Austria, que atravesó los años 70 con fortaleza, está siendo empujada actualmente a congelar su política keynesiana.

Desde principios de los años 80 todos los pequeños Estados europeos han estado apretando sus cinturones y contemplando con preocupación las perspectivas de unos niveles de vida estables o en descenso durante los años 80. Los altos niveles de consumo público necesitan ser reajustados a las exigencias de unos déficits de presupuestos más pequeños y a una dependencia menor de los mercados internacionales del capital. Ninguno de los pequeños Estados europeos está considerando un cambio de gran escala en la política. Por el contrario, estos países prefieren recortar y equilibrar, ya que intentan conscientemente mejorar su competitividad internacional. Aunque los conflictos sociales y políticos se han incrementado, persiste la tendencia a buscar soluciones por partes. El consenso político está siendo forzado y modificado, pero los pequeños Estados europeos han resistido a la tentación de renunciar al compromiso corporatista.

Un banquero danés, reflexionando a principios de los 80 sobre la crisis económica de su país en la economía global, remarcaba que «hemos estado viviendo muy bien con dinero prestado. Ibamos camino del desastre, pero lo hacíamos en primera clase» [10]. Desde mediados de los 70 el partido popular conservador se ha convertido en el segundo mayor partido de Dinamarca. Por primera vez desde 1901 un conservador, Poul Schlüter, llegó a primer ministro en 1982. Schlüter recortó los programas del gasto que ya no eran compatibles con la competitividad internacional en declive en Dinamarca, y en el mismo año mejoró la actividad económica del país. En 1983 la tasa de inflación se redujo al 5,5 por 100 y los tipos de interés descendieron del 22 al 12,5 por 100. Por primera vez en muchos años el país no experimentó un déficit en su balanza comercial, y la tasa de desempleo había alcanzado el máximo del 11 por 100. En 1984 el electorado danés aceptó el argumento conservador de que el cambio iba encaminado a salvar el Estado del bienestar. Eligió a un gobierno minoritario de coalición de cuatro partes, todavía a falta de catorce votos para controlar el Parlamento. Una modificación de las políticas de bienestar es posible, por tanto, bajo un liderazgo conservador, pero no lo es un desmantelamiento del Estado del bienestar» [11].

---

[10] Citado en *Wall Street Journal,* 14 de diciembre de 1982, pág. 17 y 22 de septiembre de 1983, pág. 35. Véanse también *New York Times,* 21 de julio de 1983, pág. A8, y Bent Rold Andersen, «Rationality and Irrationality of the Nordic Welfare State», *Daedalus,* invierno 1984, págs. 130-34.

[11] *New York Times,* 19 de enero de 1984, pág. 2; *Der Spiegel,* 16 de enero de 1984, págs. 97-99, y *Economist,* 30 de junio de 1984, págs. 58-59.

En los Países Bajos se están produciendo desarrollos políticos similares [12]. En ambos países, dos primeros ministros relativamente desconocidos, Ruud Lubbers en Holanda y Wilfried Martens en Bélgica, ambos democratacristianos, están diseñando políticas económicas destinadas a introducir unas políticas establecidas de bienestar en la línea de las nuevas realidades económicas. En Holanda, en 1983, el primer ministro Lubbers llevó a efecto recortes en el gasto, un programa de reparto del trabajo y una reducción del 3,5 por 100 en los salarios de los servicios públicos. Al igual que en Dinamarca, la mayoría del electorado acepta la necesidad de las reducciones proporcionales, pero como afirma un resumen reciente, «todos los grandes partidos y líderes políticos abogan por la continuidad del Estado del bienestar» [13]. En Bélgica el gobierno persistió en su enfrentamiento con los sindicatos del sector público. Aquí, como en Holanda, el crecimiento del gasto en seguridad social se ha detenido. Incluso los socialistas austríacos, en coalición con pequeño partido liberal desde 1983, están reduciendo los gastos en bienestar para contener un crecimiento mayor de los déficits públicos. Los socialdemócratas suecos, de vuelta en el gabinete en 1980, han insistido en la necesidad de rentabilizar el sector público. En palabras de un portavoz del Departamento de Industria, «las empresas propiedad del Estado han dicho durante años que las necesitábamos para operar, bien políticamente o bien rentablemente, pero que ellas no podían cumplir ambas funciones. Todas ellas han estado diciendo explícitamente que la rentabilidad es hoy el objetivo primordial» [14].

El intento de equilibrar las políticas de bienestar con la competitividad internacional ha intensificado los conflictos políticos en los pequeños Estados. El primer ministro Olof Palme ha denominado a los hombres de negocios suecos «zambos y elefantes». Sin embargo, mientras que en Suecia «parece claro que la vieja magia de los 30 ya no funcionará más», Arne Ruth escribe: «no hay señales de que ninguna porción importante de la población sueca esté seriamente en desacuerdo ante las virtudes básicas del Estado del bienestar, aunque un número creciente se queje de sus costes» [15]. En el otoño de 1983 el primer ministro Lubbers fue empujado en público por gentes enfadadas, lo cual constituyó un acto de enorme provocación social en un país tan ordenado como Holanda. Pero considerando la intensidad y magnitud del conflicto que experimentaron los pequeños Estados europeos antes de la segunda guerra mundial, estos episodios pueden considerarse no como un preludio de la guerra de

---

[12] New York Times, 8 de dciembre de 1983, pág. A2, y 3 de junio de 1984, pág. 9.
[13] M. C. P. M. Van Schendelen, «Crisis of the Dutch Welfare State», Contemporary Crises, 7 (1983), pág. 218.
[14] Citado en New York Times, 21 de abril de 1984, pág. 31.
[15] Arne Ruth, «The Second New Nation: The Mythology of Modern Sweden», Daedalus, primavera 1984, pág. 56.

clases, sino como parte de una guerra política de redefinición de las fronteras de las expectativas y demandas de la legitimación en los acuerdos corporatistas.

En Holanda, como en otros pequeños Estados europeos, «la gente que depende del gasto estatal ha estado protegida frente a los cambios de la economía mundial», señalaba el *New York Times* a finales de 1983, «y a lo largo de los últimos meses lo que hemos presenciado es una terapia de choque social» [16]. El anuncio de la muerte del corporatismo holandés a principios de los 80 puede ser tan prematuro como lo fue un anuncio similar a principios de los 70. Las interpretaciones recientes de la política holandesa, por ejemplo, enfatizan que a finales de los 70 persistía una cooperación extensiva, junto con un intenso conflicto fomentado por la vulnerabilidad de la economía holandesa y encubierto por un conflicto retórico a nivel nacional [17]. «El alzamiento y caída del contrato social postbélico en Holanda», escribe Steven Wolinetz, «sugiere que tales acuerdos corporatistas pueden ser duraderos pero no inmutables» [18]. Pero tal énfasis en las inestabilidades y caídas temporales de los acuerdos corporatistas olvida un punto esencial. El corporatismo democrático no es una solución institucional a los problemas del cambio económico, sino un mecanismo político de afrontar el camino.

La resistencia política de las estructuras corporatistas se ve reflejada en la forma en que esas estructuras limitan la constitución de coaliciones políticas que podrían desafiar de forma sustancial a las instituciones y políticas existentes. Tales coaliciones son posibles por los ciclos recurrentes de la innovación industrial, maduración e imitación industrial que redefinen los intereses económicos y políticos de los diferentes actores en la economía internacional [19]. Las principales empresas y asociaciones de industrias reaccionan ante las nuevas circunstancias diseñando nuevas coa-

---

[16] *New York Times,* 8 de diciembre de 1983, pág. A2.

[17] Arthur F. P. Wassenberg, «Neo-Corporatism and the Quest for Control: The Cuckoo Game», en Gerhard Lehmbruch y Philippe C. Schmitter, eds., *Patterns of Corporatis Policy-Making* (Beverly Hills, Sage, 1982), págs. 83-108, y Erwin Zimmermann, «Entwicklungstendenzen des Korporatismus und die Industriepolitik in den Niederlanden», en *Neokorporatistische Politik in Westeuropa,* Universidad de Constance, Sozialwissenschaftliche Fakultät, Fachgruppe Politikwissenschaft/Verwaltungswissenschaft, Diskussionsbeitrag 1 (1982), págs. 107-31.

[18] Steven B. Wolinetz, «Wage Regulation in the Netherlands: The Rise and Fall of the Postwar Social Contact» (artículo preparado para su presentación al Council for European Studies Conference of Europeanists, Washington, D. C., 13-15 de octubre de 1983).

[19] James R. Kurth, «The Political Consequences of the Product Cycle: Industrial History and Political Outcomes», *International Organization,* 33 (invierno 1979), págs. 1-34; Peter Gourevitch, «Breaking with Orthodoxy: The Politics of Economic Policy Responses to the Depression of the 1930s», *International Organization,* 38 (invierno 1984), págs. 95-130; y Thomas Fergunson, «From Normalcy to New Deal: Industrial Structure, Party Competition, and American Public Policy in the Great Depression», *International Organization,* 38 (invierno 1984), págs. 41-94.

liciones para presionar por los cambios políticos, que pueden ser tan específicos como políticas concretas de ajuste industrial o tan generales como las características globales de un régimen. Debido a que las estructuras corporatistas fomentan la flexibilidad, la colaboración y la absorción de las consecuencias políticas de los trastornos económicos, no se han formado fácilmente coaliciones políticas alternativas. La lógica política inherente en las estructuras corporatistas de los pequeños Estados europeos fomenta, en cambio, la capacidad de predicción política y el ajuste creciente [20]. Estas estructuras reducen las diferencias de poder y unen estrechamente a la sociedad y al Estado. De esta manera logran captar coaliciones potenciales entre las fuerzas políticas cambiantes y canalizar las energías políticas en la legitimación de los acuerdos corporatistas.

Unas presiones internacionales más severas harán a las políticas internas de los pequeños Estados europeos más cohesivas, al menos a medio plazo. Los acuerdos «consensuados» formales realizados entre los partidos políticos en los años 60 en algunos de los pequeños Estados europeos continentales se han erosionado rápidamente y la hegemonía socialdemócrata en Escandinavia se descompuso parcialmente en los años 70. Ambos desarrollos, sin embargo, dejaron notablemente sin cambios el corporatismo democrático de estos siete Estados. Si la crisis económica se intensificara, el engranaje de los intereses, las prácticas políticas y las instituciones en los pequeños Estados europeos podría muy bien dar lugar, como señala Charles Sabel, «a la idea de una comunidad de la vulnerabilidad en un acuerdo general de repartir equitativamente las cargas de la adaptación de las instituciones sociales en un mundo en continuo cambio» [21]. En los años futuros un sentido creciente de vulnerabilidad uniría en cuestiones de estrategia en la economía internacional a los oponentes políticos en los pequeños Estados, los cuales difieren en muchas otras cuestiones sustantivas. Al mismo tiempo, las redes políticas de los pequeños Estados europeos muestran pocos signos de cambio que pudieran privar a los políticos del considerable número de instrumentos políticos que controlan hoy en día. El surgimiento de estructuras políticas alternativas de participación y representación en los años 70, por ejemplo las iniciativas ciudadanas o los movimientos de protesta concretos, pueden perfectamente complementar más que reemplazar los acuerdos corporatistas que han desarrollado desde los años 30.

Así, los cambios en la forma de la colaboración corporatista no significan necesariamente su desaparición. Después de cuarenta y cinco años Suecia decidió pasar a una forma de negociaciones laborales más descen-

---

[20] Peter J. Katzenstein, *Corporatism and Change: Austria, Switzerland, and the Politics of Industry* (Ithaca: Cornell University Press, 1984), especialmente capítulos 5 y 6.
[21] Charles F. Sabel, «From Austro-Keynesianism to Flexible Specialization: The Political Preconditions of Industrial Redeployment in an *Astgemeinschaft*» (documento remitido al Österreichische National Bank, Viena, 20 de mayo de 1983).

Los pequeños estados en los mercados mundiales

tralizada, y posiblemente conflictual, en 1984 [22]. Pero esta decisión no toca necesariamente a muertos con respecto al corporatismo democrático. En Holanda el paso hacia unas negociaciones laborales descentralizadas ha estado en marcha durante dos décadas, sin originar un número sensiblemente mayor de huelgas y sin impedir en los años 70 y principios de los 80 una política de salarios voluntaria que ha tenido un éxito notable. La decisión sueca señala, en cambio, que sindicatos y empresarios están buscando nuevas vías institucionales para afrontar las dificultades económicas de Suecia. En las palabras sentimentales y optimistas de Flora Lewis, «la visión del progreso ya no es deslumbrante, pero tampoco es la muerte... una vez más el ejemplo sueco puede inspirar confianza. No es ciertamente un modelo. Ha tomado algunos giros equivocados y es unico en aspectos en que otros no pueden y no desearían copiar. Pero es una advertencia de que el argumento racional y las soluciones afectuosas encuentran modos de dejar atrás los malos viejos tiempos, que sin duda pueden volver» [23].

I. Comparaciones

Los pequeños Estados con economías abiertas y vulnerables pueden responder efectivamente a los cambios de la economía global. Es posible una serie bastante amplia de respuestas, como lo ilustraron las variantes liberal y social del corporatismo democrático.

Como ilustró el comienzo de una dura huelga en Suecia en 1980, el corporatismo democrático no transforma mágicamente la hostilidad social y política en armonía. En cambio, ofrece un mecanismo institucional para la movilización del consenso necesario para vivir con los costes del rápido cambio económico. Para los pequeños Estados europeos, una política de ajuste industrial reactiva, flexible y creciente se produce a la vez que una capacidad asombrosa para ajustarse políticamente a las consecuencias del cambio económico. Los pequeños Estados europeos se adaptan nacionalmente al cambio económico impuesto por una economía internacional a la que no pueden esperar controlar. La estructura de los pequeños Estados europeos no se adapta bien a la estrategia política basada en premisas liberales o estatistas. Las relaciones entre empresarios, sindicatos y Estado están organizadas de manera que comprometen la lógica tanto de la competición de mercado implacable como de la intervención decisiva del mercado. Las redes institucionales y un proceso político complejo dan lugar fácilmente a las compensaciones marginales para los intereses afectados, pero se resisten fuertemente a una devoción ciega

---

[22] *Wall Street Journal,* 6 de septiembre de 1983, pág. 38, y 13 de abril de 1984, pág. 37.
[23] *New York Times,* 24 de enero de 1984, pág. A25.

CUADRO 8. *Económico de los Estados industriales avanzados, 1960-80*

	(1) Desempleo anual. Porcentaje respecto al total de la fuerza de trabajo				(2) Incremento anual del Producto Interior Bruto				(3) Variaciones anuales en el índice de precios al consumo				(4) Balanza de pagos por cuenta corriente. Porcentaje respecto al PNB			
	1960-80		1974-80		1960-80		1974-80		1960-80		1973-80		1960-80		1974-80	
	Rango	%	Rango	%	Rango	%	Rango	%	Rango	%	Rango	%	Rango	%	Rango	%
Suiza	1	0,1	1	0,4	11	3	12	0,3	2	4,2	1	4	1	1,2	1	3,5
Holanda	7	2,1	7	4,1	6	4	8	2,2	6	5,6	4	7,1	2,5	0,7	2	0,8
Bélgica	11	3,3	10	5,7	5	4,1	5	2,4	4	5,2	5	8,1	6	0,1	9	− 1,7
Suecia	6	1,9	4,5	1,9	10	3,3	9	1,8	8	6,6	9	10,3	10	− 0,5	10	− 1,8
Dinamarca	9	2,8	12	7,1	9	3,4	10	1,6	11	7,9	10	11	11	− 2,5	11	− 3,5
Noruega	5	1,8	3	1,8	3	4,4	1	4,7	7	6,4	6	9	12	− 3,4	12	− 6,4
Austria	3,5	1,7	2	1,6	4	4,2	3	3	3	4,9	3	6,3	9	− 0,4	8	− 1,6
Media de los pequeños Estados																
Estados Unidos	6,1	2	5,6	3,2	6,9	3,8	6,9	2,3	5,9	5,8	5,4	8	7,4	− 0,7	7,6	− 1,5
	12	5,5	11	6,8	8	3,5	6,5	2,3	5	5,3	7	9,2	5	0,3	4,5	0,1
Reino Unido	9	2,8	8	4,7	12	2,3	11	0,9	12	8,8	12	16	8	− 0,3	6,5	− 0,8
Alemania Occidental	3,5	1,7	6	3,5	7	3,7	6,5	2,3	1	3,9	2	4,8	2,5	0,7	3	0,6
Francia	9	2,8	9	4,8	2	4,6	4	2,8	9	6,8	11	11,1	7	− 0,1	6,5	− 0,8
Japón	2	1,5	4,5	1,9	1	7,7	2	3,7	10	7,4	8	9,7	4	0,4	4,5	0,1
Media de los estados grandes	7,1	2,9	7,7	4,3	6	4,4	6	2,4	7,4	6,4	8	10,2	5,3	0,2	5	− 0,2

Fuente: OCDE, *Historical Statistics, 1960-1980* (París, 1982) págs. 37, 40 y 77; David R. Cameron, «On the Limits of the Public Economy» (documento preparado para su presentación al Annual Meeting of the American Political Science Association, Nueva York, septiembre de 1981). Cuadro 11. W. D. McClam y P. S. Andersen, *Adjustment Performance of Open Economies: Some International Comparisons* (Basel: Bank for International Settlements, Monetary and Economic Department, diciembre de 1983), pág. 10.

ante la iniciativa empresarial o el liderazgo burocrático. En suma, los pequeños Estados europeos encarnan las políticas bien del liberalismo o del estatismo, pero siempre del corporatismo.

La apertura económica y las estructuras corporatistas de los pequeños Estados europeos han tenido una fuerte repercusión en sus estrategias políticas. Las economías abiertas inspiran el temor de la venganza, la exclusión de la protección como una opción política para afrontar el cambio económico adverso. Pero al facilitar el surgimiento de las estructuras internas corporatistas, la apertura económica fomenta las compensaciones políticas ante el cambio, desechando, aunque sea indirectamente, las estrategias de transformación estructural. Así, las dos respuestas estratégicas con las que los países industriales liberales o estatistas se enfrentan con el cambio no están abiertas a los pequeños Estados europeos. En vez de intentar exportar o asumir los costes del cambio, los pequeños Estados europeos han elegido vivir con los costes del cambio mediante compensaciones políticas y económicas. Una economía abierta y una posición de marginalidad internacional generan unas perspectivas comunes compartidas a lo largo de las principales divisiones políticas en la política na-'cional. En 1937-38 la Suiza capitalista y la Suecia socialista asistieron a la firma de los acuerdos de paz entre empresarios y sindicatos. Estos acuerdos prepararon el terreno para una línea de integración política en el período postbélico que ha sido sensible a las necesidades de la competitividad internacional.

Como grandes que son, los Estados industriales avanzados caminan a tientas hacia modos más adecuados de respuesta a los riesgos y oportunidades de la economía internacional, y el ejemplo de los pequeños Estados europeos variará en relevancia para ellos. Alemania ofrece quizá la aproximación más cercana a las prácticas políticas características de los pequeños Estados. El corporatismo de Alemania Occidental deriva tanto de la apertura, la dependencia y el sentido de vulnerabilidad traído por el pequeño tamaño de la República de Bonn después de 1945 como de la integración de sus partes políticas en el reciente terreno democrático [24]. A lo largo de los años 70 la política alemana fomentó un estilo consensual de hacer política entre los actores políticos que se concebían por parte de los otros, como agentes sociales y como instituciones controladas y relativamente centralizadas, especialmente en cuestiones de política económica y social.

---

[24] Véase Peter J. Katzenstein, «Problem or Model? West Germany in the 1980s», *World Politics,* 23 (julio 1980), págs. 577-98; Katzenstein, «West Germany as Number Two: Reflections on the German Model», en Andrei Markovits, ed., *The Political Economy of West Germany: Model Deutschland* (Nueva York, Praeger 1982), págs. 199-215, y Katzenstein, *A Semi-sovereign State: Policy and Politics in West Germany* (Philadelfia, Temple University Press, en imprenta).

Alemania Occidental cobra mucha importancia en la suerte que corren sus vecinos más pequeños. Por ejemplo, las elecciones políticas en Bonn y Frankfurt en torno a cuestiones de inflación, desempleo y el valor del marco alemán tienen enormes consecuencias para Suiza y Austria. De forma más general, Alemania tiene una repercusión profunda sobre los otros pequeños Estados europeos. Durante los años de entreguerras y a principios de los años 50 el instituto de investigaciones económicas más prestigioso de Alemania publicó una serie de monografías que trataban del desarrollo económico de los pequeños Estados europeos. Estos estudios ofrecen una fuente valiosa de datos para determinar la dependencia económica de los pequeños Estados europeos con respecto a la economía alemana desde mediados del siglo XIX [25]. Recientemente Marcello de Cecco ha extendido esta interpretación a los años 70. Afirma que «es un error descartar el papel central que han jugado estos países en los últimos años en la estabilización de la balanza comercial internacional de Alemania... Estos países juegan un papel vital en la generación de la demanda para la industria alemana de bienes de inversión» [26]. En 1980, por ejemplo, Alemania Occidental registró déficits comerciales masivos junto con Estados Unidos y Japón. Pero los pequeños Estados europeos absorbían las dos quintas partes de las exportaciones totales alemanas y su déficit comercial total con Alemania era de más de once billones de dólares, más del doble del excedente comercial general de Alemania en el mismo año.

En apariencia, la estrecha relación entre la apertura económica y la dependencia, por un lado, y las estructuras corporatistas de los pequeños Estados europeos, por otro, sugieren cierta analogía con el «capitalismo dependiente» en los países del Tercer Mundo, sobre el que se elaboraron la mayoría de los trabajos teóricos y empíricos en los años 70. El autoritarismo de Latinoamérica, por ejemplo, se considera concomitante o consecuencia de la penetración en estructuras nacionales relativamente dé-

---

[25] Wolfgang Kohte, *Die Niederländische Volkwirtschaft Heute: Ihre Wandlungen Seit der Vorkriegszeit* (Stuttgart, Kohlhammer, 1954); Ludwing Mülhaupt, *Strukturwandlungen und Nackfriegsprobleme der Wirtschaft Schwedens* (Kiel, Institut für Weltwirtschaft, 1952); Gerhard Pfeiffer, *Strukturwandlungen und Nachkriegsprobleme der Wirtschaft der Niederlande* (Kiel, Institut für Weltwirtschaft, 1950); Wolf von Arnim, *Strukturwandlungen und Nachkriegsprobleme der Wirtschft Dänemarks* (Kiel, Institut für Weltwirtschaft, 1950); Hugo Heeckt, *Strukturwandlungen und Nachkriegsprobleme der Wirtschaft Norwegens* (Kiel, Institut für Weltwirstchaft, 1950); Allan Lyle, *Die Industrialisierung Norwegens* (Jena, Fischer, 1939); Wilhelm Keilhau, *Volkswirtschafspolitik und Weltwirtschaaftliche Stellung Norwegens* (Jena, Fischer, 1938); G. M. Verrijn Stuart, *Die Industriepolitik der Niederländischen Regierung* (Jena, Fischer, 1936); Jens Samsöe, *Die Industrialisierung Dänemarks* (Jena, Fischer, 1926), y Sven Helander, *Schweden's Stellung In der Weltwirtschaft* (Jena, Fischer, 1922).
[26] Marcello de Cecco, «Introduction», en De Cecco, ed., *International Economic Adjustmen: Small Countries and the European Monetary System* (Oxford Blackwell, 1983), pág. 3.

biles por parte de las fuerzas del capitalismo global, siendo las corporaciones multinacionales su agente más dinámico. Examinando algunas diferencias cualitativas importantes, los estudiosos en los pequeños Estados europeos han señalado las similitudes entre la posición de sus Estados y de muchos de los países del Tercer Mundo [27]. Pero los pequeños Estados europeos no están en la periferia del sistema capitalista mundial. Su inserción en la economía internacional se produjo en una fecha más temprana, cuando las condiciones políticas y económicas favorecieron la autonomía nacional. Este desarrollo temprano se ve reflejado en las características estructurales de su comercio exterior. La concentración geográfica y por mercancías del comercio internacional y el equilibrio entre la importación de materias primas y la exportación de bienes manufacturados, así como entre la exportación de productos manufacturados «tradicionales», comparada con la de productos «modernos», son mayores en los pequeños Estados europeos que en los grandes, pero son menores que en los países en desarrollo.

Los países en desarrollo dependen de la importación de bienes, capital y tecnología. Los pequeños Estados europeos dependen de las exportaciones. Su apertura y dependencia económicas en los mercados globales conforman políticas de libre comercio que conducen a la competitividad internacional de sus industrias de exportación y a una política adaptada para contener el establecimiento de salarios competitivos y los incrementos de precios. Stephen Krasner ha mostrado que en los pequeños Estados europeos y en los países en vías de desarrollo existe una fuerte relación estadística entre los cambios en el comercio y los cambios en los ingresos del gobierno. Sin embargo, en 1974-75 cinco de los seis Estados europeos pequeños incluían en su análisis incrementos en los ingresos gubernamentales en términos reales, comparado con sólo 19 de los 39 países en vías de desarrollo. Krasner concluye que «los ingresos de los pequeños países industrializados son susceptibles de cambios en su comercio, pero estos países parecen capaces de resistir, al menos, un declive absoluto... mientras que casi la mitad de los países en vías de desarrollo que experimentaron un declive en el comercio sufrieron también un declive en los ingresos del gobierno» [28]. Por ello no es sorprendente que en

---

[27] Véanse, por ejemplo, algunas contribuciones en *Österreichische Zeitschrift für Politikwissenschaft*, 1978/3, y Otmar Höll y Helmut Kramer, «Kleinstaaten im Internationalen System: Endbericht», manuscrito sin publicar, Viena 1977. Una discusión más sofisticada puede econtrarse en Margret Sieber, *Die Abhängigkeit der Schweiz von Ihrer Internationalen Umwelt: Konzepte und Indikatoren* (Frauenfeld, Huber, 1979), págs. 330-46 y 386, y en Hans Vogel, *Der Kleinstaat in der Weltpolitik: Aspekte der Schweizerischen Aussenbeziehungen im Internationale Vergleich* (Frauenfeld, Huber, 1979). Una serie más amplia de enfoques aparece en Höll, ed., *Small States in Europe and Dependence* (Viena, Braumüller, 1983).
[28] Stephen D. Krasner, *Structural Conflict: The Third World Against Global Liberalis* (Berkeley, University of California Press, forthcoming), manuscrito, capítulo 2, pág. 17.

los años 70 los pequeños Estados europeos (con la excepción de Austria) confiaran menos en las vías establecidas de elevar la recaudación tributaria de lo que lo hicieron los grandes países industriales [29].

Además, y en contraste con los países en vías de desarrollo, los pequeños Estados europeos tienen en sus sectores de servicios una valiosa serie de actividades económicas que reducen significativamente el perpetuo déficit comercial impuesto por la estructura de sus economías. Aunque los pequeños Estados europeos dependen fuertemente de las inversiones extranjeras, tanto por la continua modernización de sus economías como por nuevas reducciones en el déficit de su balanza comercial, las limitaciones que derivan de esta dependencia continúan latentes. Austria es un pequeño Estado que depende de las corporaciones extranjeras en la modernización y diversificación de su industria, pero ha logrado hacer que esas corporaciones se adhieran a un código de conducta, por ejemplo en el área del empleo, que aparentemente concuerda con los objetivos políticos del gobierno más que con los objetivos económicos de la gestión, a menudo más limitados. Finalmente, los pequeños Estados europeos, a diferencia de muchos de los países en vías de desarrollo, han sido capaces, a través de sus estructuras internas, de mantener un alto grado de autonomía con respecto a la influencia extranjera. Esta autonomía explica las grandes diferencias en cuanto a las estrategias con las que Suiza, Holanda y Bélgica afrontan la economía mundial, comparadas con las de Austria, Dinamarca y Noruega.

Las presiones de los mercados mundiales sobre las estructuras internas de los pequeños Estados europeos son menos intensas y menos directas que sobre los países en desarrollo. En estos últimos surge con frecuencia una alianza entre la burocracia estatal, los militares y los segmentos de la comunidad empresarial. Las estructuras autoritarias que excluyen a los trabajadores en tiempo de crisis pueden adoptar estrategias represivas. Nada de esto ha sucedido en los pequeños Estados europeos desde 1945. Pero las presiones externas han sido mayores en los pequeños Estados europeos que en los grandes países industriales. La apertura y dependencia de sus economías explica la pervivencia de unas fuertes estructuras corporatistas más que de formas liberales o estatistas del capitalismo.

Daniel Chirot ha sugerido que la dependencia y el atraso económicos han creado verdaderos ejemplos del corporatismo social en los pequeños países socialistas, experimentando un rápido desarrollo, como ha sucedido en Rumania. El argumento de Chirot es provocativo, porque en los años 30 Rumania produjo, quizá, el teórico del corporatismo más impor-

---

[29] Richard Rose, *Understanding Big Government: The Programme Approach* (Beverly Hills, Sage, 1984), pág. 113.

tante: Mihäil Manoïlescu. Sus teorías, señala Chirot, pueden encontrarse en las estrategias de desarrollo de izquierda y derecha en todas las zonas más avanzadas de la periferia y semiperiferia del mundo. En contraste con el régimen autoritario de Rumania en el período de entreguerras, esta variante socialista del corporatismo está liberada de las trabas de las estructuras tradicionales de clase, pudiendo pasar de forma decidida, que no sin entusiasmo, a nuevos acuerdos políticos. «Manoïlescu estaba en lo cierto. El siglo XX es el siglo del corporatismo. Pero estaba equivocado al pensar que los débiles y fraudulentos pasos dados por el fascismo entre los años 20 y 30 fueron significativos. Es sólo ahora, fuera de los viejos centros capitalistas, cuando las sociedades que se proclaman orgullosamente marxistas están construyendo un corporatismo genuino»[30]. Aunque Chirot se equivoca al reducir la importancia de los acuerdos corporatistas ante las prácticas políticas de los Estados capitalistas, su argumento encaja con el mío. El corporatismo autoritario, señala, puede considerarse como una fórmula política para la movilización de los recursos en nombre bien del fascismo o bien del socialismo. Las variantes social o liberal del corporatismo, como ya he señalado, son fórmulas políticas con las que movilizar el consenso político en nombre del socialismo democrático o bien del capitalismo liberal.

Sin embargo, la dependencia de la economía mundial limita el grado de divergencia entre las dos variantes del corporatismo democrático. La convergencia de las políticas de los tipos de cambio en Suiza y Austria sirve como una buena ilustración. Aunque los dos países diferían en los métodos mediante los cuales permitían una fuerte revalorización de sus monedas —en los años 70 los métodos con los que perseguían una «opción de moneda fuerte» comenzaron a converger a finales de los 70—[31]. A lo largo de casi toda la década de los 70 Suiza determinó unos objetivos estrictos para el crecimiento monetario y dejó al franco flotar autónomamente al alza en los mercados de intercambio extranjero. Sólo cuan-

---

[30] Daniel Chirot, «The Corporatist Model and Socialism: Notes on Romanian Development», *Theory and Society,* 9, 2 (1980), pág. 378. Sobre la importancia de Manoïlescu véase también Philippe C. Schmitter, «Still the Century of Corporatism?», en Schmitter y Gerhard Lehmbruch, eds., *Trends Toward Corporatist Intermediation* (Beverly Hills, Sage, 1979), págs. 7-52.

[31] Helmut Frisch, «Stabilization Policy in Austria, 1970-80», en De Cecco, *International Economic Adjustment,* págs. 117-40, y Réné Kästli, «The New Economic Environment in the 1970s: Market and Policy Response in Switzerland», en *ibid.,* págs. 141-59. Véanse también Marian E. Bond, «Exchange Rates, Inflation and Vicious Circles», *International Monetary fund Staff Papers,* 27 (1980), págs. 679-711; Niels Thygesen, «Exchange-Rate Experiences and Policies of Small Countries: Some European Examples of the 1970s», International Finance Section, Department of Economics, *Essays in International Finance,* núm. 136, (Princeton, N. J., diciembre 1979); Eduard Hochreiter, «Theoretische und praktische Aspekte der Aussenwährungspolitik kleiner Länder», *Wirtschaftspolitische Blätter,* 23, 3 (1976), págs. 21-32, y «Tracking Europe's «Small' Currencies», *World Business Weekly,* 2 de marzo de 1981, págs. 51-52.

do en 1978-79 la tasa de revalorización alcanzó niveles que amenazaban a los exportadores suizos con no poder competir en los mercados internacionales intervino el Banco Nacional Suizo y vinculó informalmente el franco al marco alemán, la moneda del socio comercial más importante para Suiza. El director del poderoso y comercial Crédit Suisse afirmaba en sus reflexiones sobre los años 70 que «el valor del dinero, a diferencia de casi todo lo que existe bajo el sol, no puede dejarse al libre juego de las fuerzas del mercado, sino que necesitaba ser regulado por el Estado» [32].

Austria, por el contrario, no intentó nunca mantener una soberanía monetaria en los años 70. El director del Banco Central de Austria reconocía que «la política monetaria austríaca se hace en Frankfurt» [33]. A las fuerzas del mercado no se les ha permitido nunca determinar el valor del schilling; por el contrario, el Banco Central intervino en los mercados de intercambio exterior para mantener un tipo de cambio estable con el marco alemán. Los austríacos lo consideran como una opción de moneda fuerte, equivocada en años como 1978-80, en los que el marco alemán, y con él el schilling, se devaluaron frente al dólar y otras grandes monedas. Cuando se ponen en cuestión bien la estabilidad o la fuerza del marco alemán, como sucedió, respectivamente, a principios y a finales de 1980, los debates sobre la política austríaca revelan la misma clase de confusiones que existían en Suiza a finales de los años 70 y a principios de los 80. Aunque Austria y Suiza diferían en el modo en cómo seguían sus políticas de intercambio exterior durante casi toda la década de los 70, al final las presiones del mercado obligaron a Suiza a abandonar su política autónoma y llevaron a una convergencia en la política de los dos países.

Este libro refleja sobre un tema básico de análisis político contemporáneo la interacción de estructuras nacionales conformadas históricamente con la economía mundial. Esta interacción tiene consecuencias que están lejos de ser triviales. Las tensiones y los cambios políticos que experimentan los pequeños Estados europeos en sus relaciones con la economía mundial han llevado a la convergencia de diferentes formas de corporatismo. El corporatismo emana de la lógica interna de las estructuras nacionales tanto como de los requerimientos externos de la economía internacional.

---

[32] Rainer E. Gut, «Trends in Foreign Exchange and Finance Markets as Seen from Switzerland», Crédit Suisse Bulletin, 86 (otoño 1980), págs. 5-8.
[33] Citado en Paul Lewis, «The Austrian Economy Is a Strauss Waltz», *New York Times*, 22 de marzo de 1981, pág. F8.

II. Lecciones

¿Cuáles son, si es que las hay, las enseñanzas que puede aprender EE.UU.? La creciente apertura de la economía ha hecho a la industria americana aún más consciente de los problemas de la competitividad internacional; problemas que han sido familiares durante mucho tiempo para las empresas de los pequeños Estados europeos. Entre 1970 y 1980 la proporción de exportaciones de Estados Unidos con la venta final de bienes en los mercados de Estados Unidos fue más del doble, de 9 a 19 por 100; el incremento en las importaciones fue todavía más acusado, de 9 a 22 por 100. Incluso en las categorías de los productos o en los segmentos de la industria cubiertos por las políticas comerciales restrictivas de América la penetración de importaciones aumentó vertiginosamente entre 1960 y 1979: del 4 al 14 por 100 en acero; del 6 al 51 por 100 en electrónica de consumo, y del 2 al 10 por 100 en vestido [34]. Estos números subestiman la extensión con la que América ha llegado a ser una parte integral de los mercados mundiales. En 1980 más de dos tercios de los bienes industriales producidos en América competían activamente con los productos extranjeros [35]. La dependencia creciente de la economía americana con respecto a los mercados mundiales refuerza un sentimiento de vulnerabilidad. Desde mediados de los 70 el éxito de la ofensiva exportadora japonesa sobre el mercado americano ha convencido a un número cada vez mayor de americanos de que la competitividad nacional está determinada por algo más que por la posesión de recursos naturales y el control sobre los mecanismos del mercado. La fuerte posición que han logrado las industrias japonesas del acero, los automóviles y los ordenadores en sólo dos décadas sugiere que la seguridad económica de los trabajadores y las empresas americanas se ven amenazadas por los sistemas superiores japoneses de organización ante la competencia internacional.

La apertura económica creciente marca también a los grandes países industriales en Europa. De acuerdo con los datos del Banco Mundial, entre 1970 y 1980 la parte de importación de manufacturas creció desde el 16 al 23 por 100 en Francia, del 19 al 31 por 100 en Alemania Occidental, del 16 al 28 por 100 en Gran Bretaña y del 9 al 15 por 100 en el comercio exterior de la CEE [36]. Geoffrey Shepherd y François Duchêne muestran unos incrementos similares para los principales sectores industriales de Europa. Glenn Fong ha calculado que en los años 70 el tipo de cambio

---

[34] Ira C. Magaziner y Robert B. Reich, *Minding America's Business: The Decline and Rise of the American Economy* (Nueva York, Harcourt Brace Jovanovich, 1982), pág. 33.

[35] Robert B. Reich, *The Mext American Frontier* (Nueva York, Times, 1983), págs. 121 y 194. La metodología utilizada en estos cálculos se explica en la nota 7, pág. 296.

[36] Jeffrey A. Hart, «Atlantic Riptides: Steel, Automobiles, and Microelectronics in U. S. European Relations», manuscrito (Bloomington, Ind., 1983), capítulo 1, pág. 4A. Estos datos se han extraído del World Bank Penetration Data Base.

con el que las economías de los cinco grandes Estados industriales se abrieron a la economía internacional era alrededor de un 50 por 100 más rápido que para los pequeños Estados industriales. No es sólo Norteamérica, pues, la que está experimentando grandes incrementos en su apertura y vulnerabilidad económicas [37]. Bajo estas nuevas condiciones la noción de gestión de la economía (con todas las variables relevantes bajo un control directo) puede, según Fritz Scharpf, ser menos útil que la noción de navegación en un pequeño barco (en la que el capitán mantiene a flote el barco mediante una hábil adaptación y explotación de las circunstancias fuera de control) [38]. No hay más que contemplar el ejemplo de los pequeños Estados europeos en cuestiones sobre cómo reaccionar políticamente a las condiciones que son nuevas para nosotros y viejas para ellos.

Acosados por el peso de los problemas económicos durante la década pasada, los Estados Unidos se han encontrado con historias de éxito extranjeras cada vez más atractivas, como ocurre con el enamoramiento y, a la vez, rencor que sienten los americanos por Japón. Como niños pequeños en una feria local abriéndose paso entre el público, los curiosos intelectuales y políticos americanos se quedan reducidos con frecuencia a formas primitivas de *voyeurismo* político. Al comprobar el increíble éxito de los pequeños Estados europeos de los años 50, un economista señalaba con pesar y poco convincentemente que «la política ha sido bastante más sensible en las economías relativamente abiertas» [39].

Suiza y Austria se alzan como los dos ejemplos más claros de las variantes social y liberal del corporatismo democrático, a las que se aproximan en diferentes grados los otros pequeños Estados europeos. Para dar cuenta del éxito ejemplar de estos países en los años 70 algunos proponen explicaciones que reflejan lo que un amigo mío denomina la «Teoría de los Siete Enanos de Centroeuropa»: los austríacos y los suizos han conseguido tanto éxito porque salen cada mañana a trabajar cantando alegres canciones tirolesas. En la columna de un periódico George Will suscribía la audaz noción del sentido común según la cual a los austríacos

---

[37] Geoffrey Shepherd y François Duchêne, «Introduction: Industrial Change and Intervention in Western Europe», en Shepherd, Duchêne y Christopher Saunders, eds., *Europe's Industries: Public and Private Strategies for Change* (Ithaca, Cornell University Press, 1983), pág. 6-7, y Glenn R. Fong, «Export Dependence versus the New Protectionism: Constraints on Trade Policy in the Industrial World» (Ph. DE. diss., Cornell University, 1983), pág. 304.

[38] Fritz W. Scharpf, *Economic and Institutional Constraints of Full-Employment Strategies: Sweden, Austria, and West Germany (1973-1983)* (Berlín, Wissenschaftszentrum IIMV/Arbeitsmarktpolitik, IIM/LMP 83-20, 1983), pág. 6.

[39] L. Tarshis, «The Size of the Economy and its Relation to Stability and Steady Progress», en E. A. G. Robinson, ed., *Economic Consequences of the Size of Nations: Proceedings of a Conference Held by the International Economic Association* (Londres, Macmillan, 1960), pág. 199.

les gusta trabajar y por ello triunfan económicamente [40]. La explicación agrada sin duda a los católicos austríacos, consterna a los calvinistas de Suiza, confunde a los fieles lectores de la *Etica protestante* de Weber de cualquier lugar y deja escépticos a aquellos que valoran la evidencia; en realidad, a mediados de los años 70 los austríacos trabajaban menos horas que los suizos. El representante Henry Reuss, presidente del Consejo Económico Conjunto, expresaba con una evasiva: «Cuando se confronta la actividad económica americana con la de este país, uno se ve obligado a buscar qué es lo que hay en la estructura austríaca que permite que se de una actividad mucho mejor» [41].

En un artículo titulado «¿Existe alguna enseñanza suiza para Estados Unidos?», uno de los banqueros suizos más poderosos lo veía poco probable. Afirmaba: «las instituciones de mi país están hechas a medida para una nación pequeña con las peculiaridades históricas de Suiza» [42]. Otro análisis vincula el éxito austríaco con unos compromisos políticos que no se transmiten fácilmente a otras sociedades: «La lección que se puede aprender es que la negociación tripartita ofrece perspectivas para la consecución de algunos de los objetivos de la gente trabajadora. Las formas, maquinaria y acuerdos administrativos particulares son de menor importancia que el deseo de lograr ciertos objetivos de política global en un mundo inestable» [43]. Sin vincular su prescripción para América a la experiencia política de los pequeños Estados europeos, Robert Reich resume bien el secreto de su éxito señalando que «necesitamos instituciones políticas que sean tan versátiles como las empresas en un sistema flexible; menos implicadas en la toma de decisiones corregibles; menos obsesionadas por evitar el error que por detectar y corregir los errores; más dedicadas a responder a las conclusiones cambiantes y fomentar nuevas empresas que a estabilizar el entorno para las viejas empresas» [44]. En el lenguaje político de un economista conservador, la prescripción de Reich no es más que un «fascismo elegante», una supersimplificación desafortunada [45].

---

[40] *Ithaca Journal,* 28 de mayo de 1981.

[41] Congreso de Estados Unidos, Joint Economic Committee, *Austrian Incomes Policy: Lesson for the United States,* 97 Congreso, 1.ª sesión, 2 de junio de 1981 (Washington, D. C., 1981).

[42] Rainer E. Gut, «Are There Any Swiss Lessons for the U. S.?», *Crédit Suisse Bulletin,* 87 (otoño 1981), pág. 10.

[43] Lore Scheer y Fred Praeger, «Austria in the Year 1979: How Austria Weathered the Economic Storm of the Seventies», Universidad de Naciones Unidas, HSDRGPID-30/UNUP-141 (Tokyo, 1980), pág. 23. Véase también *Wall Street Journal,* 3, enero 1984, pág. 32.

[44] Reich, *Next American Frontier,* pág. 277.

[45] Melvyn Krauss, «"Europeaning" the U. S. Economy: The Enduring Appeal of the Corporatist State», en Chalmers Johnson, ed., *The Industrial Policy Debate* (San Francisco, ICS, 1984), pág. 72.

Este libro no ofrece soluciones fáciles para los problemas de Estados Unidos. Las medidas adoptadas por la actividad económica han influido en el argumento en ciertos puntos, pero no son lo que el libro trata como primarios. He señalado, por el contrario, que los pequeños Estados europeos elaboran opciones políticas de diferentes formas. Sus opciones están condicionadas por dos tipos de fuerzas: las estructuras nacionales conformadas históricamente y las presiones de la economía mundial. Estos dos tipos de fuerzas interactúan entre ellas, y es en el proceso de interacción (los conflictos interminables y limitados sobre las cuestiones económicas y sociales) donde las exigencias de las políticas nacional e internacional convergen en una estrategia flexible de ajuste.

No podemos aplicar las «enseñanzas» que ofrecen los pequeños Estados europeos por la simple razón de que no podemos rehacer nuestra historia. El gran intento de un presidente republicano de reformar drásticamente la forma de Estados Unidos en los años 80 ejemplifica los estrechos límites políticos en este país de las «oportunidades ilimitadas». Sin embargo, mientras escribía este libro pude observar el cambio de la historia en Estados Unidos. El éxito cada vez menor de las industrias americanas del acero y los automóviles, así como la reaparición de los hornos de madera en Nueva Inglaterra, ilustran nuestra creciente apertura y vulnerabilidad económicas. Suzanne Berger y Michael Piore han señalado acertadamente las desventajas de una concepción estrecha de las posibilidades políticas. Este libro estuvo motivado por una idea que ellos habían expuesto: el mayor problema al que nos enfrentamos, escriben, es el de «nuestras creencias sobre los límites de lo posible. Para liberar a la imaginación y a la voluntad de las presiones de una falsa necesidad es necesaria una visión de las diversas posibilidades que pueden darse en las sociedades industriales» [46].

Contemplar las políticas de los países menos conocidos puede dar lugar a confusión, pero puede ser también revelador, incluso liberador. Los pequeños Estados europeos nos ofrecen una perspectiva intrigante porque en una era de recursos económicos menguantes sus conflictos políticos no se asemejan a la imagen, tan familiar en Washington, de luchadores en una tienda china. «La grandeza en una nación tiene ciertas ventajas», escribe Andrew Shonfield, «pero a veces consigue ahogar la percepción nacional de lo que es obvio para la gente más modesta» [47]. La percepción nacional es un sello distintivo. Los pequeños Estados europeos son conscientes de que la política es un ingrediente esencial en la reafir-

---

[46] Suzanne Berger y Michael Piore, *Dualism and Discontinuity in Industrial Societies* (Nueva York, Cambridge University Press, 1980), págs. 11-12.

[47] Andrew Shonfield, *In Defence of the Mixed Economy* (Oxford, Oxford University Press, 1984). Véase también Shonfield's, *The Use of Public Power* (Oxford, Oxford University Press, 1982), pág. 104.

mación y modificación de un consenso siempre en desarrollo, que la victoria en cualquier batalla debe ser sopesada con la necesidad de asegurar a los perdedores otro *round* en una guerra limitada y prolongada. Es, por supuesto, tranquilizador pensar que otros países especialmente pequeños, menos poderosos y más vulnerables están mejor equipados que los grandes, poderosos y menos vulnerables Estados Unidos para afrontar políticamente otros problemas e incertidumbres económicas de los años 80. El historial de los años 70, sin embargo, y el argumento de este libro sugieren que con una idea como ésta no puede acabarse fácilmente. Pero en este caso una mala noticia trae el bien con ella. Nuestra dificultad para captar los logros políticos y económicos de los pequeños Estados europeos refleja una falta de imaginación política, lo cual es una carencia con más fácil solución que muchas otras.

Este libro se ha centrado en las consecuencias políticas de la apertura económica y de la vulnerabilidad internacional. Las «políticas adversarias» típicas de Estados Unidos están limitadas en los pequeños Estados europeos por la consecuencia del interés común y la «política unitaria» que ello crea [48]. Típico de los pequeños Estados europeos es la toma de decisiones mediante consenso, lo cual sustituye a la regla mayoritaria. Una «política unitaria» puede, desde luego, surgir, al menos por un tiempo, en los grandes Estados industriales: con tecnócratas, mediante una lógica de las cosas que reduce la política a la administración; con weberianos, a través de la institucionalización del carisma; con marxistas, a través de la lucha por el socialismo, y con los conservadores, mediante hombres de Estados sensatos que determinan el bien común en la esfera de la filosofía moral antes que en la de las preferencias individuales. Sin embargo, todas estas apariencias son generalmente temporales; como señala Jane Mansbridge, «como la guerra misma, los esfuerzos para crear una moral equivalente de la guerra unitaria pierde su atractivo: Estados Unidos ofrece amplios ejemplos». En cuestiones económicas las iniciativas políticas están a menudo expresadas en el lenguaje de la seguridad nacional. La *National Defense Highway Act,* la *National Education Act* y una serie de programas enérgicos quedan descritos de forma plausible por lo que Theodore Lowi ha declarado de la política exterior americana en términos generales: exportando la amenaza exportan también el remedio [50].

Desde los años 30 los pequeños Estados europeos han experimentado en la apertura económica y la vulnerabilidad internacional al menos un

---

[48] Robert A. Dahl y Edward R. Tufte, *Size and Democracy* (Stanford, Stanford University Press, 1973), Jane J. Mansbridge, *Beyond Adversary Democracy* (Nueva York, Basic, 1980), págs. 293-98.

[49] Mansbridge, *Beyon Adversary Democracy,* pág. 293.

[50] Theodore J. Lowi, *The end of Liberalism: The Second Republic of the United States,* 2.ª ed. (Nueva York, Norton, 1979), págs. 127-63.

sustituto parcial para la «moral equivalente a la guerra» (cuando no la guerra misma). Una economía flexible y una política cooperativa ha sido una de las consecuencias. Una segunda consecuencia, en la que no insistimos aquí, es el peligro inherente en los acuerdos corporatistas. La amplia noción de un bien común, sugerida por las presiones económicas internacionales, hace ilegítimos los conflictos políticos sobre las opciones políticas básicas durante períodos más largos de tiempo que en los grandes Estados industriales. No es casualidad que el Parlamento, como la arena institucional donde tales elecciones se debaten, por lo general, en las democracias liberales, tenga menos importancia en Suiza y Austria que en cualquier otro Estado industrial avanzado [51]. Dado que los grandes países experimentan de forma creciente estas consecuencias de la apertura y vulnerabilidad económicas a las que los pequeños Estados europeos han tenido décadas para adaptarse, la tendencia hacia el corporatismo alterará sin duda el estilo y la sustancia de la política democrática.

En algunos sectores de la sociedad americana los acuerdos corporatistas formales o informales han aparecido como una respuesta natural a la crisis económica de finales de los años 70 y principios de los 80. La Oficina de Garantía de Préstamos de Chrysler estaba formada por miembros del gobierno federal, de la dirección y de los sindicatos. La crisis fiscal de la ciudad de Nueva York fue afrontada mediante una cooperación informal entre banqueros como Felix Rohatyn, funcionarios de los sindicatos como Victor Gotbaum y funcionarios del Estado. Intentos menos espectaculares se han producido en otras situaciones con éxitos diversos. Las comisiones consultivas en la industria, establecidas durante la ronda de negociaciones comerciales de Tokyo, colaboraron con éxito debido a la amenaza planteada por la competencia exterior. Por el contrario, la Comisión Tripartita del Acero, enfrentada a una serie de crisis en la industria americana del acero, no consiguió superar las barreras ideológicas y legales para una cooperación con éxito. Donde la percepción de la vulnerabilidad y de la crisis se acerca a niveles considerados «normales» en los pequeños Estados europeos, el corporatismo ha llegado a formar parte del repertorio político de Austria.

Pero lejos de ser una crisis general que engloba a toda la sociedad americana (una crisis como la Gran Depresión o la segunda guerra mundial), el corporatismo se enfrenta a dificultades sustanciales a nivel nacional. El corporatismo es contrario a la esencia de la política americana en muchos sentidos, la desconfianza frente a la discreción administrativa ha fomentado un estilo litigante de política y un énfasis en la transparencia de los

---

[51] André Jaeggi, «Between Parliamentary Weakness and Bureaucratic Strength: Interest Representation in Sweiss Foreign Relations» (artículo preparado para el Seminario sobre la Representación de Intereses a las Políticas Mixtas, European Consortium for Political Research, Lancaster, Inglaterra, 29 de marzo-4 de abril de 1984), pág. 4.

procedimientos que está en desequilibrio con las exigencias de la negociación corporatista. Además, la sociedad americana está relativamente
desorganizada: las asociaciones de élite capaces de pedir un amplio apoyo social son escasas. Por ejemplo, el corporatismo en Estados Unidos
habría tenido que incluir el movimiento obrero organizado, a pesar de
que la proporción de trabajadores organizados a través de los sindicatos
americanos es sólo la mitad o la tercera parte de los datos correspondientes para los pequeños Estados europeos, y la proporción americana está
descendiendo. Los movimientos sociales, tales como el movimiento por
los derechos civiles o el movimiento de mujeres, ejercen cambios políticos por sí mismos en América. En los pequeños Estados europeos éstos
son atraídos generalmente por los grupos existentes o partidos políticos.
En las sociedades bien organizadas de los pequeños Estados europeos el
corporatismo es inclusivo. Trasplantado a América, el corporatismo tiende a la exclusión.

En el caso de los pequeños Estados europeos, la interacción de los factores nacionales y globales para forzar una política flexible de adaptación
no es nueva. Refiriéndose a los años 30, Carol Major Wright afirmaba
en 1939: «Si no es probable que un pequeño país pueda "tomar las armas
contra un mar de problemas", es igualmente claro que los esfuerzos para
el aislamiento con respecto a los cambios en los mercados mundiales son
costosos e indudablemente ruinosos... Los países pequeños deben imitar a David, quien rechazó el impedimento que Saúl impuso sobre él y
confió en su agilidad y rápida adaptabilidad»[52]. La insistencia en la necesidad de adaptabilidad, que procedía, según la derecha, de la experiencia de los años 30, se ve confirmada en los años 70 y 80, pero la prescripción de un cierto tipo de intervención gubernamental no. Hoy en el
aire resuenan llamadas al ajuste «positivo» más que al «negativo», a políticas que aceleren, antes que reduzcan, el traspaso de factores de producción de los sectores en declive a los sectores en crecimiento. Los burócratas internacionales que primero acuñaron estas frases a mediados de
los 70 esperaban elevar a un nivel programático la necesidad política de
una rápida reestructuración de las economías nacionales. ¿Cómo, si no,
podría evitarse una peligrosa recaída en otra oleada de proteccionismo al
estilo de los años 30? La capacidad de maniobra en el extranjero y la adaptación interior requiere una movilidad de los factores de producción, que
entre los países en desarrollo con éxito coincide frecuentemente con el
autoritarismo y la represión política[53]. Esta es una opción improbable
para los pequeños Estados europeos. Durante el último medio siglo to-

---

[52] Carol Major Wright, *Economic Adaptation to a Changing World Market* (Copenhage, Munksgaard, 1939), págs. 243-244.
[53] Tony Carty y Alexander McCall Smith, eds., *Power and Manoeuverability* (Edinbur-
go, Q Press, 1978),y David B. Yoffie, *Power and Protectionism: Strategies of the Newly In-
dustrializing Countries* (Nueva York, Columbia University Press, 1983).

dos los Estados industriales avanzados han alcanzado amplias transformaciones en el carácter de sus economías y sus políticas. Las llamadas al «ajuste positivo» están rodeadas por el mismo ambiente de irrealidad que las prescripciones políticas derivadas de la venerable distinción entre mercado y planificación: mediante una repetición excesiva adquieren rápidamente el *status,* poco envidiable, de lugares comunes. Preocupados a menudo por un escaso entendimiento de las capacidades de las estructuras políticas y las presiones que actúan sobre ellos, estas exhortaciones representan el enfoque de Peter Pan de la política pública: se cierran los ojos y se desea con fuerza.

La estrategia distintiva por la que los pequeños Estados europeos se ajustan al cambio deriva de las estructuras nacionales corporatistas, que tienen su origen histórico en los años 30 y 40. Las condiciones de crisis pueden crear estructuras internas que combinen las prácticas democráticas con la eficacia política y la eficiencia económica. En las pasadas décadas los grandes Estados industriales han recorrido con dificultad parte del camino hacia las condiciones de apertura y vulnerabilidad económicas, grandes características de los pequeños Estados europeos. Para los optimistas que se encuentren entre nosotros esto es motivo de regocijo: representa el desplazamiento hacia una condición esencial si esta década representa las promesas más que los horrores de los años 30.

La estrategia de ajuste de los pequeños Estados europeos queda resumida por la historia de la serpiente, la rana y el águila. Temerosa de ser devorada por la serpiente, la rana pregunta al búho cómo podría sobrevivir. La respuesta del buho es breve y enigmática: aprendiendo a volar. Ninguno de los pequeños Estados europeos ha aprendido a volar como el águila. Lo que han aprendido a cultivar es una capacidad asombrosa para saltar. Aunque parecen aterrizar sobre sus estómagos, de hecho aterrizan siempre sobre sus pies y conservan la habilidad de saltar de nuevo en diferentes direcciones, corrigiendo el rumbo a medida que avanzan. En un mundo de gran incertidumbre y de opciones con un alto riesgo, ésta es una respuesta inteligente. Las ranas pueden escapar de las serpientes, y los pequeños Estados corporatistas pueden continuar prosperando —no porque hayan encontrado una solución al problema del cambio, sino porque han hallado un modo de vivir con él.

INDICE